OXFORD RUSSIAN READERS

General Editor
S. KONOVALOV

NOTE

BY THE GENERAL EDITOR

THIS series of Readers is designed to provide an introduction to Russian literature both for fairly elementary and for more advanced students of Russian. In choosing the texts, we have tried to make the selections representative, while avoiding as far as possible works which, on account of popular, regional, or technical vocabulary, offer special difficulties.

Simple grammatical rules, accessible in any Russian grammar, are not given, but an attempt is made to clarify some of the obscurities of Russian syntax by supplying translations of difficult phrases and examples of comparable idiomatic constructions. Some helpful grammatical information is embodied in the Vocabularies, and the student is urged to read carefully the 'Introduction to the Vocabulary'.

A novel feature of the series is the use in the Vocabularies of a simple system of notation (restricted to six symbols) as a guide to the stress-shift in the declension of nouns—information only rarely to be found in grammars, readers, or dictionaries. Accentuation, which presents difficulties not only for beginners but also for advanced students of Russian, is indicated in all texts.

ANTON CHEKHOV
SELECTED SHORT STORIES

EDITED BY

G. A. BIRKETT

AND

GLEB STRUVE

OXFORD

AT THE CLARENDON PRESS

Oxford University Press, Amen House, London E.C.4

GLASGOW NEW YORK TORONTO MELBOURNE WELLINGTON
BOMBAY CALCUTTA MADRAS KARACHI KUALA LUMPUR
CAPE TOWN IBADAN NAIROBI ACCRA

FIRST EDITION 1951
REPRINTED 1955, 1959, 1961

PRINTED IN GREAT BRITAIN

CONTENTS

CHEKHOV: HIS LIFE AND WORK

ANTON PAVLOVICH CHEKHOV, generally recognized to-day as one of the greatest masters of the short story in world literature, was born on 17 January 1860 in Taganrog, an important commercial town on the Sea of Azov, in south Russia. The family was of peasant stock, and Chekhov's grandfather began his life as a serf, but succeeded in buying himself and his family out when Chekhov's father was still a boy. The writer's father built up a prosperous grocer's business in Taganrog. The family was large, closely united, and very religious. Anton Chekhov grew up in an atmosphere of relative middle-class prosperity and of strict observance of Church practices.

Though the parents themselves had but little education they saw to it that their several sons each received a good one. Anton Chekhov attended first a Greek private school (Taganrog had a considerable Greek population belonging to the merchant class) and then a State High School (*gimnaziya*). While still at school he showed, as did one of his elder brothers, some interest in literature and especially in the theatre. In 1876 the Chekhovs were forced by a bad turn in their business to move to Moscow, but Anton remained behind to complete his schooling. He joined his family three years later and matriculated in the Faculty of Medicine at the University of Moscow, where he studied until 1884. He said later that he knew of no better training for a writer than to spend some years in the medical profession. But in his own life medicine always remained in the background, and even before his reputation as a writer was established he practised but little.

Chekhov's literary début was made while he was still a student. Following in the footsteps of his brother Alexander, he began to contribute short stories, sketches, and parodies regularly to certain comic papers. They were signed 'Antosha Chekhonte', and under this facetious pen-name Chekhov acquired considerable popularity with the reading public and within a certain limited literary circle. His production at this time was very great (in 1883 alone he wrote no less than 120 stories and sketches), but its quality was on the whole rather low, although in some of the stories of this period one can already catch glimpses of the future Chekhov.

In 1885 one of his stories attracted the attention of the well-known novelist Grigorovich, a man of the same generation as Turgenev and Dostoevsky, who liked patronizing and encouraging budding young authors. Chekhov was invited to St. Petersburg and there made the acquaintance of Alexey Suvorin, editor of *Novoe Vremya*, the most important Russian daily. This meeting with Suvorin, and the encouragement which the young Chekhov received from such older writers as Grigorovich and Leskov, was a turning-point in his literary career. Until then he had looked upon his literary occupations as an amusement and an easy way of earning money by pandering to the low-brow tastes of the readers of *Oskolki* and other comic papers. When Grigorovich urged Chekhov to 'respect' his talent Chekhov answered: 'If I have a gift which has to be respected, then I must confess to your pure heart that hitherto I have not respected it.' Now he took literature more seriously.

There is a marked difference between Chekhov's stories

before 1886 (which in the selection given in this book are represented by *Tolsty i tonki*, *Ekzamen na chin*, *Neudacha*, and *Shutochka*) and those written after. In 1886 Suvorin published Chekhov's story *Panikhida* in the Literary Supplement to *Novoe Vremya*, and this began an association between Chekhov and Suvorin's paper which lasted several years and enabled Chekhov to gain a firm foothold in literature and to secure his independence. His relations with Suvorin grew into a warm friendship which for many years was not affected by Suvorin's political leanings (his *Novoe Vremya* was a pro-Government paper and Chekhov's participation in it was looked upon unfavourably in Russian progressive circles). In 1888 Chekhov stayed with Suvorin in the Crimea and travelled with him to the Caucasus. Later they went abroad together. After 1893 they drifted apart, largely for political reasons and, among other things, because of the attitude which Suvorin and his paper took up in the famous Dreyfus case. But Chekhov never denied the great debt he owed to Suvorin. His letters to Suvorin are among the most interesting in his voluminous correspondence.

When, with the help of Suvorin, Chekhov's literary reputation was established, he was able to drop his earlier hack-work for the comic papers. Parallel with an improvement in quality went a diminution in the quantity of his output: as against 129 stories and sketches in 1885 and 112 in 1886, he wrote 66 in 1887 and only 12 in 1888. To the year 1889 belongs *Skuchnaya istoriya*, one of Chekhov's most characteristic stories, which marks the beginning of his mature period. Most of his best stories were written between 1889 and 1895.

Soon after Chekhov had finished his University studies there appeared the first signs of an illness which can be traced back in its origins to a cold caught in boyhood when bathing, and which was to develop into tuberculosis and bring about his premature death. In the winter of 1889 there was a sharp turn for the worse in the state of Chekhov's health; he suffered from constant fever and nervous irritability, had nightmares, complained of *taedium vitae* and of an overpowering sense of frustration. Periods of frustration and lassitude, when he lost all interest in life, alternated with periods of acute restlessness, of *Wanderlust*. Chekhov talked of going to America or Australia. In the spring of 1890 he did in fact undertake a long and risky journey. Disregarding the advice of his friends and the state of his health, he set out on an adventurous trek across Siberia to visit Russian convict settlements on the island of Sakhalin. He spent over three months there, returning to Russia by sea. The outcome of this journey was a thorough study, in book form, of the life of the convicts. In this book, his only non-fiction work, Chekhov the writer and Chekhov the medical man with strong social-humanitarian propensities join hands.

In 1892 Chekhov was able to buy a small dilapidated country house at Melekhovo near Moscow and for five years he settled down to a quiet rural life with his parents and other members of the family, engaging in literature, in voluntary medical practice, and in social work among the peasants. But his illness continued to progress rapidly and in 1897 he was obliged to abandon Melekhovo and go south. Henceforth most of his life was spent either at Yalta in the Crimea, where he eventually made his home and built himself a villa (which now houses the Chekhov Museum), or at foreign health resorts, with occasional visits to Moscow and St. Petersburg. Even before he went to Melekhovo Chekhov had fallen under the spell of Tolstoy's moral teaching, and during his stay in Melekhovo the two often met (later they were to meet again in Yalta). Several of Chekhov's stories written about 1890–2 reflect his 'Tolstoyism', but he soon grew out of it. As early as 1891 he wrote to Suvorin: 'Alas! I shall never be a Tolstoyan. In women I love above all beauty, and in the history of mankind, that civilization which manifests itself in carpets, spring carriages, and wit.'

In October 1896 Chekhov's play *Chayka* (known in English as *The Seagull*), written the year before, was produced by the St. Petersburg Imperial Theatre. It was not Chekhov's first play—before this he had written *Ivanov* and *The Forest Spirit* (which was later to become *Uncle Vanya*), as well as several gay one-act comedies. *Chayka*, misunderstood by the actors and the public, was a complete failure, and after the first performance Chekhov fled back to Melekhovo in disgust and disappointment, vowing to himself never to write any more plays. But a little more than three years later (in December 1898) *Chayka* was to see the footlights in Moscow as one of the first ventures of a new theatrical undertaking headed by Stanislavsky and Nemirovich-Danchenko—the famous Moscow Art Theatre. This time the play was a sensational success, the names of Chekhov and the Moscow Art Theatre became indissolubly linked, and Chekhov wrote three more plays specially for Stanislavsky's theatre: *Uncle Vanya* in 1899, *The Three Sisters* in 1900, and *The Cherry Orchard* in 1903. Without

Stanislavsky and Nemirovich-Danchenko and their sympathetic handling of *Chayka*, Chekhov would probably never have written the other plays, of which the two last are undoubtedly his best. On the other hand, the reputation of the Moscow Art Theatre as a theatre, and as a pioneer of a new realism and a novel art of stage-craft, was built largely on Chekhov's plays. During this last period of his association with the Moscow Art Theatre he wrote very few stories.

In 1901 Chekhov married Olga Knipper, one of the principal actresses of the Moscow Art Theatre, who created some of the main parts in his plays and who to-day still lives in Moscow. Their short married life, spent mostly in their house at Yalta, was happy. On 17 January 1904 Chekhov was present at the first night of his *Cherry Orchard* in Moscow. In April he went back to Yalta, but in June his condition became worse and his doctor advised him to go to Badenweiler in the Black Forest. From there, on 13 June, Chekhov wrote a letter to his mother expressing a hope for recovery. Less than three weeks later, on 1 July, he died in his wife's arms.

As a man Chekhov was singularly attractive: kindly, generous, simple, unassuming. Gorky, with whom Chekhov was very friendly during the last few years of his life, said of him: 'I think that in Chekhov's presence everybody felt an instinctive desire to be simpler, more truthful, to be more himself, and more than once I saw people discard the motley array of bookish phrases and fashionable words and other cheap tricks with which a Russian, wishing to pass for a European, is fond of decorating himself just as a savage adorns himself with shells and fishes' teeth. Chekhov disliked fishes' teeth and cocks' feathers; everything motley, tinkling and foreign, which a man puts on to give himself airs, caused him embarrassment. . . . All his life Chekhov lived on the resources of his own soul, was always himself, always inwardly free and never bothered about what some people expected of Anton Chekhov, and others—coarser people—demanded of him. . . .' Another friend and fellow writer, Ivan Bunin, said of him: 'He was fond of life and joy and longed for happiness.'

The first collected edition of Chekhov's works, the only one prepared during the author's lifetime and under his personal supervision, was that published by A. F. Marks in 1899–1901 (second edition 1903), which, with a supplementary collection published in 1911, remained the standard, though by no means complete, text of Chekhov until the commencement in 1944, under Soviet auspices, of a *Polnoe sobranie sochineniy i pisem A. P. Chekhova* which is expected to reach 20 volumes. The text of the stories presented in this book reproduces that of the Marks edition.

To those who wish to read in English a more detailed account of Chekhov's life and work the following books can be recommended:

WILLIAM GERHARDI, *Anton Chehov: A Critical Study*, London, 1923.

S. S. KOTELIANSKY and PHILIP TOMLINSON, *The Life and Letters of A. Tchekhov*, London, 1925.

N. ANDRONIKOVA-TUMANOVA, *Anton Chekhov: The Voice of Twilight Russia*, London, 1937.

OLIVER ELTON, *Chekhov* (Taylorian Lecture), Oxford, 1929.

The Note-books of Anton Tchekhov, together with Reminiscences of Tchekhov by Gorky, tr. by S. S. Koteliansky and Leonard Woolf, London, 1921.

The Letters of Anton Pavlovitch Tchehov to Olga Leonardovna Knipper, tr. by Constance Garnett, London, 1926.

K. Chukovsky, *Chekhov the Man*, tr. by Pauline Rose, London, 1946.

W. H. Bruford, *Chekhov and his Russia*, London, 1947.

Ronald Hingley, *Chekhov: A Biographical and Critical Study*, London, 1950.

G. A. B.
G. S.

1. ТО́ЛСТЫЙ И ТО́НКИЙ

На вокза́ле Никола́евской желе́зной доро́ги встре́тились два прия́теля: оди́н то́лстый, друго́й то́нкий. То́лстый то́лько-что пообе́дал на вокза́ле, и гу́бы его́, подёрнутые ма́слом, ло́снились, как спе́лые ви́шни. Па́хло от него́
5 хе́ресом и флёр-д'ора́нжем. То́нкий же то́лько-что вы́шел из ваго́на и был навью́чен чемода́нами, узла́ми и карто́нками. Па́хло от него́ ветчи́ной и кофе́йной гу́щей. Из-за его́ спины́ выгля́дывала ху́денькая же́нщина с дли́нным подборо́дком — его́ жена́, и высо́кий гимнази́ст с прищу́-
10 ренным гла́зом — его́ сын.

— Порфи́рий! — воскли́кнул то́лстый, уви́дев то́нкого. — Ты ли э́то? Голу́бчик мой! Ско́лько зим, ско́лько лет!

— Ба́тюшки! — изуми́лся то́нкий. — Ми́ша! друг де́тства! отку́да ты взя́лся?

15 Прия́тели троекра́тно облобыза́лись и устреми́ли друг на дру́га глаза́, по́лные слёз. Оба бы́ли прия́тно ошеломлены́.

— Ми́лый мой! — на́чал то́нкий по́сле лобыза́ния. — Вот не ожида́л! Вот сюрпри́з! ну, да погляди́ же на меня́
20 хороше́нько! Тако́й же краса́вец, как и был! Тако́й же душо́нок и щёголь! Ах, ты Го́споди! Ну, что̀ же ты? Бога́т? Жена́т? Я уже́ жена́т, как ви́дишь. . . . Э́то вот моя́ жена́, Луи́за, урождённая Ванценба́х . . . лютера́нка. . . . А э́то сын мой, Нафанаи́л, учени́к III кла́сса. Э́то,
25 Нафа́ня, друг моего́ де́тства! В гимна́зии вме́сте учи́лись.

Нафанаи́л немно́го поду́мал и снял ша́пку.

— В гимна́зии вме́сте учи́лись! — продолжа́л то́нкий. — По́мнишь, как тебя́ дразни́ли? Тебя́ дразни́ли Герostра́том за то, что ты казённую кни́жку папиро́ской прожёг, а меня́ Эфиа́льтом за то, что я я́бедничать люби́л. Хо-хо. . . . Детьми́ бы́ли! Не бо́йся, Нафа́ня! Подойди́ к нему́ побли́же. . . . А э́то моя́ жена́, урождённая Ванценба́х . . . лютера́нка.

Нафанаи́л немно́го поду́мал и спря́тался за̀ спину отца́. 5

— Ну, как живёшь, друг? — спроси́л то́лстый, восто́рженно гля́дя на дру́га. — Слу́жишь где? Дослужи́лся?

— Служу́, ми́лый мой! Колле́жским асе́ссором уже́ второ́й год и Станисла́ва име́ю. Жа́лованье плохо́е . . . 10 ну, да Бог с ним! Жена́ уро́ки му́зыки даёт, я портсига́ры прива́тно из де́рева де́лаю. Отли́чные портсига́ры! По рублю́ за шту́ку продаю́. Е́сли кто берёт де́сять штук и бо́лее, тому́, понима́ешь, усту́пка. Пробавля́емся ко́е-ка́к. Служи́л, зна́ешь, в департа́менте, а тепе́рь 15 сюда́ переведён столонача́льником по тому́ же ве́домству. . . . Здесь бу́ду служи́ть. Ну, а ты как? Небо́сь, уже́ ста́тский? А?

— Нет, ми́лый мой, поднима́й повы́ше, — сказа́л то́лстый. — Я уже́ до та́йного дослужи́лся. . . . Две 20 звезды́ име́ю.

То́нкий вдруг побледне́л, окамене́л, но ско́ро лицо́ его́ искриви́лось во все сто́роны широча́йшей улы́бкой; каза́лось, что от лица́ и глаз его́ посы́пались и́скры. Сам он съёжился, сго́рбился, су́зился. . . . Его́ чемода́ны, 25 узлы́ и карто́нки съёжились, помо́рщились. . . . Дли́нный подборо́док жены́ стал ещё длинне́е; Нафанаи́л вы́тянулся во фрунт и застегну́л все пу́говки своего́ мунди́ра. . . .

— Я, ва́ше превосходи́тельство. . . . О́чень прия́тно-с! Друг, мо́жно сказа́ть, де́тства и вдруг вы́шли в таки́е 30 вельмо́жи-с! Хи-хи-с!

— Ну, по́лно! — помо́рщился то́лстый. — Для чего́ э́тот тон? Мы с тобо́й друзья́ де́тства — и к чему́ тут э́то чинопочита́ние!

— Поми́луйте. . . . Что̀ вы-с . . . — захихи́кал то́нкий, 5 ещё бо́лее съёживаясь. — Ми́лостивое внима́ние ва́шего превосходи́тельства . . . вро́де как бы живи́тельной вла́ги. . . . Э́то вот, ва́ше превосходи́тельство, сын мой Нафанаи́л . . . жена́ Луи́за, лютера́нка, не́которым о́бразом. . . .

10 То́лстый хоте́л-бы́ло возрази́ть что́-то, но на лице́ у то́нкого бы́ло напи́сано сто́лько благогове́ния, сла́дости и почти́тельной кислоты́, что та́йного сове́тника стошни́ло. Он отверну́лся от то́нкого и по́дал ему́ на проща́нье ру́ку.

То́нкий пожа́л три па́льца, поклони́лся всем ту́ловищем 15 и захихи́кал, как кита́ец: « хи-хи-хи ». Жена́ улыбну́лась. Нафанаи́л ша́ркнул ного́й и урони́л фура́жку. Все тро́е бы́ли прия́тно ошеломлены́.

2. МА́ЛЬЧИКИ

— Воло́дя прие́хал! — кри́кнул кто́-то на дворе́.

— Воло́дичка прие́хали! — завопи́ла Ната́лья, вбега́я в столо́вую. — Ах, Бо́же мой!

Вся семья́ Королёвых, с ча́су на́ час поджида́вшая своего́ Воло́дю, бро́силась к о́кнам. У подъе́зда стоя́ли широ́кие ро́звальни, и от тро́йки бе́лых лошаде́й шёл густо́й тума́н. Са́ни бы́ли пусты́, потому́ что Воло́дя уже́ стоя́л в сеня́х и кра́сными, озя́бшими па́льцами развя́зывал башлы́к. Его́ гимнази́ческое пальто́, фура́жка, кало́ши и во́лосы на виска́х бы́ли покры́ты и́неем, и весь он от головы́ до ног издава́л тако́й вку́сный моро́зный за́пах, что, гля́дя на него́, хоте́лось озя́бнуть и сказа́ть: «бррр!». Мать и тётка бро́сились обнима́ть и целова́ть его́, Ната́лья повали́лась к его́ нога́м и начала́ ста́скивать с него́ ва́ленки, сёстры по́дняли визг, две́ри скрипе́ли, хло́пали, а оте́ц Воло́ди в одно́й жиле́тке и с но́жницами в рука́х вбежа́л в пере́днюю и закрича́л испу́ганно:

— А мы тебя́ ещё вчера́ жда́ли! Хорошо́ дое́хал? Благополу́чно? Го́споди Бо́же мой, да да́йте же ему́ с отцо́м поздоро́ваться! Что̀ я не оте́ц, что ли?

— Гав! Гав! — реве́л ба́сом Мило́рд, огро́мный, чёрный пёс, стуча́ хвосто́м по стена́м и по ме́бели.

Всё смеша́лось в оди́н сплошно́й, ра́достный звук, продолжа́вшийся мину́ты две. Когда́ пе́рвый поры́в ра́дости прошёл, Королёвы заме́тили, что кро́ме Воло́ди в пере́дней находи́лся ещё оди́н ма́ленький челове́к, уку́танный в платки́, ша́ли и башлыки́ и покры́тый и́неем; он неподви́жно стоя́л в углу́, в тени́, броса́емой большо́ю ли́сьей шу́бой.

— Воло́дичка, а э́то же кто? — спроси́ла шо́потом мать.

— Ах! — спохвати́лся Воло́дя. — Э́то, честь име́ю предста́вить, мой това́рищ Чечеви́цын, учени́к второ́го кла́сса. . . . Я привёз его́ с собо́й погости́ть у нас.

— О́чень прия́тно, ми́лости про́сим! — сказа́л ра́достно оте́ц. — Извини́те, я по-дома́шнему, без сюртука́. . . . Пожа́луйте! Ната́лья, помоги́ господи́ну Черепи́цыну разде́ться! Го́споди Бо́же мой, да прогони́те э́ту соба́ку! Э́то наказа́ние!

Немно́го погодя́ Воло́дя и его́ друг Чечеви́цын, ошеломлённые шу́мной встре́чей и всё ещё ро́зовые от хо́лода, сиде́ли за столо́м и пи́ли чай. Зи́мнее со́лнышко, проника́я сквозь снег и узо́ры на о́кнах, дрожа́ло на самова́ре и купа́ло свои́ чи́стые лучи́ в полоска́тельной ча́шке. В ко́мнате бы́ло тепло́, и ма́льчики чу́вствовали, как в их озя́бших тела́х, не жела́я уступа́ть друг дру́гу, щекота́лись тепло́ и моро́з.

— Ну, вот ско́ро и Рождество́! — говори́л нараспе́в оте́ц, крутя́ из тёмно-ры́жего табаку́ папиро́су. — А давно́ ли бы́ло ле́то и мать пла́кала, тебя́ провожа́ючи? Ан ты и прие́хал. . . . Вре́мя, брат, идёт бы́стро! А́хнуть не успе́ешь, как ста́рость придёт. Господи́н Чи́бисов, ку́шайте, прошу́ вас, не стесня́йтесь! У нас по́просту.

Три сестры́ Воло́ди, Ка́тя, Со́ня и Ма́ша — са́мой ста́ршей из них бы́ло оди́ннадцать лет, — сиде́ли за столо́м и не отрыва́ли глаз от но́вого знако́мого. Чечеви́цын был тако́го же во́зраста и ро́ста, как Воло́дя, но не так пухл и бел, а худ, смугл, покры́т весну́шками. Во́лосы у него́ бы́ли щети́нистые, глаза́ у́зенькие, гу́бы то́лстые, вообще́ был он о́чень некраси́в, и е́сли б на нём не́ было гимнази́ческой ку́ртки, то по нару́жности его́ мо́жно бы́ло бы приня́ть за куха́ркина сы́на. Он был угрю́м, всё вре́мя молча́л и ни ра́зу не улыбну́лся. Де́вочки, гля́дя на него́, сра́зу сообрази́ли, что э́то, должно́-быть, о́чень у́мный и учёный челове́к. Он о чём-то всё вре́мя ду́мал и так был за́нят свои́ми мы́слями, что когда́ его́ спра́шивали о чём-нибудь, то он вздра́гивал, встря́хивал голово́й и проси́л повтори́ть вопро́с.

Де́вочки заме́тили, что и Воло́дя, всегда́ весёлый и разгово́рчивый, на э́тот раз говори́л ма́ло, во́все не улыба́лся и как бу́дто да́же не рад был тому́, что прие́хал домо́й. Пока́ сиде́ли за ча́ем, он обрати́лся к сёстрам то́лько раз, да и то с каки́ми-то стра́нными слова́ми. Он указа́л па́льцем на самова́р и сказа́л:

— А в Калифо́рнии вме́сто ча́ю пьют джин.

Он то́же был за́нят каки́ми-то мы́слями и, су́дя по тем взгля́дам, каки́ми он и́зредка обме́нивался с дру́гом свои́м Чечеви́цыным, мы́сли у ма́льчиков бы́ли о́бщие.

По́сле ча́ю все пошли́ в де́тскую. Оте́ц и де́вочки се́ли за стол и заняли́сь рабо́той, кото́рая была́ пре́рвана прие́здом ма́льчиков. Они́ де́лали из разноцве́тной бума́ги цветы́ и бахрому́ для ёлки. Э́то была́ увлека́тельная и шу́мная рабо́та. Ка́ждый вновь сде́ланный цвето́к де́вочки встреча́ли восто́рженными кри́ками, да́же кри́ками у́жаса, то́чно э́тот цвето́к па́дал с не́ба; папа́ша то́же восхища́лся и и́зредка броса́л но́жницы на̀ пол, сердя́сь на них за то, что они́ ту́пы. Мама́ша вбега́ла в де́тскую с о́чень озабо́ченным лицо́м и спра́шивала:

— Кто взял мои́ но́жницы? Опя́ть ты, Ива́н Никола́ич, взял мои́ но́жницы?

— Го́споди Бо́же мой, да́же но́жниц не даю́т! — отвеча́л пла́чущим го́лосом Ива́н Никола́ич и, отки́нувшись на спи́нку сту́ла, принима́л по́зу оскорблённого челове́ка, но че́рез мину́ту опя́ть восхища́лся.

В предыду́щие свои́ прие́зды Воло́дя то́же занима́лся приготовле́ниями для ёлки или бе́гал на двор погляде́ть, как ку́чер и пасту́х де́лали снегову́ю го́ру, но тепе́рь он и Чечеви́цын не обрати́ли никако́го внима́ния на разноцве́тную бума́гу и ни ра́зу да́же не побыва́ли в коню́шне, а се́ли у окна́ и ста́ли о чём-то шепта́ться; пото́м они́ о́ба вме́сте раскры́ли географи́ческий а́тлас и ста́ли рассма́тривать каку́ю-то ка́рту.

— Снача́ла в Пермь . . . — ти́хо говори́л Чечеви́цын. — Отту́да в Тюме́нь . . . пото́м Томск . . . пото́м . . . пото́м . . . в Камча́тку. . . . Отсю́да самое́ды перевезу́т на ло́дках че́рез Бе́рингов проли́в. . . . Вот тебе́ и Аме́рика. . . . Тут мно́го пушны́х звере́й.

— А Калифо́рния? — спроси́л Воло́дя.

— Калифо́рния ни́же. . . . Лишь бы в Аме́рику попа́сть, а Калифо́рния не за гора́ми. Добыва́ть же себе́ пропита́ние мо́жно охо́той и грабежо́м.

Чечеви́цын весь день сторони́лся де́вочек и гляде́л на них исподло́бья. По́сле вече́рнего ча́я случи́лось, что его́ мину́т на́ пять оста́вили одного́ с де́вочками. Он суро́во ка́шлянул, потёр пра́вой ладо́нью ле́вую ру́ку, погляде́л угрю́мо на Ка́тю и спроси́л:

— Вы чита́ли Майн-Ри́да?

— Нет, не чита́ла. . . . Послу́шайте, вы уме́ете на конька́х ката́ться?

Погружённый в свои́ мы́сли, Чечеви́цын ничего́ не отве́тил на э́тот вопро́с, а то́лько си́льно наду́л щёки и сде́лал тако́й вздох, как бу́дто ему́ бы́ло о́чень жа́рко. Он ещё раз по́днял глаза́ на Ка́тю и сказа́л:

— Когда́ ста́до бизо́нов бежи́т че́рез пампа́сы, то дрожи́т земля́, а в э́то вре́мя муста́нги, испуга́вшись, брыка́ются и ржут.

Чечеви́цын гру́стно улыбну́лся и доба́вил:

— А та́кже инде́йцы напада́ют на поезда́. Но ху́же всего́ э́то моски́ты и терми́ты.

А что̀ э́то тако́е?

— Э́то вро́де мура́вчиков, то́лько с кры́льями. О́чень си́льно куса́ются. Зна́ете, кто я?

— Господи́н Чечеви́цын.

— Нет. Я Монтиго́мо, Ястреби́ный Ко́готь, вождь непобеди́мых.

Ма́ша, са́мая ма́ленькая де́вочка, погляде́ла на него́, пото́м на окно́, за кото́рым уже́ наступа́л ве́чер, и сказа́ла в разду́мьи:

— А у нас чечеви́цу вчера́ гото́вили.

Соверше́нно непоня́тные слова́ Чечеви́цына и то, что он постоя́нно шепта́лся с Воло́дей, и то, что Воло́дя не игра́л, а всё ду́мал о чём-то, — всё э́то бы́ло зага́дочно и стра́нно. И о́бе ста́ршие де́вочки, Ка́тя и Со́ня, ста́ли зо́рко следи́ть за ма́льчиками. Ве́чером, когда́ ма́льчики ложи́лись спать, де́вочки подкра́лись к две́ри и подслу́шали их разгово́р. О, что̀ они́ узна́ли! Ма́льчики собира́лись бежа́ть куда́-то в Аме́рику добыва́ть зо́лото; у них для доро́ги бы́ло уже́ всё гото́во: пистоле́т, два ножа́, сухари́, увеличи́тельное стекло́ для добыва́ния огня́, ко́мпас и четы́ре рубля́ де́нег. Они́ узна́ли, что ма́льчикам придётся пройти́ пешко́м не́сколько ты́сяч вёрст, а по доро́ге сража́ться с ти́грами и дикаря́ми, пото́м добыва́ть зо́лото и слоно́вую кость, убива́ть враго́в, поступа́ть в морски́е разбо́йники, пить джин и в конце́ концо́в жени́ться на краса́вицах и обраба́тывать планта́ции. Воло́дя и Чечеви́цын говори́ли и в увлече́нии перебива́ли друг дру́га. Себя́ Чечеви́цын называ́л при э́том так: «Монтиго́мо Ястреби́ный Ко́готь», а Воло́дю — «бледноли́цый брат мой».

— Ты смотри́ же, не говори́ ма́ме, — сказа́ла Ка́тя Со́не, отправля́ясь с ней спать. — Воло́дя привезёт нам из Аме́рики зо́лота и слоно́вой ко́сти, а е́сли ты ска́жешь ма́ме, то его́ не пу́стят.

Накану́не соче́льника Чечеви́цын це́лый день рассма́тривал ка́рту А́зии и что́-то запи́сывал, а Воло́дя, то́мный, пу́хлый, как уку́шенный пчело́й, угрю́мо ходи́л по ко́мнатам и ничего́ не ел. И раз да́же в де́тской он останови́лся пе́ред ико́ной, перекрести́лся и сказа́л:

— Го́споди, прости́ меня́ гре́шного! Го́споди, сохрани́ мою́ бе́дную, несча́стную ма́му!

К ве́черу он распла́кался. Идя́ спать, он до́лго обнима́л отца́, мать и сестёр. Ка́тя и Со́ня понима́ли, в чём тут де́ло, а мла́дшая, Ма́ша, ничего́ не понима́ла, реши́тельно ничего́, и то́лько при взгля́де на Чечеви́цына заду́мывалась и говори́ла со вздо́хом:

— Когда́ пост, ня́ня говори́т, на́до ку́шать горо́х и чечеви́цу.

Ра́но у́тром в соче́льник Ка́тя и Со́ня ти́хо подняли́сь с посте́лей и пошли́ подсмотре́ть, как ма́льчики бу́дут бежа́ть в Аме́рику. Подкра́лись к две́ри.

— Так ты не пое́дешь? — серди́то спра́шивал Чечеви́цын. — Говори́: не пое́дешь?

— Го́споди! — ти́хо пла́кал Воло́дя. — Как же я пое́ду? Мне ма́му жа́лко.

— Бледноли́цый брат мой, я прошу́ тебя́, пое́дем! Ты же уверя́л, что пое́дешь, сам меня́ смани́л, а как е́хать, так вот и стру́сил.

— Я . . . я не стру́сил, а мне . . . мне ма́му жа́лко.

— Ты говори́: пое́дешь, и́ли нет?

— Я пое́ду, то́лько . . . то́лько погоди́. Мне хо́чется до́ма пожи́ть.

— В тако́м слу́чае, я сам пое́ду! — реши́л Чечеви́цын. — И без тебя́ обойду́сь. А ещё то́же хоте́л охо́титься на ти́гров, сража́ться! Когда́ так, отда́й же мои́ писто́ны!

Воло́дя запла́кал так го́рько, что сёстры не вы́держали и то́же ти́хо запла́кали. Наступи́ла тишина́.

— Так ты не пое́дешь? — ещё раз спроси́л Чечеви́цын.

— По . . . пое́ду.

— Так одева́йся!

И Чечеви́цын, что́бы уговори́ть Воло́дю, хвали́л Аме́рику, рыча́л как тигр, изобража́л парохо́д, брани́лся, обеща́л отда́ть Воло́де всю слоно́вую кость и все льви́ные и ти́гровые шку́ры.

И э́тот ху́денький, сму́глый ма́льчик со щети́нистыми волоса́ми и весну́шками каза́лся де́вочкам необыкнове́нным, замеча́тельным. Э́то был геро́й, реши́тельный, неустраши́мый челове́к, и рыча́л он так, что, сто́я за дверя́ми, в са́мом де́ле мо́жно бы́ло поду́мать, что э́то тигр и́ли лев.

Когда́ де́вочки верну́лись к себе́ и одева́лись, Ка́тя с глаза́ми по́лными слёз сказа́ла:

— Ах, мне так стра́шно!

До двух часо́в, когда́ се́ли обе́дать, всё бы́ло ти́хо, но

за обе́дом вдруг оказа́лось, что ма́льчиков нет до́ма. Посла́ли в людску́ю, в коню́шню, во фли́гель к прика́зчикам — там их нѐ было. Посла́ли в дере́вню — и там не нашли́. И чай пото́м то́же пи́ли без ма́льчиков, а когда́ сади́лись у́жинать, мама́ша о́чень беспоко́илась, да́же пла́кала. А но́чью опя́ть ходи́ли в дере́вню, иска́ли, ходи́ли с фонаря́ми на̀ реку. Бо́же, кака́я подняла́сь сумато́ха!

На друго́й день приезжа́л уря́дник, писа́ли в столо́вой каку́ю-то бума́гу. Мама́ша пла́кала.

Но вот у крыльца́ останови́лись ро́звальни, и от тро́йки бе́лых лошаде́й вали́л пар.

— Воло́дя прие́хал! — кри́кнул кто́-то на дворе́.

— Воло́дичка прие́хали! — завопи́ла Ната́лья, вбега́я в столо́вую.

И Мило́рд зала́ял ба́сом: «гав! гав!» Оказа́лось, что ма́льчиков задержа́ли в го́роде, в Гости́ном дворе́ (там они́ ходи́ли и всё спра́шивали, где продаётся по́рох). Воло́дя, как вошёл в пере́днюю, так и зарыда́л и бро́сился ма́тери на ше́ю. Де́вочки, дрожа́, с у́жасом ду́мали о том, что̀ тепе́рь бу́дет, слы́шали, как папа́ша повёл Воло́дю и Чечеви́цына к себе́ в кабине́т и до́лго там говори́л с ни́ми; и мама́ша то́же говори́ла и пла́кала.

— Ра́зве э́то так мо́жно? — убежда́л папа́ша. — Не дай Бог, узна́ют в гимна́зии, вас исключа́т. А вам сты́дно, господи́н Чечеви́цын! Не хорошо́-с! Вы зачи́нщик и, наде́юсь, вы бу́дете нака́заны ва́шими роди́телями. Ра́зве э́то так мо́жно? Вы где ночева́ли?

— На вокза́ле! — го́рдо отве́тил Чечеви́цын.

Воло́дя пото́м лежа́л, и ему́ к голове́ прикла́дывали полоте́нце, смо́ченное в у́ксусе. Посла́ли куда́-то телегра́мму, и на друго́й день прие́хала да́ма, мать Чечеви́цына, и увезла́ своего́ сы́на.

Когда́ уезжа́л Чечеви́цын, то лицо́ у него́ бы́ло суро́вое, надме́нное, и, проща́ясь с де́вочками, он не сказа́л ни одного́ сло́ва; то́лько взял у Ка́ти тетра́дку и написа́л в знак па́мяти: 5

«Монтиго́мо Ястреби́ный Ко́готь.»

3. ЭКЗА́МЕН НА ЧИН

— Учи́тель геогра́фии Га́лкин на меня́ зло́бу име́ет и, ве́рьте-с, я у него́ не вы́держу сего́дня экза́мента, — говори́л, не́рвно потира́я ру́ки и поте́я, приёмщик Х-го почто́вого отделе́ния Ефи́м Заха́рыч Фе́ндриков, седо́й,
5 борода́тый челове́к с почте́нной лы́синой и соли́дным живото́м. — Не вы́держу . . . Э́то как Бог свят. . . . А зли́тся он на меня́ совсе́м из-за пустяко́в-с. Прихо́дит ко мне одна́жды с заказны́м письмо́м и сквозь всю пу́блику ле́зет, чтоб я, ви́дите ли, при́нял сперва́ его́ письмо́, а
10 пото́м уж про́чие. Э́то не годи́тся. . . . Хоть он и образо́ванного кла́сса, а всё-таки соблюда́й поря́док и жди. Я ему́ сде́лал прили́чное замеча́ние. «Дожида́йтесь, говорю́, о́череди, ми́лостивый госуда́рь.» Он вспы́хнул, и с той поры́ восстаёт на меня́, а́ки Са́ул. Сыни́шке моему́
15 Его́рушке едини́цы выво́дит, а про меня́ ра́зные на-зва́ния по го́роду распуска́ет. Иду́ я одна́жды-с ми́мо тракти́ра Ку́хтина, а он вы́сунулся с билья́рдным ки́ем из окна́ и кричи́т в пья́ном ви́де на всю пло́щадь: — «Господа́, погляди́те: ма́рка, бы́вшая в употребле́нии,
20 идёт!»

Учи́тель ру́сского языка́ Пивомёдов, стоя́вший в пере́дней Х-го уе́здного учи́лища вме́сте с Фе́ндриковым и снисходи́тельно ку́ривший его́ папиро́су, пожа́л плеча́ми и успоко́ил:

25 — Не волну́йтесь. У нас и приме́ра нѐ было, чтоб ва́шего бра́та на экза́менах ре́зали. Профо́рма!

Фе́ндриков успоко́ился, но не надо́лго. Че́рез пере́днюю прошёл Га́лкин, молодо́й челове́к с жи́дкой, сло́вно обо́рванной, боро́дкой, в паруси́нковых брю́ках и но́вом си́нем фра́ке. Он стро́го посмотре́л на Фе́ндрикова и прошёл да́льше.

Зате́м разнёсся слух, что инспе́ктор е́дет. Фе́ндриков похолоде́л и стал ждать с тем стра́хом, кото́рый так хорошо́ изве́стен всем подсуди́мым и экзамену́ющимся впервы́е. Че́рез пере́днюю пробежа́л на у́лицу шта́тный смотри́тель уе́здного учи́лища Ха́мов. За ним спеши́л навстре́чу к инспе́ктору законоучи́тель Змиежа́лов в камила́вке и с напе́рсным кресто́м. Туда́ же стреми́лись и про́чие учителя́. Инспе́ктор наро́дных учи́лищ Аха́хов гро́мко поздоро́вался, вы́разил своё неудово́льствие на пыль и вошёл в учи́лище. Че́рез пять мину́т приступи́ли к экза́менам.

Проэкзаменова́ли двух попо́вичей на се́льского учи́теля. Оди́н вы́держал, друго́й же не вы́держал. Провали́вшийся вы́сморкался в кра́сный плато́к, постоя́л немно́го, поду́мал и ушёл. Проэкзаменова́ли двух вольноопределя́ющихся тре́тьего разря́да. По́сле э́того про́бил час Фе́ндрикова. . . .

— Вы где слу́жите? — обрати́лся к нему́ инспе́ктор.

— Приёмщиком в зде́шнем почто́вом отделе́нии, ва́ше высокоро́дие, — проговори́л он, выпрямля́ясь и стара́ясь скрыть от пу́блики дрожа́ние свои́х рук. — Прослужи́л два́дцать оди́н год, ва́ше высокоро́дие, а ны́не потре́бованы све́дения для представле́ния меня́ к чи́ну колле́жского регистра́тора, для чего́ и осме́ливаюсь подве́ргну́ться испыта́нию на пе́рвый кла́ссный чин.

— Так-с. . . . Напиши́те дикта́нт.

Пивомёдов подня́лся, ка́шлянул и на́чал диктова́ть густы́м, пронзи́тельным ба́сом, стара́ясь улови́ть экзамену́ющегося на слова́х, кото́рые пи́шутся не так, как выгова́риваются: «хараша́ хало́дная вада́, когда́ хо́чица пить» и проч.

Но как ни изощря́лся хитроу́мный Пивомёдов, дикта́нт удался́. Бу́дущий колле́жский регистра́тор сде́лал 5 немно́го оши́бок, хотя́ и напира́л бо́льше на красоту́ букв, чем на грамма́тику. В сло́ве «чрезвыча́йно» он написа́л два «н», сло́во «лу́чше» написа́л «лу́тше», а слова́ми «но́вое по́прище» вы́звал на лице́ инспе́ктора улы́бку, так как написа́л «но́вое по́дприще»; но ведь 10 всё э́то не гру́бые оши́бки.

— Дикта́нт удовлетвори́телен, — сказа́л инспе́ктор.

— Осме́люсь довести́ до све́дения ва́шего высокоро́дия, — сказа́л подбодрённый Фе́ндриков, и́скоса погля́дывая на врага́ своего́ Га́лкина: — осме́люсь доложи́ть, что гео-15 ме́трию я учи́л из кни́ги Давы́дова, отча́сти же обуча́лся ей у племя́нника Варсоно́фия, приезжа́вшего на кани́кулах из Тро́ице-Се́ргиевской, Вифа́нской тож, семина́рии. И планиме́трию учи́л, и стереоме́трию . . . всё как есть . . . .

— Стереоме́трии по програ́мме не полага́ется.

20 — Не полага́ется? А я ме́сяц над ней сиде́л. . . . Э́такая жа́лость! — вздохну́л Фе́ндриков.

— Но оста́вим пока́ геоме́трию. Обрати́мся к нау́ке, кото́рую вы, как чино́вник почто́вого ве́домства, вероя́тно лю́бите. Геогра́фия — нау́ка почтальо́нов.

25 Все учителя́ почти́тельно улыбну́лись. Фе́ндриков был не согла́сен с тем, что геогра́фия есть нау́ка почтальо́нов (об э́том нигде́ нѐ было напи́сано: ни в почто́вых пра́вилах, ни в прика́зах по о́кругу), но из почти́тельности сказа́л: — «То́чно так». Он не́рвно ка́шлянул и с у́жасом стал 30 ждать вопро́сов. Его́ враг Га́лкин отки́нулся на спи́нку сту́ла и, не гля́дя на него́, спроси́л протя́жно:

— Э . . . скажи́те мне, како́е правле́ние в Ту́рции?

— Изве́стно како́е . . . туре́цкое. . . .

— Гм! . . . туре́цкое. . . . Э́то поня́тие растяжи́мое. Там правле́ние конституцио́нное. А каки́е вы зна́ете прито́ки Га́нга?

— Я геогра́фию Смирно́ва учи́л и, извини́те, не отчётливо вы́учил. . . . Ганг, это кото́рая река́ в И́ндии текёт . . . Река́ э́та текёт в океа́н.

— Я вас не про э́то спра́шиваю. Каки́е прито́ки име́ет Ганг? Не зна́ете? А где течёт Ара́кс? И э́того не зна́ете? Стра́нно. . . . Како́й губе́рнии Жито́мир?

— Тракт 18, ме́сто 121.

На лбу у Фе́ндрикова вы́ступил холо́дный пот. Он замига́л глаза́ми и сде́лал тако́е глота́тельное движе́ние, что показа́лось, бу́дто он проглоти́л свой язы́к.

— Как пе́ред и́стинным Бо́гом, ва́ше высокоро́дие, — забормота́л он. — Да́же оте́ц протоиере́й мо́гут подтверди́ть. . . . Два́дцать оди́н год прослужи́л и тепе́рь э́то са́мое, кото́рое. . . . Век бу́ду Бо́га моли́ть. . . .

— Хорошо́, оста́вим геогра́фию. Что̀ вы из арифме́тики пригото́вили?

— И арифме́тику не отчётливо. . . . Да́же оте́ц протоиере́й мо́гут подтверди́ть. . . . Век бу́ду Бо́га моли́ть. . . . С са́мого Покрова́ учу́сь, учу́сь и . . . ничего́ то́лку. . . . Постаре́л для у́мственности. . . . Бу́дьте столь ми́лостивы, ва́ше высокоро́дие, заста́вьте ве́чно Бо́га моли́ть.

На ресни́цах у Фе́ндрикова пови́сли слёзы.

— Прослужи́л че́стно и беспоро́чно. . . . Гове́ю ежего́дно. . . . Да́же оте́ц протоиере́й мо́гут подтверди́ть. . . . Бу́дьте великоду́шны, ва́ше высокоро́дие.

— Ничего́ не пригото́вили?

— Всё пригото́вил-с, но ничего́ не по́мню-с. . . . Ско́ро шестьдеся́т сту́кнет, ва́ше высокоро́дие, где уж тут за нау́ками угоня́ться? Сде́лайте ми́лость!

— Уж и ша́пку с кока́рдой себе́ заказа́л . . . — сказа́л
5 протоиере́й Змиежа́лов и усмехну́лся.

— Хорошо́, ступа́йте! — сказа́л инспе́ктор.

Че́рез полчаса́ Фе́ндриков шёл с учителя́ми в тракти́р Ку́хтина пить чай и торжествова́л. Лицо́ у него́ сия́ло, в глаза́х свети́лось сча́стье, но ежеми́ну́тное почёсывание
10 заты́лка пока́зывало, что его́ терза́ла кака́я-то мысль.

— Э́кая жа́лость! — бормота́л он. — Ведь э́такая, скажи́ на ми́лость, глу́пость с мое́й стороны́!

— Да что̀ тако́е? — спроси́л Пивомёдов.

— Заче́м я стереоме́трию учи́л, е́жели её в програ́мме
15 нет? Ведь це́лый ме́сяц над ней, по́длой, сиде́л. Э́такая жа́лость!

4. НЕУДА́ЧА

Илья́ Серге́ич Пе́плов и жена́ его́ Клеопа́тра Петро́вна стоя́ли у две́ри и жа́дно подслу́шивали. За две́рью, в ма́ленькой за́ле, происходи́ло, повиди́мому, объясне́ние в любви́; объясня́лись их дочь Ната́шенька и учи́тель уе́здного учи́лища Щу́пкин.

— Клюёт! — шепта́л Пе́плов, дрожа́ от нетерпе́ния и потира́я ру́ки. — Смотри́ же, Петро́вна, как то́лько заговоря́т о чу́вствах, то́тчас же снима́й со стены́ о́браз и идём благословля́ть. . . . Накро́ем. . . . Благослове́ние о́бразом свя́то и ненаруши́мо. . . . Не отве́ртится тогда́, пусть хоть в суд подаёт.

А за две́рью происходи́л тако́й разгово́р:

— Оста́вьте ваш хара́ктер, — говори́л Щу́пкин, зажига́я спи́чку о свои́ клётчатые брю́ки. — Во́все я не писа́л вам пи́сем!

— Ну, да! Бу́дто я не зна́ю ва́шего по́черка! — хохота́ла деви́ца, мане́рно взви́згивая и то и де́ло погля́дывая на себя́ в зе́ркало. — Я сра́зу узна́ла! И каки́е вы стра́нные! Учи́тель чистописа́ния, а по́черк как у ку́рицы! Как же вы у́чите писа́ть, е́сли са́ми пло́хо пи́шете?

— Гм! . . . Э́то ничего́ не зна́чит-с. В чистописа́нии гла́вное не по́черк, гла́вное, чтоб ученики́ не забыва́лись. Кого́ лине́йкой по голове́ уда́ришь, кого́ на коле́ни. . . . Да что̀ по́черк! Пусто́е де́ло! Некра́сов писа́тель был, а со́вестно гляде́ть, как он писа́л. В собра́нии сочине́ний пока́зан его́ по́черк.

— То Некра́сов, а то вы . . . (вздох). Я за писа́теля с удово́льствием бы пошла́. Он постоя́нно бы мне стихи́ на па́мять писа́л!

— Стихи́ и я могу́ написа́ть вам, е́жели жела́ете.

— О чём же вы писа́ть мо́жете?

— О любви́ . . . о чу́вствах . . . о ва́ших глаза́х. . . . Прочтёте — очуме́ете. . . . Слеза́ прошибёт! А е́жели я 5 напишу́ вам поэти́ческие стихи́, то дади́те тогда́ ру́чку поцелова́ть?

— Велика́ ва́жность! . . . Да хоть сейча́с целу́йте!

Щу́пкин вскочи́л и, вы́пучив глаза́, припа́л к пу́хлой, па́хнувшей яи́чным мы́лом ру́чке.

10 — Снима́й о́браз! — заторопи́лся Пе́плов, толкну́в ло́ктем свою́ жену́, бледне́я от волне́ния и застёгиваясь. — Идём! ну!

И не ме́для ни секу́нды, Пе́плов распахну́л дверь.

— Де́ти . . . — забормота́л он, воздева́я ру́ки и 15 слезли́во мига́я глаза́ми. — Госпо́дь вас благослови́т, де́ти мои́. . . . Живи́те . . . плоди́тесь . . . размножа́йтесь. . . .

— И . . . и я благословля́ю . . . — проговори́ла мама́ша, пла́ча от сча́стья. — Бу́дьте сча́стливы, дороги́е! О, вы 20 отнима́ете у меня́ еди́нственное сокро́вище! — обрати́лась она́ к Щу́пкину. — Люби́те же мою́ дочь, жале́йте её. . . .

Щу́пкин рази́нул рот от изумле́ния и испу́га. При́ступ роди́телей был так внеза́пен и смел, что он не мог вы́говорить ни одного́ сло́ва.

25 «Попа́лся! Окрути́ли! — поду́мал он, мле́я от у́жаса. — кры́шка тепе́рь тебе́, брат! не вы́скочишь!»

И он поко́рно подста́вил свою́ го́лову, как бы жела́я сказа́ть: «бери́те, я побеждён!»

— Бла . . . благословля́ю . . . — продолжа́л папа́ша и 30 то́же запла́кал. — Ната́шенька, дочь моя́ . . . станови́сь ря́дом. . . . Петро́вна, дава́й о́браз. . . .

Но тут роди́тель вдруг переста́л пла́кать, и лицо́ у него́ перекоси́ло от гне́ва.

— Ту́мба! — серди́то сказа́л он жене́. — Голова́ твоя́ глу́пая! Да не́што э́то о́браз?

— Ах, ба́тюшки-све́ты! 5

Что̀ случи́лось? Учи́тель чистописа́ния несме́ло по́днял глаза́ и уви́дел, что он спасён: мама́ша впопыха́х сняла́ со стены́, вме́сто о́браза, портре́т писа́теля Лаже́чникова. Стари́к Пе́плов и его́ супру́га Клеопа́тра Петро́вна, с портре́том в рука́х, стоя́ли сконфу́женные, 10 не зна́я, что̀ им де́лать и что̀ говори́ть. Учи́тель чистописа́ния воспо́льзовался смяте́нием и бежа́л.

5. ШУ́ТОЧКА

Я́сный, зи́мний по́лдень. . . . Моро́з кре́пок, трещи́т, и у На́деньки, кото́рая де́ржит меня́ по̀д руку, покрыва́ются серебри́стым и́неем ку́дри на виска́х и пушо́к над ве́рхней губо́й. Мы стои́м на высо́кой горе́. От на́ших ног до са́мой земли́ тя́нется пока́тая пло́скость, в кото́рую со́лнце гляди́тся, как в зе́ркало. Во́зле нас ма́ленькие са́нки, оби́тые я́рко-кра́сным сукно́м.

— Съе́демте вниз, Наде́жда Петро́вна! — умоля́ю я. — Оди́н то́лько раз! Уверя́ю вас, мы оста́немся це́лы и невреди́мы.

Но На́денька бои́тся. Всё простра́нство от её ма́леньких кало́ш до конца́ ледяно́й горы́ ка́жется ей стра́шной, неизмери́мо глубо́кой про́пастью. У неё замира́ет дух и прерыва́ется дыха́ние, когда́ она́ гляди́т вниз, когда́ я то́лько предлага́ю сесть в са́нки, но что же бу́дет, е́сли она́ рискнёт полете́ть в про́пасть! Она́ умрёт, сойдёт с ума́.

— Умоля́ю вас! — говорю́ я. — Не на́до боя́ться! Пойми́те же, э́то малоду́шие, тру́сость!

На́денька наконе́ц уступа́ет, и я по лицу́ ви́жу, что она́ уступа́ет с опа́сностью для жи́зни. Я сажа́ю её бле́дную, дрожа́щую в са́нки, обхва́тываю руко́й и вме́сте с не́ю низверга́юсь в бе́здну.

Са́нки летя́т, как пу́ля. Рассека́емый во́здух бьёт в лицо́, ревёт, свисти́т в уша́х, рвёт, бо́льно щи́плет от зло́сти, хо́чет сорва́ть с плеч го́лову. От напо́ра ве́тра нет сил дыша́ть. Ка́жется, сам дья́вол обхвати́л нас ла́пами и с рёвом та́щит нас в ад. Окружа́ющие предме́ты слива́ются в одну́ дли́нную, стреми́тельно бегу́щую по́лосу. . . . Вот-вот ещё мгнове́ние и ка́жется, — мы поги́бнем!

— Я люблю́ вас, На́дя! — говорю́ я вполго́лоса.

Са́нки начина́ют бежа́ть всё ти́ше и ти́ше, рёв ве́тра и жужжа́нье поло́зьев не так уже́ страшны́, дыха́ние перестаёт замира́ть, и мы, наконе́ц, внизу́. На́денька ни жива́, ни мертва́. Она́ бледна́, едва́ ды́шит. . . . Я помога́ю ей подня́ться.

— Ни за что̀ в друго́й раз не пое́ду, — говори́т она́, гля́дя на меня́ широ́кими, по́лными у́жаса глаза́ми. — Ни за что̀ на све́те! Я едва́ не умерла́!

Немно́го погодя́, она́ прихо́дит в себя́ и уже́ вопроси́тельно загля́дывает мне в глаза́: я ли сказа́л те четы́ре сло́ва, и́ли же они́ то́лько послы́шались ей в шу́ме ви́хря? А я стою́ во́зле неё, курю́ и внима́тельно рассма́триваю свою́ перча́тку.

Она́ берёт меня́ по̀д руку, и мы до́лго гуля́ем о́коло горы́. Зага́дка, ви́димо, не даёт ей поко́ю. Бы́ли ска́заны те слова́, и́ли нет? Да, и́ли нет? Да, и́ли нет? Э́то вопро́с самолю́бия, че́сти, жи́зни, сча́стья, вопро́с о́чень ва́жный, са́мый ва́жный на све́те. На́денька нетерпели́во, гру́стно, проница́ющим взо́ром загля́дывает мне в лицо́, отвеча́ет невпопа́д, ждёт, не заговорю́ ли я. О, кака́я игра́ на э́том ми́лом лице́, кака́я игра́! Я ви́жу, она́ бо́рется с собо́й, ей ну́жно что́-то сказа́ть, о чём-то спроси́ть, но она́ не нахо́дит слов, ей нело́вко, стра́шно, меша́ет ра́дость. . . .

— Зна́ете что̀? — говори́т она́, не гля́дя на меня́.

— Что̀? — спра́шиваю я.

— Дава́йте ещё раз . . . прока́тим.

Мы взбира́емся по ле́стнице на̀ гору. Опя́ть я сажа́ю бле́дную, дрожа́щую На́деньку в са́нки, опя́ть мы лети́м в стра́шную про́пасть, опя́ть ревёт ве́тер и жужжа́т поло́зья, и опя́ть при са́мом си́льном и шу́мном разлёте са́нок я говорю́ вполго́лоса:

— Я люблю́ вас, На́денька!

Когда́ са́нки остана́вливаются, На́денька оки́дывает взгля́дом го́ру, по кото́рой мы то́лько-что кати́ли, пото́м до́лго всма́тривается в моё лицо́, вслу́шивается в мой го́лос, равноду́шный и бесстра́стный, и вся, вся, да́же му́фта и башлы́к её, вся её фигу́рка — выража́ют кра́йнее недоуме́ние. И на лице́ у неё напи́сано:

— В чём же де́ло? Кто произнёс *те* слова́? Он, и́ли мне то́лько послы́шалось?

Э́та неизве́стность беспоко́ит её, выво́дит из терпе́ния. Бе́дная де́вочка не отвеча́ет на вопро́сы, хму́рится, гото́ва запла́кать.

— Не пойти́ ли нам домо́й? — спра́шиваю я.

— А мне . . . мне нра́вится э́то ката́нье, — говори́т она́, красне́я. — Не прое́хаться ли нам ещё раз?

Ей нра́вится э́то ката́нье, а ме́жду тем, садя́сь в са́нки, она́, как и в те разы́, бледна́, е́ле ды́шит от стра́ха, дрожи́т.

Мы спуска́емся в тре́тий раз, и я ви́жу, как она́ смо́трит мне в лицо́, следи́т за мои́ми губа́ми. Но я прикла́дываю к губа́м плато́к, ка́шляю и, когда́ достига́ем середи́ны горы́, успева́ю вы́молвить:

— Я люблю́ вас, На́дя!

И зага́дка остаётся зага́дкой! На́денька молчи́т, о чём-то ду́мает. . . . Я провожа́ю её с катка́ домо́й, она́ стара́ется идти́ ти́ше, замедля́ет шаги́ и всё ждёт, не скажу́ ли я ей тех слов. И я ви́жу, как страда́ет её душа́, как она́ де́лает уси́лия над собо́й, что́бы не сказа́ть:

— Не мо́жет же быть, что́бы их говори́л ве́тер! И я не хочу́, что́бы э́то говори́л ве́тер!

На друго́й день у́тром я получа́ю запи́сочку: «Е́сли пойдёте сего́дня на като́к, то заходи́те за мной. Н.» И с э́того дня я с На́денькой начина́ю ка́ждый день ходи́ть на като́к и, слета́я вниз на са́нках, я вся́кий раз произношу́ вполго́лоса одни́ и те же слова́:

— Я люблю́ вас, На́дя!

Ско́ро На́денька привыка́ет к э́той фра́зе, как к вину́ и́ли мо́рфию. Она́ жить без неё не мо́жет. Пра́вда, лете́ть с горы́ попре́жнему стра́шно, но тепе́рь уже́ страх и опа́сность придаю́т осо́бое очарова́ние слова́м о любви́, слова́м, кото́рые попре́жнему составля́ют зага́дку и томя́т ду́шу. Подозрева́ются всё те же двое: я и ве́тер. . . . Кто из двух признаётся ей в любви́, она́ не зна́ет, но ей, повиди́мому, уже́ всё равно́; из како́го сосу́да ни пить — всё равно́, лишь бы быть пья́ным.

Ка́к-то в по́лдень я отпра́вился на като́к оди́н; смеша́вшись с толпо́й, я ви́жу, как к горе́ подхо́дит На́денька, как и́щет глаза́ми меня́. . . . Зате́м она́ ро́бко идёт вверх по ле́сенке. . . . Стра́шно е́хать одно́й, о, как стра́шно! Она́ бледна́, как снег, дрожи́т, она́ идёт то́чно на казнь, но идёт, идёт без огля́дки, реши́тельно. Она́, очеви́дно, реши́ла наконе́ц попро́бовать: бу́дут ли слы́шны те изуми́тельные сла́дкие слова́, когда́ меня́ нет? Я ви́жу, как она́, бле́дная, с раскры́тым от у́жаса ртом, сади́тся в са́нки, закрыва́ет глаза́ и, прости́вшись наве́ки с землёй, тро́гается с ме́ста. . . . «Жжжж» . . . жужжа́т поло́зья. Слы́шит ли На́денька те слова́, я не зна́ю. . . . Я ви́жу то́лько, как она́ поднима́ется из сане́й изнеможённая, сла́бая. И ви́дно по её лицу́, она́ и сама́ не зна́ет, слы́шала она́ что́-нибудь и́ли нет. Страх, пока́ она́ кати́ла вниз, о́тнял у неё спосо́бность слы́шать, различа́ть зву́ки, понима́ть. . . .

Но вот наступа́ет весе́нний ме́сяц март. . . . Со́лнце стано́вится ла́сковее. На́ша ледяна́я гора́ темне́ет, теря́ет свой блеск и та́ет наконе́ц. Мы перестаём ката́ться. Бе́дной На́деньке бо́льше уж не́где слы́шать тех слов, да и не́кому произноси́ть их, так как ве́тра не слы́шно, а я собира́юсь в Петербу́рг — надо́лго, должно́-быть, навсегда́.

Ка́к-то пе́ред отъе́здом, дня за̀ два, в су́мерки сижу́ я в са́дике, а от двора́, в кото́ром живёт На́денька, са́дик э́тот отделён высо́ким забо́ром с гвоздя́ми. . . . Ещё доста́точно хо́лодно, под наво́зом ещё снег, дере́вья мертвы́, но уже́ па́хнет весно́й и, укла́дываясь на ночле́г, шу́мно крича́т грачи́. Я подхожу́ к забо́ру и до́лго смотрю́ в щель. Я ви́жу, как На́денька выхо́дит на крыле́чко и устремля́ет печа́льный, тоску́ющий взор на не́бо. . . . Весе́нний ве́тер ду́ет ей пря́мо в бле́дное, уны́лое лицо́. . . . Он напомина́ет ей о том ве́тре, кото́рый реве́л нам тогда́ на горе́, когда́ она́ слы́шала те четы́ре сло́ва, и лицо́ у неё стано́вится гру́стным, гру́стным, по щеке́ ползёт слеза́. . . . И бе́дная де́вочка протя́гивает о́бе руки́, как бы прося́ э́тот ве́тер принести́ ей ещё раз те слова́. И я, дожда́вшись ве́тра, говорю́ вполго́лоса:

— Я люблю́ вас, На́дя!

Бо́же мой, что̀ де́лается с На́денькой! Она́ вскри́кивает, улыба́ется во всё лицо́ и протя́гивает навстре́чу ве́тру ру́ки, ра́достная, счастли́вая, така́я краси́вая.

А я иду́ укла́дываться. . . .

Э́то бы́ло уже́ давно́. Тепе́рь На́денька уже́ за́мужем; её вы́дали, и́ли она́ сама́ вы́шла — э́то всё равно́, за секретаря́ дворя́нской опе́ки, и тепе́рь у неё уже́ тро́е детей. То, как мы вме́сте когда́-то ходи́ли на като́к и как ве́тер доноси́л до неё слова́ « я вас люблю́, На́денька », не забы́то; для неё тепе́рь э́то са́мое счастли́вое, са́мое тро́гательное и прекра́сное воспомина́ние в жи́зни. 5

А мне тепе́рь, когда́ я стал ста́рше, уже́ не поня́тно, заче́м я говори́л те слова́, для чего́ шути́л. . . .

6. БЕЛОЛО́БЫЙ

Голо́дная волчи́ха вста́ла, что́бы итти́ на охо́ту. Её волча́та, все тро́е, кре́пко спа́ли, сби́вшись в ку́чу, и гре́ли друг дру́га. Она́ облиза́ла их и пошла́.

Был уже́ весе́нний ме́сяц март, но по ноча́м дере́вья треща́ли от хо́лода, как в декабре́, и едва́ вы́сунешь язы́к, как его́ начина́ло си́льно щипа́ть. Волчи́ха была́ сла́бого здоро́вья, мни́тельная; она́ вздра́гивала от мале́йшего шу́ма и всё ду́мала о том, как бы до́ма без неё кто не оби́дел волча́т. За́пах челове́ческих и лошади́ных следо́в, пни, сло́женные дрова́ и тёмная унаво́женная доро́га пуга́ли её; ей каза́лось, бу́дто за дере́вьями в потёмках стоя́т лю́ди и где́-то за ле́сом во́ют соба́ки.

Она́ была́ уже́ не молода́, и чутьё у неё ослабе́ло, так что, случа́лось, ли́сий след она́ принима́ла за соба́чий и иногда́ да́же, обма́нутая чутьём, сбива́лась с доро́ги, чего́ с не́ю никогда́ не быва́ло в мо́лодости. По сла́бости здоро́вья она́ уже́ не охо́тилась на теля́т и кру́пных бара́нов, как пре́жде, и уже́ далеко́ обходи́ла лошаде́й с жеребя́тами, а пита́лась одно́ю па́далью; све́жее мя́со ей приходи́лось ку́шать о́чень ре́дко, то́лько весно́й, когда́ она́, набредя́ на зайчи́ху, отнима́ла у неё дете́й и́ли забира́лась к мужика́м в хлев, где бы́ли ягня́та.

В верста́х четырёх от её ло́говища, у почто́вой доро́ги, стоя́ло зимо́вье. Тут жил сто́рож Игна́т, стари́к лет семи́десяти, кото́рый всё ка́шлял и разгова́ривал сам с собо́й; обыкнове́нно но́чью он спал, а днём броди́л по̀ лесу с ружьём-одностео́лкой и посви́стывал на за́йцев. Должно́ быть, ра́ньше он служи́л в меха́никах, потому́ что ка́ждый раз, пре́жде чем останови́ться, крича́л себе́:

«Стоп, маши́на!» и пре́жде чем пойти́ да́льше: «По́лный ход!» При нём находи́лась грома́дная чёрная соба́ка неизве́стной поро́ды, по и́мени Ара́пка. Когда́ она́ забега́ла далеко́ вперёд, то он крича́л ей: «За́дний ход!» Иногда́ он пел и при э́том си́льно шата́лся и ча́сто па́дал (волчи́ха ду́мала, что э́то от ве́тра) и крича́л: «Сошёл с ре́льсов!»

Волчи́ха по́мнила, что ле́том и о́сенью о́коло зимо́вья пасли́сь бара́н и две я́рки, и когда́ она́ не так давно́ пробега́ла ми́мо, то ей послы́шалось, бу́дто в хлеву́ бле́яли. И тепе́рь, подходя́ к зимо́вью, она́ сообража́ла, что уже́ март и, су́дя по вре́мени, в хлеву́ должны́ быть ягня́та непреме́нно. Её му́чил го́лод, она́ ду́мала о том, с како́ю жа́дностью она́ бу́дет есть ягнёнка, и от таки́х мы́слей зу́бы у неё щёлкали и глаза́ свети́лись в потёмках, как два огонька́. Изба́ Игна́та, его́ сара́й, хлев и коло́дец бы́ли окружены́ высо́кими сугро́бами. Бы́ло ти́хо. Ара́пка, должно́ быть, спала́ под сара́ем. По сугро́бу волчи́ха взобра́лась на хлев и ста́ла разгреба́ть ла́пами и мо́рдой соло́менную кры́шу. Соло́ма была́ гнила́я и ры́хлая, так что волчи́ха едва́ не провали́лась; на неё вдург пря́мо в мо́рду пахну́ло тёплым па́ром и за́пахом наво́за и ове́чьего молока́. Внизу́, почу́вствовав хо́лод, не́жно забле́ял ягнёнок. Пры́гнув в дыру́, волчи́ха упа́ла пере́дними ла́пами и гру́дью на что́-то мя́гкое и тёплое, должно́-быть, на бара́на, и в э́то вре́мя в хлеву́ что́-то завизжа́ло, зала́яло и залило́сь то́нким, подвыва́ющим голоско́м; о́вцы шара́хнулись к сте́нке, и волчи́ха, испуга́вшись, схвати́ла что̀ пе́рвое попа́лось в зу́бы и бро́силась вон. . . .

Она́ бежа́ла, напряга́я си́лы, и в э́то вре́мя Ара́пка,

уже́ почу́явшая во́лка, неистово вы́ла, куда́хтали в зимо́вье потрево́женные ку́ры, и Игна́т, вы́йдя на крыльцо́, крича́л: — По́лный ход! Пошёл к свистку́!

И свисте́л, как маши́на, и пото́м — го-го-го-го! . . . И весь э́тот шум повторя́ло лесно́е э́хо.

Когда́ мало-пома́лу всё э́то зати́хло, волчи́ха успоко́илась немно́го и ста́ла замеча́ть, что её добы́ча, кото́рую она́ держа́ла в зуба́х и волокла́ по̀ снегу, была́ тяжеле́е и как бу́дто твёрже, чем обыкнове́нно быва́ют в э́ту по́ру ягня́та; и па́хло как бу́дто ина́че, и слы́шались каки́е-то стра́нные зву́ки. . . . Волчи́ха останови́лась и положи́ла свою́ но́шу на снег, что́бы отдохну́ть и нача́ть есть, и вдруг отскочи́ла с отвраще́нием. Э́то был не ягнёнок, а щено́к, чёрный, с большо́й голово́й и на высо́ких нога́х, кру́пной поро́ды, с та́ким же бе́лым пятно́м во весь лоб, как у Ара́пки. Су́дя по мане́рам, э́то был неве́жа, просто́й дворня́жка. Он облиза́л свою́ помя́тую, ра́неную спи́ну и, как ни в чём не быва́ло, замаха́л хвосто́м и зала́ял на волчи́ху. Она́ зарыча́ла, как соба́ка, и побежа́ла от него́. Он за ней. Она́ огляну́лась и щёлкнула зуба́ми; он останови́лся в недоуме́нии и, вероя́тно, реши́в, что э́то она́ игра́ет с ним, протяну́л мо́рду по направле́нию к зимо́вью и зали́лся зво́нким ра́достным ла́ем, как бы приглаша́я мать свою́ Ара́пку поигра́ть с ним и с волчи́хой.

Уже́ света́ло, и когда́ волчи́ха пробира́лась к себе́ густы́м оси́нником, то бы́ло ви́дно отчётливо ка́ждую оси́нку, и уже́ просыпа́лись тетерева́ и ча́сто вспа́рхивали краси́вые петухи́, обеспоко́енные неосторо́жными прыжка́ми и ла́ем щенка́.

«Заче́м э́то он бежи́т за мной? — ду́мала волчи́ха с доса́дой. — Должно́ быть, он хо́чет, что́бы я его́ съе́ла.»

Жила́ она́ с волча́тами в неглубо́кой я́ме; го́да три наза́д во вре́мя си́льной бу́ри вы́вернуло с ко́рнем высо́кую ста́рую сосну́, отчего́ и образова́лась э́та я́ма. Тепе́рь на дне её бы́ли ста́рые ли́стья и мох, тут же валя́лись ко́сти и бы́чьи рога́, кото́рыми игра́ли волча́та. Они́ уже́ просну́лись и все тро́е, о́чень похо́жие друг на дру́га, стоя́ли ря́дом на краю́ свое́й я́мы и, гля́дя на возвраща́вшуюся мать, пома́хивали хвоста́ми. Уви́дев их, щено́к останови́лся поо́даль и до́лго смотре́л на них; заме́тив, что они́ то́же внима́тельно смо́трят на него́, он стал ла́ять на них серди́то, как на чужи́х.

Уже́ рассвело́ и взошло́ со́лнце, засверка́л круго́м снег, а он всё стоя́л поо́даль и ла́ял. Волча́та соса́ли свою́ мать, пиха́я её ла́пами в то́щий живо́т, а она́ в э́то вре́мя гры́зла лошади́ную кость, бе́лую и суху́ю; её му́чил го́лод, голова́ разболе́лась от соба́чьего ла́я, и хоте́лось ей бро́ситься на непро́шенного го́стя и разорва́ть его́.

Наконе́ц, щено́к утоми́лся и охри́п; ви́дя, что его́ не боя́тся и да́же не обраща́ют на него́ внима́ния, он стал несме́ло, то приседа́я, то подска́кивая, подходи́ть к волча́там. Тепе́рь, при дневно́м све́те, легко́ уже́ бы́ло рассмотре́ть его́. Бе́лый лоб у него́ был большо́й, а на лбу буго́р, како́й быва́ет у о́чень глу́пых соба́к; глаза́ бы́ли ма́ленькие, голубы́е, ту́склые, а выраже́ние всей мо́рды чрезвыча́йно глу́пое. Подойдя́ к волча́там, он протяну́л вперёд широ́кие ла́пы, положи́л на них мо́рду и на́чал:

— Мня, мня . . . нга-нга-нга! . . .

Волча́та ничего́ не по́няли, но замаха́ли хвоста́ми. Тогда́ щено́к уда́рил ла́пой одного́ волчо́нка по большо́й голове́. Волчо́нок то́же уда́рил его́ ла́пой по голове́. Щено́к стал к нему́ бо́ком и посмотре́л на него́ и́скоса, пома́хивая хвосто́м, пото́м вдруг рвану́лся с ме́ста и сде́лал не́сколько круго́в по на́сту. Волча́та погна́лись за ним, он упа́л на̀ спину и задра́л вверх но́ги, а они́ втроём напа́ли на него́ и, визжа́ от восто́рга, ста́ли куса́ть 5 его́, но не бо́льно, а в шу́тку. Воро́ны сиде́ли на высо́кой сосне́ и смотре́ли све́рху на их борьбу́ и о́чень беспоко́ились. Ста́ло шу́мно и ве́село. Со́лнце припека́ло уже́ по-весе́ннему; и петухи́, то и де́ло перелета́вшие че́рез сосну́, пова́ленную бу́рей, при бле́ске со́лнца каза́лись изум-10 ру́дными. Обыкнове́нно волчи́хи приуча́ют свои́х дете́й к охо́те, дава́я им поигра́ть добы́чей; и тепе́рь, гля́дя, как волча́та гоня́лись по на́сту за щенко́м и боро́лись с ним, волчи́ха ду́мала: «Пуска́й приуча́ются».

Наигра́вшись, волча́та пошли́ в я́му и легли́ спать. 15 Щено́к повы́л немно́го с го́лоду, пото́м то́же растяну́лся на со́лнышке. А просну́вшись, опя́ть ста́ли игра́ть.

Весь день и ве́чером волчи́ха вспомина́ла, как про́шлою но́чью в хлеву́ бле́ял ягнёнок и как па́хло ове́чьим молоко́м, и от аппети́та она́ всё щёлкала зуба́ми и не переста-20 ва́ла грызть с жа́дностью ста́рую кость, вообража́я себе́, что э́то ягнёнок. Волча́та соса́ли, а щено́к, кото́рый хоте́л есть, бе́гал круго́м и обню́хивал снег.

«Съе́м-ка его́ . . .» реши́ла волчи́ха.

Она́ подошла́ к нему́, а он лизну́л её в мо́рду и заскули́л, 25 ду́мая, что она́ хо́чет игра́ть с ним. В было́е вре́мя она́ еда́ла соба́к, но от щенка́ си́льно па́хло пси́ной, и, по сла́бости здоро́вья, она́ уже́ не терпе́ла э́того за́паха; ей ста́ло проти́вно, и она́ отошла́ прочь. . . .

К но́чи похолоде́ло. Щено́к соску́чился и ушёл домо́й. 30 Когда́ волча́та кре́пко усну́ли, волчи́ха опя́ть отпра́вилась на охо́ту. Как и в про́шлую ночь, она́ трево́жилась мале́йшего шу́ма, и её пуга́ли пни, дрова́, тёмные, одино́ко стоя́щие кусты́ можжеве́льника, издали́ похо́жие на люде́й. Она́ бежа́ла в стороне́ от доро́ги, по на́сту. Вдруг далеко́ впереди́ на доро́ге замелька́ло что́-то тёмное. . . . Она́ напрягла́ зре́ние и слух: в са́мом де́ле, что́-то шло впереди́, и да́же слы́шны бы́ли ме́рные шаги́. Не барсу́к ли? Она́ осторо́жно, чуть дыша́, забира́я всё в сто́рону, обогна́ла тёмное пятно́, огляну́лась на него́ и узна́ла. Э́то, не спеша́, ша́гом, возвраща́лся к себе́ в зимо́вье щено́к с бе́лым лбом.

« Как бы он опя́ть мне не помеша́л », поду́мала волчи́ха и бы́стро побежа́ла вперёд.

Но зимо́вье бы́ло уже́ бли́зко. Она́ опя́ть взобра́лась на хлев по сугро́бу. Вчера́шняя дыра́ была́ уже́ заде́лана яро́вой соло́мой, и по кры́ше протяну́лись две но́вые слеги́. Волчи́ха ста́ла бы́стро рабо́тать нога́ми и мо́рдой, огля́дываясь, не идёт ли щено́к, но едва́ пахну́ло на неё тёплым па́ром и за́пахом наво́за, как сза́ди послы́шался ра́достный, зали́вчатый лай. Э́то верну́лся щено́к. Он пры́гнул к волчи́хе на кры́шу, пото́м в дыру́ и, почу́вствовав себя́ до́ма, в тепле́, узна́в свои́х ове́ц, зала́ял ещё гро́мче. . . . Ара́пка просну́лась под сара́ем и, почу́яв во́лка, завы́ла, закуда́хтали ку́ры, и когда́ на крыльце́ показа́лся Игна́т со свое́й одноство́лкой, то перепу́ганная волчи́ха была́ уже́ далеко́ от зимо́вья.

— Фюйть! — засвисте́л Игна́т. — Фюйть! Гони́ на всех пара́х!

Он спусти́л куро́к — ружьё да́ло осе́чку; он спусти́л ещё раз — опя́ть осе́чка; он спусти́л в тре́тий раз — и грома́дный о́гненный сноп вы́летел из ствола́, и раздало́сь оглуши́тельное «бу, бу!» Ему́ си́льно о́тдало в плечо́; и, взя́вши в одну́ ру́ку ружьё, а в другу́ю топо́р, он пошёл посмотре́ть, отчего́ шум. . . .

Немно́го погодя́ он верну́лся в избу́.

— Что̀ там? — спроси́л хри́плым го́лосом стра́нник, ночева́вший у него́ в э́ту ночь и разбу́женный шу́мом.

— Ничего́ . . . — отве́тил Игна́т. — Пусто́е де́ло. Пова́дился наш Белоло́бый с о́вцами спать, в тепле́. То́лько нет того́ поня́тия, что́бы в дверь, а норови́т всё как бы в кры́шу. Наме́дни но́чью разобра́л кры́шу и гуля́ть ушёл, подле́ц, а тепе́рь верну́лся и опя́ть разворощи́л кры́шу.

— Глу́пый.

— Да, пружи́на в мозгу́ ло́пнула. Смерть не люблю́ глу́пых! — вздохну́л Игна́т, полеза́я на печь. — Ну, Бо́жий челове́к, ра́но ещё встава́ть, дава́й спать по́лным хо́дом. . . .

А у́тром он подозва́л к себе́ Белоло́бого, бо́льно оттрепа́л его́ зà уши и пото́м, нака́зывая его́ хворости́ной, всё пригова́ривал:

— Ходи́ в дверь! Ходи́ в дверь! Ходи́ в дверь!

7. КРАСА́ВИЦЫ

I

По́мню, бу́дучи ещё гимнази́стом V и́ли VI кла́сса, я е́хал с де́душкой из села́ Большо́й Кре́пкой, Донско́й о́бласти, в Росто́в-на-Дону́. День был а́вгустовский, зно́йный, томи́тельно-ску́чный. От жа́ра и сухо́го, горя́чего ве́тра, гна́вшего нам навстре́чу облака́ пы́ли, слипа́лись глаза́, со́хло во рту; не хоте́лось ни гляде́ть, ни говори́ть, ни ду́мать, и когда́ дрема́вший возни́ца, хохо́л Карпо́, зама́хиваясь на ло́шадь, хлеста́л меня́ кнуто́м по фура́жке, я не протестова́л, не издава́л ни зву́ка и то́лько, очну́вшись от полусна́, уны́ло и кро́тко погля́дывал вдаль: не вида́ть ли сквозь пыль дере́вни? Корми́ть лошаде́й останови́лись мы в большо́м армя́нском селе́ Бахчи́-Сала́х у знако́мого де́душке бога́того армяни́на. Никогда́ в жи́зни я не ви́дел ничего́ карикату́рнее э́того армяни́на. Предста́вьте себе́ ма́ленькую, стри́женую голо́вку с густы́ми ни́зко нави́сшими бровя́ми, с пти́чьим но́сом, с дли́нными, седы́ми уса́ми и с широ́ким ртом, из кото́рого торчи́т дли́нный, чере́шневый чубу́к; голо́вка э́та неуме́ло прикле́ена к то́щему, горба́тому ту́ловищу, оде́тому в фантасти́ческий костю́м: в ку́цую, кра́сную ку́ртку и в широ́кие, я́рко-голубы́е шарова́ры; ходи́ла э́та фигу́ра расста́вя но́ги и ша́ркая туфля́ми, говори́ла не вынима́я изо рта чубука́, а держа́ла себя́ с чи́сто-армя́нским досто́инством: не улыба́лась, пу́чила глаза́ и стара́лась обраща́ть на свои́х госте́й как мо́жно ме́ньше внима́ния.

В ко́мнатах армяни́на нѐ было ни ве́тра, ни пы́ли, но бы́ло так же неприя́тно, ду́шно и ску́чно, как в степи́ и по доро́ге. По́мню, запылённый и измо́ренный зно́ем, сиде́л я в углу́ на зелёном сундуке́. Некра́шенные, деревя́нные сте́ны, ме́бель и нао́хренные полы́ издава́ли за́пах сухо́го де́рева, прижжённого со́лнцем. Куда́ ни взгля́нешь, всю́ду му́хи, му́хи, му́хи. . . . Де́душка и армяни́н вполго́лоса говори́ли о попа́се, о толо́ке, об о́вцах. . . . Я знал, что самова́р бу́дут ста́вить це́лый час, что де́душка бу́дет пить чай не ме́нее ча́са и пото́м заля́жет спать часа́ на̀ два, на̀ три, что у меня́ че́тверть дня уйдёт на ожида́ние, по́сле кото́рого опя́ть жара́, пыль, тря́ские доро́ги. Я слу́шал бормота́нье двух голосо́в, и мне начина́ло каза́ться, что армяни́на, шкап с посу́дой, мух, о́кна, в кото́рые бьёт горя́чее со́лнце, я ви́жу давно́-давно́ и переста́ну их ви́деть в о́чень далёком бу́дущем, и мно́ю овладева́ла не́нависть к степи́, к со́лнцу, к му́хам. . . .

Хохлу́шка в платке́ внесла́ подно́с с посу́дой, пото́м самова́р. Армяни́н не спеша́ вы́шел в се́ни и кри́кнул:

— Ма́ша! ступа́й налива́й чай! Где ты? Ма́ша!

Послы́шались торопли́вые шаги́, и в ко́мнату вошла́ де́вушка лет шестна́дцати, в просто́м си́тцевом пла́тье и в бе́лом плато́чке. Мо́я посу́ду и налива́я чай, она́ стоя́ла ко мне спино́й, и я заме́тил то́лько, что она́ была́ тонка́ в та́лии, боса́, и что ма́ленькие, го́лые пя́тки прикрыва́лись ни́зко опу́щенными пантало́нами.

Хозя́ин пригласи́л меня́ пить чай. Садя́сь за стол, я взглянул в лицо́ де́вушки, подава́вшей мне стака́н, и вдруг почу́вствовал, что то́чно ве́тер пробежа́л по мое́й душе́ и сду́нул с неё все впечатле́ния дня с их ску́кой и пы́лью. Я уви́дел обворожи́тельные черты́ прекра́снейшего из лиц, каки́е когда́-либо встреча́лись мне наяву́ и чу́дились во сне. Передо мно́ю стоя́ла краса́вица, и я по́нял э́то с пе́рвого взгля́да, как понима́ю мо́лнию.

Я гото́в кля́сться, что Ма́ша, и́ли как звал оте́ц, Ма́шя, была́ настоя́щая краса́вица, но доказа́ть э́того не уме́ю. Иногда́ быва́ет, что облака́ в беспоря́дке толпя́тся на 5 горизо́нте, и со́лнце, пря́чась за них, кра́сит их и не́бо во всевозмо́жные цвета́: в багря́ный, ора́нжевый, золото́й, лило́вый, гря́зно-ро́зовый; одно́ о́блачко похо́же на мона́ха, друго́е на ры́бу, тре́тье на ту́рка в чалме́. За́рево охвати́ло треть не́ба, блести́т в церко́вном кресте́ и в 10 стёклах госпо́дского до́ма, отсве́чивает в реке́ и в лу́жах, дрожи́т на дере́вьях; далёко-далёко на фо́не зари́ лети́т куда́-то ночева́ть ста́я ди́ких у́ток. . . . И подпа́сок, гоня́щий коро́в, и землеме́р, е́дущий в бри́чке че́рез плоти́ну, и гуля́ющие господа́ — все глядя́т на зака́т и 15 все до одного́ нахо́дят, что он стра́шно краси́в, но никто́ не зна́ет и не ска́жет, в чём тут красота́.

Не я оди́н находи́л, что армя́ночка краси́ва. Мой де́душка, восьмидесятиле́тний стари́к, челове́к круто́й, равноду́шный к же́нщинам и красо́там приро́ды, це́лую 20 мину́ту ла́сково гляде́л на Ма́шу и спроси́л:

— Э́то ва́ша до́чка, Аве́т Наза́рыч?

— До́чка. Э́то до́чка . . . — отве́тил хозя́ин.

— Хоро́шая ба́рышня, — похвали́л де́душка.

Красоту́ армя́ночки худо́жник назва́л бы класси́ческой 25 и стро́гой. Э́то была́ и́менно та красота́, созерца́ние кото́рой, Бог весть отку́да, вселя́ет в вас уве́ренность, что вы ви́дите черты́ пра́вильные, что во́лосы, глаза́, нос, рот, ше́я, грудь и все движе́ния молодо́го те́ла слили́сь вме́сте в оди́н це́льный, гармони́ческий акко́рд, в кото́ром 30 приро́да не оши́блась ни на одну́ мале́йшую черту́; вам ка́жется почему́-то, что у идеа́льно краси́вой же́нщины до́лжен быть и́менно тако́й нос, как у Ма́ши, прямо́й и с небольшо́й горби́нкой, таки́е больши́е, тёмные глаза́, таки́е же дли́нные ресни́цы, тако́й же то́мный взгляд, что её чёрные, кудря́вые во́лосы и бро́ви так же иду́т к не́жному, бе́лому цве́ту лба и щёк, как зелёный камы́ш к ти́хой ре́чке; бе́лая ше́я Ма́ши и её молода́я грудь сла́бо ра́звиты, но что́бы суме́ть изва́ять их, вам ка́жется, ну́жно облада́ть грома́дным тво́рческим тала́нтом. Гляди́те вы, и мало-по-ма́лу вам прихо́дит жела́ние сказа́ть Ма́ше что́-нибудь необыкнове́нно прия́тное, и́скреннее, краси́вое, тако́е же краси́вое, как она́ сама́.

Снача́ла мне бы́ло оби́дно и сты́дно, что Ма́ша не обраща́ет на меня́ никако́го внима́ния и смо́трит всё вре́мя вниз; како́й-то осо́бый во́здух, каза́лось мне, счастли́вый и го́рдый, отделя́л её от меня́ и ревни́во заслоня́л от мои́х взгля́дов.

«Э́то оттого́, — ду́мал я: — что я весь в пыли́, загоре́л, и оттого́, что я ещё ма́льчик.»

Но пото́м я мало-по-ма́лу забы́л о себе́ само́м и весь отда́лся ощуще́нию красоты́. Я уже́ не по́мнил о степно́й ску́ке, о пы́ли, не слы́шал жужжа́нья мух, не понима́л вку́са ча́я и то́лько чу́вствовал, что че́рез стол от меня́ стои́т краси́вая де́вушка.

Ощуща́л я красоту́ ка́к-то стра́нно. Не жела́ния, не восто́рг и не наслажде́ние возбужда́ла во мне Ма́ша, а тяжёлую, хотя́ и прия́тную, грусть. Э́та грусть была́ неопределённая, сму́тная, как сон. Почему́-то мне бы́ло жаль и себя́, и де́душки, и армяни́на, и само́й армя́ночки, и бы́ло во мне тако́е чу́вство, как бу́дто мы все че́тверо потеря́ли что́-то ва́жное и ну́жное для жи́зни, чего́ уж бо́льше никогда́ не найдём. Де́душка то́же сгрустну́л. Он уже́ не говори́л о толо́ке и об о́вцах, а молча́л и заду́мчиво погля́дывал на Ма́шу.

По́сле ча́ю де́душка лёг спать, а я вы́шел ѝз дому и сел на крыле́чке. Дом, как и все дома́ в Бахчи́-Сала́х, стоя́л на припёке; нѐ было ни дере́вьев, ни наве́сов, ни тене́й. Большо́й двор армяни́на, поро́сший лебедо́й и кала́чиком, несмотря́ на си́льный зной, был оживлён и по́лон весе́лья. За одни́м из невысо́ких плетне́й, там и сям пересека́вших большо́й двор, происходи́ла молотьба́. Вокру́г столба́, вби́того в са́мую серёдку гумна́, запряжённые в ряд и образу́я оди́н дли́нный ра́диус, бе́гали двена́дцать лошаде́й. Во́зле ходи́л хохо́л в дли́нной жиле́тке и в широ́ких шарова́рах, хло́пал бичо́м и крича́л таки́м то́ном, как бу́дто хоте́л подразни́ть лошаде́й и похва́стать свое́ю вла́стью над ни́ми:

— А-а-а, окая́нные! а-а-а . . . не́ту на вас холе́ры! Боитесь?

Ло́шади, гнеды́е, бе́лые и пе́гие, не понима́я, заче́м э̀то заставля́ют их кружи́ть на одно́м ме́сте и мять пшени́чную соло́му, бе́гали неохо́тно, то́чно че́рез си́лу, и оби́женно пома́хивали хвоста́ми. Из-под их копы́т ве́тер поднима́л це́лые облака́ золоти́стой поло́вы и уноси́л её далеко́ че́рез плете́нь. О́коло высо́ких, све́жих скирд копоши́лись ба́бы с гра́блями и дви́гались арбы́, а за скирда́ми, в друго́м дворе́, бе́гала вокру́г столба́ друга́я дю́жина таки́х же лошаде́й и тако́й же хохо́л хло́пал бичо́м и насмеха́лся над лошадя́ми.

Ступе́ни, на кото́рых я сиде́л, бы́ли горячи́; на жи́дких пери́льцах и на око́нных ра́мах кое-где́ вы́ступил от жары́ древе́сный клей; под ступе́ньками и под ста́внями в поло́-

ска́х те́ни жа́лись друг к дру́гу кра́сные козя́вки. Со́лнце пекло́ мне и в го́лову, и в грудь, и в спи́ну, но я не замеча́л э́того и то́лько чу́вствовал, как сза́ди меня́ в сеня́х и в ко́мнатах стуча́ли по доща́тому по́лу босы́е но́ги. Убра́в ча́йную посу́ду, Ма́ша пробежа́ла по ступе́ням, пахну́в на меня́ ве́тром, и, как пти́ца, полете́ла к небольшо́й, закопчёной пристро́йке, должно́-быть, ку́хне, отку́да шёл за́пах жа́реной бара́нины и слы́шался серди́тый армя́нский го́вор. Она́ исчёзла в тёмной две́ри и вме́сто неё на поро́ге показа́лась ста́рая, сго́рбленная армя́нка с кра́сным лицо́м и в зелёных шарова́рах. Стару́ха серди́лась и кого́-то брани́ла. Ско́ро на поро́ге показа́лась Ма́ша, покрасне́вшая от ку́хонного жа́ра и с больши́м чёрным хле́бом на плече́; краси́во изгиба́ясь под тя́жестью хле́ба, она́ побежа́ла че́рез двор к гумну́, шмыгну́ла че́рез плете́нь и, окуну́вшись в о́блако золоти́стой поло́вы, скры́лась за арба́ми. Хохо́л, подгоня́вший лошаде́й, опусти́л бич, умо́лк и мину́ту мо́лча гляде́л в сто́рону арб, пото́м, когда́ армя́ночка опя́ть мелькну́ла о́коло лошаде́й и перескочи́ла че́рез плете́нь, он проводи́л её глаза́ми и кри́кнул на лошаде́й таки́м то́ном, как бу́дто был о́чень огорчён:

— А, чтоб вам пропа́сть, нечи́стая си́ла!

И всё вре́мя пото́м слы́шал я не перестава́я шаги́ её босы́х ног, ви́дел, как она́ с серьёзным, озабо́ченным лицо́м носи́лась по̀ двору. Пробега́ла она́ то по ступе́ням, обдава́я меня́ ве́тром, то в ку́хню, то на гумно́, то за воро́та, и я едва́ успева́л повора́чивать го́лову, что́бы следи́ть за не́ю.

И чем ча́ще она́ со свое́й красото́й мелька́ла у меня́ пе́ред глаза́ми, тем сильне́е станови́лась моя́ грусть. Мне бы́ло жаль и себя́, и её, и хохла́, гру́стно провожа́вшего её взгля́дом вся́кий раз, когда́ она́ сквозь о́блако поло́вы бе́гала к арба́м. Была́ ли э́то у меня́ за́висть к её красоте́, и́ли я жале́л, что э́та де́вочка не моя́ и никогда́ не бу́дет мое́ю, и что я для неё чужо́й, и́ли сму́тно чу́вствовал я, что её ре́дкая красота́ случа́йна, не нужна́ и, как всё на земле́, не долгове́чна, и́ли, быть-мо́жет, моя́ грусть была́ тем осо́бенным чу́вством, кото́рое возбужда́ется в челове́ке созерца́нием настоя́щей красоты́, Бог зна́ет!

Три часа́ ожида́ния прошли́ незаме́тно. Мне каза́лось, не успе́л я нагляде́ться на Ма́шу, как Карпо́ съе́здил к реке́, вы́купал ло́шадь и уж стал запряга́ть. Мо́края ло́шадь фы́ркала от удово́льствия и стуча́ла копы́тами по огло́блям. Карпо́ крича́л на неё «наза́-ад!». Просну́лся де́душка. Ма́ша со скри́пом отвори́ла нам воро́та, мы се́ли на дро́ги и вы́ехали со двора́. Е́хали мы мо́лча, то́чно серди́лись друг на дру́га.

Когда́ часа́ че́рез два и́ли три вдали́ показа́лись Росто́в и Нахичева́нь, Карпо́, всё вре́мя молча́вший, бы́стро огляну́лся и сказа́л:

— А сла́вная у армя́шки де́вка!

И хлестну́л по лошади.

II

В друго́й раз, бу́дучи уже́ студе́нтом, е́хал я по желе́зной доро́ге на юг. Был май. На одно́й из ста́нций, ка́жется, ме́жду Бе́лгородом и Ха́рьковом, вы́шел я из ваго́на прогуля́ться по платфо́рме.

На станцио́нный са́дик, на платфо́рму и на по́ле легла́ уже́ вече́рняя тень; вокза́л заслоня́л собо́ю зака́т, но по са́мым ве́рхним клуба́м ды́ма, выходи́вшего из парово́за и окра́шенного в не́жный ро́зовый цвет, ви́дно бы́ло, что со́лнце ещё не совсе́м спря́талось.

Проха́живаясь по платфо́рме, я заме́тил, что большинство́ гуля́вших пассажи́ров ходи́ло и стоя́ло то́лько о́коло одного́ ваго́на второ́го кла́сса, и с таки́м выраже́нием, как бу́дто в э́том ваго́не сиде́л како́й-нибудь знамени́тый челове́к. Среди́ любопы́тных, кото́рых я встре́тил о́коло э́того ваго́на, ме́жду про́чим находи́лся мой спу́тник, артиллери́йский офице́р, ма́лый у́мный, тёплый и симпати́чный, как все, с кем мы знако́мимся в доро́ге случа́йно и не надо́лго.

— Что̀ вы тут смо́трите? — спроси́л я.

Он ничего́ не отве́тил и то́лько указа́л мне глаза́ми на одну́ же́нскую фигу́ру. Э́то была́ ещё молода́я де́вушка, лет 17–18, оде́тая в ру́сский костю́м, с непокры́той голово́й и с манти́лькой, небре́жно набро́шенной на одно́ плечо́, не пассажи́рка, а должно́-быть, дочь и́ли сестра́ нача́льника ста́нции. Она́ стоя́ла о́коло ваго́нного окна́ и разгова́ривала с како́й-то пожило́й пассажи́ркой. Пре́жде чем я успе́л дать себе́ отчёт в том, что я ви́жу, мно́ю вдруг овладе́ло чу́вство, како́е я испыта́л когда́-то в армя́нской дере́вне.

Де́вушка была́ замеча́тельная краса́вица, и в э́том не сомнева́лись ни я и ни те, кто вме́сте со мной смотре́л на неё.

Е́сли, как при́нято, опи́сывать её нару́жность по частя́м, то действи́тельно прекра́сного у неё бы́ли одни́ то́лько белоку́рые, волни́стые, густы́е во́лосы, распу́щенные и перевя́занные на голове́ чёрной ле́нточкой, всё же остально́е бы́ло и́ли непра́вильно, и́ли же о́чень обыкнове́нно. От осо́бой ли мане́ры коке́тничать, и́ли от близору́кости, глаза́ её бы́ли прищу́рены, нос был нереши́тельно вздёрнут, рот мал, про́филь сла́бо и вя́ло очёрчен, пле́чи узки́ не по лета́м, но тем не ме́нее де́вушка производи́ла впечатле́ние настоя́щей краса́вицы, и, гля́дя на неё, я мог убеди́ться, что ру́сскому лицу́ для того́, что́бы каза́ться прекра́сным, нет на́добности в стро́гой пра́вильности черт, ма́ло того́, да́же е́сли бы де́вушке вме́сто её вздёрнутого но́са поста́вили друго́й — пра́вильный и пласти́чески непогреши́мый, как у армя́ночки, то, ка́жется, от э́того лицо́ утеря́ло бы всю свою́ пре́лесть.

Сто́я у окна́ и разгова́ривая, де́вушка, пожима́ясь от вече́рней сы́рости, то и де́ло огля́дывалась на нас, то подбоче́нивалась, то поднима́ла к голове́ ру́ки, что́бы попра́вить во́лосы, говори́ла, смея́лась, изобража́ла на своём лице́ то удивле́ние, то у́жас, и я не по́мню того́ мгнове́ния, когда́ бы её те́ло и лицо́ находи́лись в поко́е. Весь секре́т и волшебство́ её красоты́ заключа́лись и́менно в э́тих ме́лких, бесконе́чно изя́щных движе́ниях, в улы́бке, в игре́ лица́, в бы́стрых взгля́дах на нас, в сочета́нии то́нкой гра́ции э́тих движе́ний с мо́лодостью, све́жестью, с чистото́ю души́, звуча́вшей в сме́хе и в го́лосе, и с то́ю сла́бостью, кото́рую мы так лю́бим в де́тях, в пти́цах, в молоды́х оле́нях, в молоды́х дере́вьях.

Э́то была́ красота́ мотылько́вая, к кото́рой так иду́т вальс, порха́нье по са́ду, смех, весе́лье и кото́рая не вя́жется с серьёзной мы́слью, печа́лью и поко́ем; и, ка́жется, сто́ит то́лько пробежа́ть по платфо́рме хоро́шему ве́тру, и́ли пойти́ дождю́, что́бы хру́пкое те́ло вдруг поблёкло и капри́зная красота́ осы́палась, как цвето́чная пыль.

— Тэк-с . . . — пробормота́л со вздо́хом офице́р,

когда́ мы по́сле второ́го звонка́ напра́вились к своему́ ваго́ну.

А что̀ зна́чило э́то «тэк-с», не беру́сь сказа́ть.

Быть-мо́жет, ему́ бы́ло гру́стно и не хоте́лось уходи́ть от краса́вицы и весе́ннего ве́чера в ду́шный ваго́н, и́ли, быть-мо́жет, ему́, как и мне, бы́ло безотчётно жаль и краса́вицы, и себя́, и меня́, и всех пассажи́ров, кото́рые вя́ло и не́хотя бре́ли к свои́м ваго́нам. Проходя́ ми́мо станцио́нного окна́, за кото́рым о́коло своего́ аппара́та сиде́л бле́дный, рыжеволо́сый телеграфи́ст с высо́кими кудря́ми и полиня́вшим, скула́стым лицо́м, офице́р вздохну́л и сказа́л:

— Держу́ пари́, что э́тот телеграфи́ст влюблён в ту хоро́шенькую. Жить среди́ по́ля под одно́й кры́шей с э́тим возду́шным созда́нием и не влюби́ться — вы́ше сил челове́ческих. А како́е, мой друг, несча́стие, кака́я насме́шка, быть суту́лым, лохма́тым, се́реньким, поря́дочным и неглу́пым, и влюби́ться в э́ту хоро́шенькую и глу́пенькую де́вочку, кото́рая на вас ноль внима́ния! И́ли ещё ху́же: предста́вьте, что э́тот телеграфи́ст влюблён и в то же вре́мя жена́т и что жена́ у него́ така́я же суту́лая, лохма́тая и поря́дочная, как он сам. . . . Пы́тка!

Около на́шего ваго́на, облокоти́вшись о загоро́дку площа́дки, стоя́л конду́ктор и гляде́л в ту сто́рону, где стоя́ла краса́вица, и его́ испито́е, обрю́зглое, неприя́тно сы́тое, утомлённое бессо́нными ноча́ми и ваго́нной ка́чкой лицо́ выража́ло умиле́ние и глубоча́йшую грусть, как бу́дто в де́вушке он ви́дел свою́ мо́лодость, сча́стье, свою́ тре́звость, чистоту́, жену́, дете́й, как бу́дто он ка́ялся и чу́вствовал всем свои́м существо́м, что де́вушка э́та не его́ и что до обыкнове́нного челове́ческого, пасса́жи́рского сча́стья ему́ с его́ преждевре́менной ста́ростью, неуклю́жестью и жи́рным лицо́м так же далеко́, как до не́ба.

Проби́л тре́тий звоно́к, раздали́сь свистки́, и по́езд лени́во тро́нулся. В на́ших о́кнах промелькну́ли снача́ла конду́ктор, нача́льник ста́нции, пото́м сад, краса́вица со свое́й чу́дной, де́тски-лука́вой улы́бкой. . . .

Вы́сунувшись нару́жу и гля́дя наза́д, я ви́дел, как она́, проводи́в глаза́ми по́езд, прошла́сь по платфо́рме ми́мо окна́, где сиде́л телеграфи́ст, попра́вила свои́ во́лосы и побежа́ла в сад. Вокза́л уж не загора́живал за́пада, по́ле бы́ло откры́то, но со́лнце уже́ се́ло, и дым чёрными клуба́ми стла́лся по зелёной ба́рхатной о́зими. Бы́ло гру́стно и в весе́ннем во́здухе, и на темне́вшем не́бе, и в ваго́не.

Знако́мый конду́ктор вошёл в ваго́н и стал зажига́ть све́чи.

8. СТУДЕ́НТ

Пого́да в нача́ле была́ хоро́шая, ти́хая. Крича́ли дрозды́, и по сосе́дству в боло́тах что́-то живо́е жа́лобно гуде́ло, то́чно ду́ло в пусту́ю буты́лку. Протяну́л оди́н вальдшне́п, и вы́стрел по нём прозвуча́л в весе́ннем во́здухе раска́тисто и ве́село. Но когда́ стемне́ло в лесу́, некста́ти поду́л с восто́ка холо́дный прони́зывающий ве́тер, всё смо́лкло. По лу́жам протяну́лись ледяны́е и́глы, и ста́ло в лесу́ неую́тно, глу́хо и нелюди́мо. Запа́хло зимо́й.

Ива́н Великопо́льский, студе́нт духо́вной акаде́мии, сын дьячка́, возвраща́ясь с тя́ги домо́й, шёл всё вре́мя заливны́м лу́гом по тропи́нке. У него́ закочене́ли па́льцы, и разгоре́лось от ве́тра лицо́. Ему́ каза́лось, что э́тот внеза́пно наступи́вший хо́лод нару́шил во всём поря́док и согла́сие, что само́й приро́де жу́тко, и оттого́ вече́рние потёмки сгусти́лись быстре́й, чем на́до. Круго́м бы́ло пусты́нно и ка́к-то осо́бенно мра́чно. То́лько на вдо́вьих огоро́дах о́коло реки́ свети́лся ого́нь; далеко́ же круго́м и там, где была́ дере́вня, версты́ за четы́ре, всё сплошь утопа́ло в холо́дной вече́рней мгле. Студе́нт вспо́мнил, что, когда́ он уходи́л и̂з дому, его́ мать, си́дя в сеня́х на полу́, боса́я, чи́стила самова́р, а оте́ц лежа́л на печи́ и ка́шлял; по слу́чаю страстно́й пя́тницы до́ма ничего́ не вари́ли, и мучи́тельно хоте́лось есть. И тепе́рь, пожима́ясь от хо́лода, студе́нт ду́мал о том, что то́чно тако́й же ве́тер дул и при Рю́рике, и при Иоа́нне Гро́зном, и при Петре́, и что при них была́ то́чно така́я же лю́тая бе́дность, го́лод; таки́е же дыря́вые соло́менные кры́ши, неве́жество, тоска́, така́я же пусты́ня круго́м, мрак, чу́вство гнёта, — все э́ти у́жасы бы́ли, есть и бу́дут, и оттого́, что пройдёт ещё ты́сяча лет, жизнь не ста́нет лу́чше. И ему́ не хоте́лось домо́й.

Огоро́ды называ́лись вдо́вьими потому́, что их содержа́ли две вдовы́, мать и дочь. Костёр горе́л жа́рко, с тре́ском, освеща́я далеко́ круго́м вспа́ханную зе́млю. Вдова́ Васили́са, высо́кая, пу́хлая стару́ха в мужско́м полушу́бке, стоя́ла во́зле и в разду́мье гляде́ла на ого́нь; её дочь, Луке́рья, ма́ленькая, ряба́я, с глупова́тым лицо́м, сиде́ла на земле́ и мы́ла котёл и ло́жки. Очеви́дно, то́лько-что оту́жинали. Слы́шались мужски́е голоса́; э́то зде́шние рабо́тники на реке́ пои́ли лошаде́й.

— Вот вам и зима́ пришла́ наза́д, — сказа́л студе́нт, подходя́ к костру́. — Здра́вствуйте!

Васили́са вздро́гнула, но тотча́с же узна́ла его́ и улыбну́лась приве́тливо.

— Не узна́ла, Бог с тобо́й, — сказа́ла она́. — Бога́тым быть.

Поговори́ли. Васили́са, же́нщина быва́лая, служи́вшая когда́-то у госпо́д в ма́мках, а пото́м ня́ньках, выража́лась делика́тно, и с лица́ её всё вре́мя не сходи́ла мя́гкая, степе́нная улы́бка; дочь же её Луке́рья, дереве́нская ба́ба, заби́тая му́жем, то́лько щу́рилась на студе́нта и молча́ла, и выраже́ние у неё бы́ло стра́нное, как у глухонемо́й.

— То́чно так же в холо́дную ночь гре́лся у костра́ апо́стол Пётр, — сказа́л студе́нт, протя́гивая к огню́ ру́ки. — Зна́чит, и тогда́ бы́ло хо́лодно. Ах, кака́я то была́ стра́шная ночь, ба́бушка! до чрезвыча́йности уны́лая, дли́нная ночь!

Он посмотре́л круго́м на потёмки, су́дорожно встряхну́л голово́й и спроси́л:

— Небо́сь, была́ на двена́дцати ева́нгелиях?

— Была́, — отве́тила Васили́са.

— Е́сли по́мнишь, во вре́мя та́йной ве́чери Пётр сказал Иису́су: «С Тобо́ю я гото́в и в темни́цу, и на смерть». А Госпо́дь ему́ на э́то: «Говорю́ тебе́, Пётр, не пропоёт сего́дня пе́тел, то́-есть пету́х, как ты три́жды отречёшься, что не зна́ешь Меня́». По́сле ве́чери Иису́с смерте́льно тоскова́л в саду́ и моли́лся, а бе́дный Пётр истоми́лся душо́й, ослабе́л, ве́ки у него́ отяжеле́ли, и он ника́к не мог поборо́ть сна. Спал. Пото́м, ты слы́шала, Иу́да в ту же ночь поцелова́л Иису́са и пре́дал Его́ мучи́телям. Его́ свя́занного вели́ к первосвяще́ннику и би́ли, а Пётр, изнеможённый, заму́ченный тоско́й и трево́гой, понима́ешь ли, не вы́спавшийся, предчу́вствуя, что вот-во́т на земле́ произойдёт что́-то ужа́сное, шёл вслед. . . . Он стра́стно, без па́мяти люби́л Иису́са, и тепе́рь ви́дел издали́, как Его́ би́ли. . . .

Луке́рья оста́вила ло́жки и устреми́ла неподви́жный взгляд на студе́нта.

— Пришли́ к первосвяще́ннику, — продолжа́л он, — Иису́са ста́ли допра́шивать, а рабо́тники тем вре́менем развели́ среди́ двора́ ого́нь, потому́ что бы́ло хо́лодно, и гре́лись. С ни́ми о́коло костра́ стоя́л Пётр и то́же гре́лся, как вот я тепе́рь. Одна́ же́нщина, увидев его́, сказа́ла: «И э́тот был с Иису́сом», то́-есть, что и его́, мол, ну́жно вести́ к допро́су. И все рабо́тники, что̀ находи́лись о́коло огня́, должно́-быть, подозри́тельно и суро́во погляде́ли на него́, потому́ что он смути́лся и сказа́л: «Я не зна́ю Его́». Немно́го погодя́ опя́ть кто́-то узна́л в нём одного́ из ученико́в Иису́са и сказа́л: «И ты из них». Но он опя́ть отрёкся. И в тре́тий раз кто́-то обрати́лся к нему́:

«Да не тебя́ ли сего́дня я ви́дел с Ним в саду́?» Он тре́тий раз отрёкся. И по́сле э́того ра́за тотча́с же запе́л пету́х, и Пётр, взгляну́в и́здали на Иису́са, вспо́мнил слова́, кото́рые Он сказа́л ему́ на ве́чери.... Вспо́мнил, очну́лся, пошёл со двора́ и го́рько-го́рько запла́кал. В Ева́нгелии ска́зано: «И исше́д вон, пла́кася го́рько». Вообража́ю: ти́хий-ти́хий, тёмный-тёмный сад, и в тишине́ едва́ слы́шатся глухи́е рыда́ния....

Студе́нт вздохну́л и заду́мался. Продолжа́я улыба́ться, Васили́са вдруг всхли́пнула, слёзы, кру́пные, изоби́льные, потекли́ у неё по щека́м, и она́ заслони́ла рукаво́м лицо́ от огня́, как бы стыдя́сь свои́х слёз, а Луке́рья, гля́дя неподви́жно на студе́нта, покрасне́ла, и выраже́ние у неё ста́ло тяжёлым, напряжённым, как у челове́ка, кото́рый сде́рживает си́льную боль.

Рабо́тники возвраща́лись с реки́, и оди́н из них верхо́м на ло́шади был уже́ бли́зко, и свет от костра́ дрожа́л на нём. Студе́нт пожела́л вдо́вам споко́йной но́чи и пошёл да́льше. И опя́ть наступи́ли потёмки, и ста́ли зя́бнуть ру́ки. Дул жесто́кий ве́тер, в са́мом де́ле возвраща́лась зима́, и нѐ было похо́же, что послеза́втра Па́сха.

Тепе́рь студе́нт ду́мал о Васили́се: е́сли она́ запла́кала, то, зна́чит, всё, происходи́вшее в ту стра́шную ночь с Петро́м, име́ет к ней како́е-то отноше́ние....

Он огляну́лся. Одино́кий ого́нь споко́йно мига́л в темноте́, и во́зле него́ уже́ нѐ было ви́дно люде́й. Студе́нт опя́ть поду́мал, что е́сли Васили́са запла́кала, а её дочь смути́лась, то, очеви́дно, то, о чём он то́лько что расска́зывал, что происходи́ло девятна́дцать веко́в наза́д, име́ет отноше́ние к настоя́щему — к обе́им же́нщинам и, вероя́тно, к э́той пусты́нной дере́вне, к нему́ самому́, ко всем лю́дям. Е́сли стару́ха запла́кала, то не потому́, что он уме́ет тро́гательно расска́зывать, а потому́, что Пётр ей бли́зок, и потому́, что она́ всем существо́м заинтересо́вана в том, что̀ происходи́ло в душе́ Петра́.

И ра́дость вдруг заволнова́лась в его́ душе́, и он да́же останови́лся на мину́ту, что́бы перевести́ дух. Про́шлое, — ду́мал он, — свя́зано с настоя́щим непреры́вною це́пью собы́тий, вытека́вших одно́ из друго́го. И ему́ каза́лось, что он то́лько что ви́дел о́ба конца́ э́той це́пи; дотро́нулся до одного́ конца́, как дро́гнул друго́й.

А когда́ он переправля́лся на паро́ме че́рез реку́ и пото́м, поднима́ясь на̀ гору, гляде́л на свою́ родну́ю дере́вню и на за́пад, где у́зкою полосо́й свети́лась холо́дная багро́вая заря́, то ду́мал о том, что пра́вда и красота́, направля́вшие челове́ческую жизнь там, в саду́ и во дворе́ первосвяще́нника, продолжа́лись непреры́вно до сего́ дня и, повиди́мому, всегда́ составля́ли гла́вное в челове́ческой жи́зни и вообще́ на земле́; и чу́вство мо́лодости, здоро́вья, си́лы, — ему́ бы́ло то́лько два́дцать два го́да, — и невырази́мо сла́дкое ожида́ние сча́стья, неве́домого, таи́нственного сча́стья овладева́ли им мало-по-ма́лу, и жизнь каза́лась ему́ восхити́тельной, чуде́сной и по́лной высо́кого смы́сла.

9. НА СВЯ́ТКАХ

I

— Что̀ писа́ть? — спроси́л Его́р и умокну́л перо́.

Васили́са не ви́делась со свое́ю до́черью уже́ четы́ре го́да. Дочь Ефи́мья по́сле сва́дьбы уе́хала с му́жем в Петербу́рг, присла́ла два письма́ и пото́м как в во́ду ка́нула: ни слу́ху, ни ду́ху. И дои́ла ли стару́ха коро́ву на рассве́те, топи́ла ли пе́чку, дрема́ла ли но́чью — и всё ду́мала об одно́м: ка́к-то там Ефи́мья, жива́ ли? На́до бы посла́ть письмо́, но стари́к писа́ть не уме́л, а попроси́ть бы́ло не́кого.

Но вот пришли́ свя́тки, и Васили́са не вы́терпела и пошла́ в тракти́р к Его́ру, хозя́йкиному бра́ту, кото́рый, как пришёл со слу́жбы, так и сиде́л всё до́ма, в тракти́ре и ничего́ не де́лал; про него́ говори́ли, что он мо́жет хорошо́ писа́ть пи́сьма, е́жели ему́ заплати́ть как сле́дует. Васили́са поговори́ла в тракти́ре с куха́ркой, пото́м с хозя́йкой, пото́м с сами́м Его́ром. Сошли́сь на пятиалты́нном.

И тепе́рь — э́то происходи́ло на второ́й день пра́здника в тракти́ре, в ку́хне — Его́р сиде́л за сто́ло́м и держа́л перо́ в руке́. Васили́са стоя́ла пе́ред ним, заду́мавшись, с выраже́нием забо́ты и ско́рби на лице́. С не́ю пришёл и Пётр, её стари́к, о́чень худо́й, высо́кий, с кори́чневой лы́синой; он стоя́л и гляде́л неподви́жно и пря́мо, как слепо́й. На плите́ в кастрю́ле жа́рилась свини́на; она́ шипе́ла и фы́ркала, и как бу́дто да́же говори́ла: «флю-флю». Бы́ло ду́шно.

— Что̀ писа́ть? — спроси́л опя́ть Его́р.

— Чего́! — сказа́ла Васили́са, гля́дя на него́ серди́то и подозри́тельно. — Не гони́! Небо́сь, не зада́ром пи́шешь, за де́ньги. Ну, пиши́! Любе́зному на́шему зя́тю Андре́ю Хриса́нфычу и еди́нственной на́шей люби́мой до́чери Ефи́мье Петро́вне с любо́вью ни́зкий покло́н и благослове́ние роди́тельское наве́ки неруши́мо.

— Есть. Стреля́й да́льше.

— А ещё поздравля́ем с пра́здником Рождества́ Христо́ва, мы жи́вы и здоро́вы, чего́ и вам жела́ем от Го́спода . . . Царя́ Небе́сного.

Васили́са поду́мала и перегляну́лась со старико́м.

— Чего́ и вам жела́ем от Го́спода. . . . Царя́ Небе́сного . . . — повтори́ла она́ и запла́кала.

Бо́льше ничего́ она́ не могла́ сказа́ть. А ра́ньше, когда́ она́ по ноча́м ду́мала, то ей каза́лось, что всего́ не помести́ть и в десяти́ пи́сьмах. С того́ вре́мени, как уе́хали дочь с му́жем, утекло́ в мо́ре мно́го воды́, старики́ жи́ли, как си́роты, и тя́жко вздыха́ли по ноча́м, то́чно похорони́ли дочь. А ско́лько за э́то вре́мя бы́ло в дере́вне вся́ких происше́ствий, ско́лько сва́деб, смерте́й. Каки́е бы́ли дли́нные зи́мы. Каки́е дли́нные но́чи.

— Жа́рко! — проговори́л Его́р, расстёгивая жиле́т. — До́лжно, гра́дусов се́мьдесят бу́дет. Что же ещё? — спроси́л он.

Старики́ молча́ли.

— Чем твой зять там занима́ется? — спроси́л Его́р.

— Он из солда́т, ба́тюшка, тебе́ изве́стно, — отве́тил сла́бым го́лосом стари́к. — В одно́ вре́мя с тобо́й со слу́жбы пришёл. Был солда́т, а тепе́рь, зна́чит, в Петербу́рге в водоцеле́бном заведе́нии. До́ктор больны́х водо́й по́льзует. Так он, зна́чит, у до́ктора в швейца́рах.

— Вот тут напи́сано . . . — сказа́ла стару́ха, вынима́я из плато́чка письмо́. — От Ефи́мьи получи́ли, ещё Бог зна́ет когда́. Мо́жет, их уж и на све́те нет.

Его́р поду́мал немно́го и стал бы́стро писа́ть.

«В настоя́щее вре́мя, писа́л он, как судба́ ва́ша че́рез себе́ определи́ла на Вое́ное По́прыще, то мы Вам сове́туем загляну́ть в Уста́в Дисцыплина́рных Взыска́ний и Уголо́вных Зако́нов Вое́нного Ве́домства, и Вы усмо́трите в о́ном Зако́не цывилиза́цию Чино́в Вое́ного Ве́домства».

Он писа́л и прочи́тывал вслух напи́санное, а Васили́са сообража́ла о том, что на́до бы написа́ть, кака́я в про́шлом году́ была́ нужда́, не хвати́ло хле́ба да́же до свя́ток, пришло́сь прода́ть коро́ву. На́до бы попроси́ть де́нег, на́до бы написа́ть, что стари́к ча́сто похва́рывает и ско́ро, должно́-быть, отда́ст Бо́гу ду́шу. . . . Но как вы́разить э́то на слова́х? Что̀ сказа́ть пре́жде и что̀ по́сле?

«Обрати́те внема́ние, — продолжа́л Его́р писа́ть: — в 5 то́ме Вое́ных Постановле́ний. Солда́т есть И́мя о́бчшее, Знамени́тое. Солда́том называ́ется Перьве́йшый Генера́л и после́дней Рядово́й. . . .»

Стари́к пошевели́л губа́ми и сказа́л ти́хо:

— Внуча́т погляде́ть, оно́ бы ничего́.

— Каки́х внуча́т? — спроси́ла стару́ха и погляде́ла на него́ серди́то. — Да мо́жет их и не́ту!

— Внуча́т-то? А мо́жет, и есть. Кто их зна́ет!

«И пое́тому Вы мо́жете суди́ть, — торопи́лся Его́р: — како́й есть враг Инозе́мный и како́й Вну́треный. Перьве́йшый наш Вну́треный Враг есть: Ба́хус».

Перо́ скрипе́ло, выде́лывая на бума́ге завиту́шки,

похо́жие на рыболо́вные крючки́. Его́р спеши́л и прочи́тывал ка́ждую стро́чку по не́скольку раз. Он сиде́л на табуре́те, раски́нув широ́ко но́ги под столо́м, сы́тый, здоро́вый, морда́стый, с кра́сным заты́лком. Э́то была́ 5 сама́ по́шлость, гру́бая, надме́нная, непобеди́мая, го́рдая тем, что она́ родила́сь и вы́росла в тракти́ре, и Васили́са хорошо́ понима́ла, что тут по́шлость, но не могла́ вы́разить на слова́х, а то́лько гляде́ла на Его́ра серди́то и подозри́тельно. От его́ го́лоса, непоня́тных слов, от 10 жа́ра и духоты́ у неё разболе́лась голова́, запу́тались мы́сли, и она́ уже́ ничего́ не говори́ла, не ду́мала и ждала́ то́лько, когда́ он ко́нчит скрипе́ть. А стари́к гляде́л с по́лным дове́рием. Он ве́рил и стару́хе, кото́рая его́ привела́ сюда́, и Его́ру; и когда́ упомяну́л 15 да́веча о водолечё́бном заведе́нии, то ви́дно бы́ло по лицу́, что он ве́рил и в заведе́ние, и в целе́бную си́лу воды́.

Ко́нчив писа́ть, Его́р встал и прочё́л всё письмо́ снача́ла. Стари́к не по́нял, но дове́рчиво закива́л голово́й.

20 — Ничего́, гла́дко . . . — сказа́л он: — дай Бог здоро́вья. Ничего́. . . .

Положи́ли на стол три пятака́ и вы́шли из тракти́ра; стари́к гляде́л неподви́жно и пря́мо, как слепо́й, и на лице́ его́ бы́ло напи́сано по́лное дове́рие, а Васили́са, 25 когда́ выходи́ли из тракти́ра, замахну́лась на соба́ку и сказа́ла серди́то:

— У-у, я́зва!

Всю ночь стару́ха не спала́, беспоко́или её мы́сли, а на рассве́те она́ вста́ла, помоли́лась и пошла́ на ста́нцию, 30 что́бы посла́ть письмо́.

До ста́нции бы́ло оди́ннадцать вёрст.

II

Водолечё́бница до́ктора Б. О. Мозельве́йзера рабо́тала и на Но́вый год так же, как в обыкнове́нные дни, и то́лько на швейца́ре Андре́е Хриса́нфыче был мунди́р с но́выми галуна́ми, блесте́ли ка́к-то осо́бенно сапоги́; и всех приходи́вших он поздравля́л с но́вым го́дом, с но́вым сча́стьем.

Бы́ло у́тро. Андре́й Хриса́нфыч стоя́л у две́ри и чита́л газе́ту. Ро́вно в де́сять часо́в вошёл генера́л, знако́мый, оди́н из обы́чных посети́телей, а вслед за ним почтальо́н. Андре́й Хриса́нфыч снял с генера́ла шине́ль и сказа́л:

— С но́вым го́дом, с но́вым сча́стьем, ва́ше превосходи́тельство!

— Спаси́бо, любе́зный. И тебя́ та́кже.

И и́дя вверх по ле́стнице, генера́л кивну́л на дверь и спроси́л (он ка́ждый день спра́шивал и вся́кий раз пото́м забыва́л):

— А в э́той ко́мнате что̀?

— Кабине́т для масса́жа, ва́ше превосходи́тельство.

Когда́ шаги́ генера́ла зати́хли, Андре́й Хриса́нфыч осмотре́л полу́ченную по́чту и нашёл одно́ письмо́ на своё и́мя. Он распеча́тал, прочёл не́сколько строк, пото́м, не спеша́, гля́дя в газе́ту, пошёл к себе́ в свою́ ко́мнату, кото́рая была́ тут же внизу́ в конце́ коридо́ра. Жена́ его́ Ефи́мья сиде́ла на крова́ти и корми́ла ребёнка; друго́й ребёнок, са́мый ста́рший, стоя́л во́зле, положи́в кудря́вую го́лову ей на коле́ни, тре́тий спал на крова́ти.

Войдя́ в свою́ ко́мнатку, Андре́й по́дал жене́ письмо́ и сказа́л:

— До́лжно, из дере́вни.

Зате́м он вы́шел, не отрыва́я глаз от газе́ты, и останови́лся в коридо́ре, недалеко́ от свое́й две́ри. Ему́ бы́ло слы́шно, как Ефи́мья дрожа́щим го́лосом прочла́ пе́рвые 5 стро́ки. Прочла́ и уж бо́льше не могла́; для неё бы́ло дово́льно и э́тих строк, она́ залила́сь слеза́ми и, обнима́я своего́ ста́ршенького, целу́я его́, ста́ла говори́ть, и нельзя́ бы́ло поня́ть, пла́чет она́ и́ли смеётся.

— Э́то от ба́бушки, от де́душки . . . — говори́ла она. — 10 Из дере́вни. . . . Цари́ца небе́сная, святи́тели уго́дники. Там тепе́рь сне́гу навали́ло под кры́ши . . . дере́вья бе́лые-бе́лые. Ребя́тки на ма́хоньких са́ночках. . . . И де́душка лы́сенький на пе́чке . . . и соба́чка жёлтенькая. . . . Голу́бчики мои́ родны́е!

15 Андре́й Хриса́нфыч, слу́шая э́то, вспо́мнил, что ра́за три и́ли четы́ре жена́ дава́ла ему́ пи́сьма, проси́ла посла́ть в дере́вню, но меша́ли каки́е-то ва́жные дела́: он не посла́л, пи́сьма где́-то заваля́лись.

— А в по́ле за́йчики бе́гают, — причи́тывала Ефи́мья, 20 облива́ясь слеза́ми, целу́я своего́ ма́льчика. — Де́душка ти́хий, до́брый, ба́бушка то́же до́брая, жа́лосливая. В дере́вне душе́вно живу́т, Бо́га боя́тся. . . . И церко́вочка в селе́, мужички́ на кли́росе пою́т. Унесла́ бы нас отсю́да Цари́ца небе́сная, засту́пница Ма́тушка!

25 Андре́й Хриса́нфыч верну́лся к себе́ в ко́мнатку, что́бы покури́ть, пока́ кто не пришёл, и Ефи́мья вдруг замолча́ла, прити́хла и вы́терла глаза́, и то́лько гу́бы у неё дрожа́ли. Она́ его́ о́чень боя́лась, ах как боя́лась! Трепета́ла, приходи́ла в у́жас от его́ шаго́в, от его́ 30 взгля́да, не сме́ла сказа́ть при нём ни одного́ сло́ва.

Андре́й Хриса́нфыч закури́л, но как раз в э́то вре́мя

наверху́ позвони́ли. Он потуши́л папиро́су и, сде́лав о́чень серьёзное лицо́, побежа́л к своéй пара́дной двéри.

Свéрху спуска́лся генера́л, ро́зовый, свéжий от ва́нны.

— А в э́той ко́мнате что̀? — спроси́л он, ука́зывая на дверь. 5

Андрéй Хриса́нфыч вы́тянулся, ру́ки по швам, и произнёс гро́мко:

— Душ Шарко́, ва́ше превосходи́тельство!

10. СЛУ́ЧАЙ ИЗ ПРА́КТИКИ

Профе́ссор получи́л телегра́мму из фа́брики Ля́ликовых: его́ проси́ли поскоре́е прие́хать. Была́ больна́ дочь како́й-то госпожи́ Ля́ликовой, повиди́мому, владе́лицы фа́брики, и бо́льше ничего́ нельзя́ бы́ло поня́ть из э́той
5 дли́нной, бестолко́во соста́вленной телегра́ммы. И профе́ссор сам не пое́хал, а вме́сто себя́ посла́л своего́ ордина́тора Королёва.

Ну́жно бы́ло прое́хать от Москвы́ две ста́нции и пото́м на лошадя́х версты́ четы́ре. За Королёвым вы́слали на
10 ста́нцию тро́йку; ку́чер был в шля́пе с павли́ньим перо́м и на все вопро́сы отвеча́л гро́мко, по-солда́тски: «Ника́к нет!» — «То́чно так!» Был суббо́тний ве́чер, заходи́ло со́лнце. От фа́брики к ста́нции то́лпами шли рабо́чие и кла́нялись лошадя́м, на кото́рых е́хал Королёв. И его́
15 плени́л ве́чер, и уса́дьбы, и да́чи по сторона́м, и берёзы, и э́то ти́хое настрое́ние круго́м, когда́, каза́лось, вме́сте с рабо́чими тепе́рь, накану́не пра́здника, собира́лись отдыха́ть и по́ле, и лес, и со́лнце, — отдыха́ть, бытьмо́жет, моли́ться. . . .

20 Он роди́лся и вы́рос в Москве́, дере́вни не знал и фа́бриками никогда́ не интересова́лся и не быва́л на них. Но ему́ случа́лось чита́ть про фа́брики и быва́ть в гостя́х у фабрика́нтов и разгова́ривать с ни́ми; и когда́ он ви́дел каку́ю-нибудь фа́брику и́здали, и́ли вблизи́, то вся́кий
25 раз ду́мал о том, что вот снару́жи всё ти́хо и сми́рно, а внутри́, должно́-быть, непроходи́мое неве́жество и тупо́й эгои́зм хозя́ев, ску́чный, нездоро́вый труд рабо́чих, дря́зги, во́дка, насеко́мые. И тепе́рь, когда́ рабо́чие почти́тельно и пугли́во сторони́лись коля́ски, он в их

ли́цах, картуза́х, в похо́дке уга́дывал физи́ческую нечистоту́, пья́нство, не́рвность, расте́рянность.

Въе́хали в фабри́чные воро́та. По о́бе сто́роны мелька́ли до́мики рабо́чих, ли́ца же́нщин, бельё и одея́ла на кры́льцах. «Береги́сь!» — крича́л ку́чер, не сде́рживая лошаде́й. Вот широ́кий двор без травы́, на нём пять грома́дных корпусо́в с тру́бами, друг от дру́га поо́даль, това́рные скла́ды, бара́ки, и на всём како́й-то се́рый налёт, то́чно от пы́ли. Там и сям, как оа́зисы в пусты́не, жа́лкие са́дики и зелёные и́ли кра́сные кры́ши домо́в, в кото́рых живёт администра́ция. Ку́чер вдруг осади́л лошаде́й, и коля́ска останови́лась у до́ма, вы́крашенного за́ново в се́рый цвет; тут был палиса́дник с сире́нью, покры́той пы́лью, и на жёлтом крыльце́ си́льно па́хло кра́ской.

— Пожа́луйте, господи́н до́ктор, — говори́ли же́нские голоса́ в сеня́х и в пере́дней; и при э́том слы́шались вздо́хи и шо́пот. — Пожа́луйте, заждали́сь . . . чи́стое го́ре. Вот сюда́ пожа́луйте.

Госпожа́ Ля́ликова, по́лная, пожила́я да́ма, в чёрном шёлковом пла́тье с мо́дными рукава́ми, но, судя́ по лицу́, проста́я, малогра́мотная, смотре́ла на до́ктора с трево́гой и не реша́лась пода́ть ему́ ру́ку, не сме́ла. Ря́дом с ней стоя́ла осо́ба с коро́ткими волоса́ми, в pince-nez, в пёстрой цветно́й ко́фточке, то́щая и уже́ не молода́я. Прислу́га называ́ла её Христи́ной Дми́триевной, и Королёв догада́лся, что э́то гуверна́нтка. Вероя́тно, ей, как са́мой образо́ванной в до́ме, бы́ло пору́чено встре́тить и приня́ть до́ктора, потому́ что она́ то́тчас же, торопя́сь, ста́ла излага́ть причи́ны боле́зни, с ме́лкими, назо́йливыми подро́бностями, но не говоря́, кто бо́лен и в чём де́ло.

До́ктор и гуверна́нтка сиде́ли и говори́ли, а хозя́йка стоя́ла неподви́жно у две́ри, ожида́я. Из разгово́ра Королёв по́нял, что больна́ Ли́за, де́вушка двадцати́ лет, еди́нственная дочь госпожи́ Ля́ликовой, насле́дница; она́ давно́ уже́ боле́ла и лечи́лась у ра́зных докторо́в, а в после́днюю ночь, с ве́чера до утра́, у неё бы́ло тако́е сердцебие́ние, что все в до́ме не спа́ли; боя́лись, как бы не умерла́.

— Она́ у нас, мо́жно сказа́ть, с малоле́тства была́ хво́ренькая, — расска́зывала Христи́на Дми́триевна певу́чим го́лосом, то и де́ло вытира́я гу́бы руко́й. — Доктора́ говоря́т — не́рвы, но когда́ она́ была́ ма́ленькой, доктора́ ей золоту́ху внутрь вогна́ли, так вот, ду́маю, мо́жет от э́того.

Пошли́ к больно́й. Совсе́м уже́ взро́слая, больша́я, хоро́шего ро́ста, но некраси́вая, похо́жая на мать, с таки́ми же ма́ленькими глаза́ми и с широ́кой, неуме́ренно развито́й ни́жней ча́стью лица́, не причёсанная, укры́тая до подборо́дка, она́ в пе́рвую мину́ту произвела́ на Королёва впечатле́ние существа́ несча́стного, убо́гого, кото́рое из жа́лости пригре́ли здесь и укры́ли, и не ве́рилось, что э́то была́ насле́дница пяти́ грома́дных корпусо́в.

— А мы к вам, — на́чал Королёв: — пришли́ вас лечи́ть. Здра́вствуйте.

Он назва́л себя́ и пожа́л ей ру́ку, — большу́ю, холо́дную, некраси́вую ру́ку. Она́ се́ла и, очеви́дно привы́кшая к доктора́м, равноду́шная к тому́, что у неё бы́ли откры́ты пле́чи и грудь, дала́ себя́ вы́слушать.

— У меня́ сердцебие́ние, — сказа́ла она́. — Всю ночь был тако́й у́жас . . . я едва́ не умерла́ от у́жаса! Да́йте мне чего́-нибудь.

— Дам, дам! Успоко́йтесь.

Королёв осмотре́л её и пожа́л плеча́ми.

— Се́рдце, как сле́дует, — сказа́л он: — всё обстои́т благополу́чно, всё в поря́дке. Не́рвы, должно́-быть, подгуля́ли немно́жко, но э́то так обыкнове́нно. Припа́док, на́до ду́мать, уже́ ко́нчился, ложи́тесь себе́ спать.

В э́то вре́мя принесли́ в спа́льню ла́мпу. Больна́я прищу́рилась на свет и вдруг охвати́ла го́лову рука́ми и зарыда́ла. И впечатле́ние существа́ убо́гого и некраси́вого вдруг исче́зло, и Королёв уже́ не замеча́л ни ма́леньких глаз, ни гру́бо развито́й ни́жней ча́сти лица́; он ви́дел мя́гкое страда́льческое выраже́ние, кото́рое бы́ло так разу́мно и тро́гательно, и вся она́ каза́лась ему́ стро́йной, же́нственной, просто́й, и хоте́лось уже́ успоко́ить её не лека́рствами, не сове́том, а просты́м, ла́сковым сло́вом. Мать обняла́ её го́лову и прижа́ла к себе́. Ско́лько отча́яния, ско́лько ско́рби на лице́ у стару́хи! Она́, мать, вскорми́ла, вы́растила дочь, не жале́я ничего́, всю жизнь отдала́ на то, чтоб обучи́ть её францу́зскому языку́, та́нцам, му́зыке, приглаша́ла для неё деся́ток учителе́й, са́мых лу́чших доктор́ов, держа́ла гуверна́нтку, и тепе́рь не понима́ла, отку́да э́ти слёзы, заче́м сто́лько мук, не понима́ла и теря́лась, и у неё бы́ло винова́тое, трево́жное, отча́янное выраже́ние, то́чно она́ упусти́ла что́-то о́чень ва́жное, чего́-то ещё не сде́лала, кого́-то ещё не пригласи́ла, а кого́ — неизве́стно.

— Ли́занька, ты опя́ть . . . ты опя́ть, — говори́ла она́, прижима́я к себе́ дочь. — Родна́я моя́, голу́бушка, де́точка моя́, скажи́, что̀ с тобо́й? Пожале́й меня́, скажи́.

О́бе го́рько пла́кали. Королёв сел на край посте́ли и взял Ли́зу за̀ руку.

— По́лноте, сто́ит ли пла́кать? — сказа́л он ла́сково. — Ведь на све́те нет ничего́ тако́го, что заслу́живало бы э́тих слёз. Ну, не бу́дем пла́кать, не ну́жно э́то. . . .

А сам поду́мал:

«За́муж бы ей пора́». . . .

— Наш фабри́чный до́ктор дава́л ей ка́ли-брома́ти, — сказа́ла гуверна́нтка: — но ей от э́того, я замеча́ю, то́лько ху́же. По-мо́ему, уж е́сли дава́ть от се́рдца, то ка́пли . . . забы́ла, как они́ называ́ются. . . . Ла́ндышевые, что ли.

И опя́ть пошли́ вся́кие подро́бности. Она́ перебива́ла до́ктора, меша́ла ему́ говори́ть, и на лице́ у неё бы́ло напи́сано страда́ние, то́чно она́ полага́ла, что, как са́мая образо́ванная же́нщина в до́ме, она́ была́ обя́зана вести́ с до́ктором непреры́вный разгово́р и непреме́нно о медици́не.

Королёву ста́ло ску́чно.

— Я не нахожу́ ничего́ осо́бенного, — сказа́л он, выходя́ из спа́льни и обраща́ясь к ма́тери. — Если ва́шу дочь лечи́л фабри́чный врач, то пусть и продолжа́ет лечи́ть. Лече́ние до сих пор бы́ло пра́вильное, и я не ви́жу необходи́мости меня́ть врача́. Для чего́ меня́ть? Боле́знь така́я обыкнове́нная, ничего́ серьёзного. . . .

Он говори́л не спеша́, надева́я перча́тки, а госпожа́ Ля́ликова стоя́ла неподви́жно и смотре́ла на него́ запла́канными глаза́ми.

— До десятичасово́го по́езда оста́лось полчаса́, — сказа́л он: — наде́юсь, я не опозда́ю.

— А вы не мо́жете у нас оста́ться? — спроси́ла она́, и опя́ть слёзы потекли́ у неё по щека́м. — Со́вестно вас беспоко́ить, но бу́дьте так добры́ . . . ра́ди Бо́га, — продолжа́ла она́ вполго́лоса, огля́дываясь на дверь, — переночу́йте у нас. Она́ у меня́ одна́ . . . еди́нственная дочь. . . . Напуга́ла про́шлую ночь, опо́мниться не могу́. . . . Не уезжа́йте, Бо́га ра́ди. . . .

Он хоте́л сказа́ть ей, что у него́ в Москве́ мно́го рабо́ты, что до́ма его́ ждёт семья́; ему́ бы́ло тяжело́ провести́ в чужо́м до́ме без на́добности весь ве́чер и всю ночь, но он погляде́л на её лицо́, вздохну́л и стал мо́лча снима́ть перча́тки.

В за́ле и гости́ной для него́ зажгли́ все ла́мпы и све́чи. Он сиде́л у роя́ля и перели́стывал но́ты, пото́м осма́тривал карти́ны на стена́х, портре́ты. На карти́нах, напи́санных ма́сляными кра́сками, в золоты́х ра́мах, бы́ли виды́ Кры́ма, бу́рное мо́ре с кора́бликом, католи́ческий мона́х с рю́мкой, и всё э́то су́хо, зали́зано, безда́рно. . . . На портре́тах ни одного́ краси́вого, интере́сного лица́, всё широ́кие ску́лы, удивлённые глаза́; у Ля́ликова, отца́ Ли́зы, ма́ленький лоб и самодово́льное лицо́, мунди́р мешко́м сиди́т на его́ большо́м не поро́дистом те́ле, на груди́ меда́ль и знак Кра́сного Креста́. Культу́ра бе́дная, ро́скошь случа́йная, не осмы́сленная, не удо́бная, как э́тот мунди́р; полы́ раздража́ют свои́м бле́ском, раздража́ет лю́стра, и вспомина́ется почему́-то расска́з про купца́, ходи́вшего в ба́ню с меда́лью на ше́е. . . .

Из пере́дней доноси́лся шо́пот, кто́-то ти́хо храпе́л. И вдруг со двора́ послы́шались ре́зкие, отры́вистые, металли́ческие зву́ки, каки́х Королёв ра́ньше никогда́ не слы́шал и каки́х не по́нял тепе́рь; они́ отозва́лись в его́ душе́ стра́нно и неприя́тно.

«Ка́жется, ни за что̀ не оста́лся бы тут жить» . . . — поду́мал он и опя́ть принялся́ за но́ты.

— До́ктор, пожа́луйте закуси́ть! — позвала́ вполго́-лоса гуверна́нтка.

Он пошёл у́жинать. Стол был большо́й, со мно́жеством заку́сок и вин, но у́жинали то́лько дво́е: он да Христи́на Дми́триевна. Она́ пила́ маде́ру, бы́стро ку́шала и говори́ла, погля́дывая на него́ че́рез pince-nez:

— Рабо́чие на́ми о́чень дово́льны. На фа́брике у нас ка́ждую зи́му спекта́кли, са́ми рабо́чие игра́ют, ну чте́ния с волше́бным фонарём, великоле́пная ча́йная и, ка́жется, чего́ уж. Они́ нам о́чень приве́рженные, и когда́ узна́ли, что Ли́заньке ху́же ста́ло, заказа́ли моле́бен. Необразо́ванные, а ведь то́же чу́вствуют.

— Похо́же, у вас в до́ме нет ни одного́ мужчи́ны, — сказа́л Королёв.

— Ни одного́. Пётр Никано́рыч по́мер полтора́ го́да наза́д, и мы одни́ оста́лись. Так и живём втроём. Ле́том здесь, а зимо́й в Москве́ на Поля́нке. Я у них уже́ оди́ннадцать лет живу́. Как своя́.

К у́жину подава́ли сте́рлядь, кури́ные котле́ты и компо́т; ви́на бы́ли дороги́е, францу́зские.

— Вы, до́ктор, пожа́луйста, без церемо́нии, — говори́ла Христи́на Дми́триевна, ку́шая, утира́я рот кулачко́м, и ви́дно бы́ло, что она́ жила́ здесь в своё по́лное удово́льствие. — Пожа́луйста ку́шайте.

По́сле у́жина до́ктора отвели́ в ко́мнату, где для него́ была́ пригото́влена посте́ль. Но ему́ не хоте́лось спать, бы́ло ду́шно, и в ко́мнате па́хло кра́ской; он наде́л пальто́ и вы́шел.

На дворе́ бы́ло прохла́дно; уже́ бре́зжил рассве́т, и в сыро́м во́здухе я́сно обознача́лись все пять корпусо́в с их дли́нными тру́бами, бара́ки и скла́ды. По слу́чаю пра́здника не рабо́тали, бы́ло в о́кнах темно́, и то́лько в одно́м из корпусо́в горе́ла ещё печь, два окна́ бы́ли багро́вы, и из трубы́ вме́сте с ды́мом и́зредка выходи́л ого́нь. Далеко́ за дворо́м крича́ли лягу́шки и пел солове́й.

Гля́дя на корпуса́ и бара́ки, где спа́ли рабо́чие, он опя́ть ду́мал о том, о чём ду́мал всегда́, когда́ ви́дел фа́брики. Пусть спекта́кли для рабо́чих, волше́бные фонари́, фабри́чные доктора́, ра́зные улучше́ния, но всё же рабо́чие, кото́рых он встре́тил сего́дня по доро́ге со ста́нции, ниче́м не отлича́ются от тех рабо́чих, кото́рых он ви́дел давно́ в де́тстве, когда́ ещё нѐ было фабри́чных спекта́клей и улучше́ний. Он, как ме́дик, пра́вильно суди́вший о хрони́ческих страда́ниях, коренна́я причи́на кото́рых была́ непоня́тна и неизлечи́ма, и на фа́брики смотре́л, как на недоразуме́ние, причи́на кото́рого была́ то́же неясна́ и неустрани́ма, и все улучше́ния в жи́зни фабри́чных он не счита́л ли́шними, но прира́внивал их к лече́нию неизлечи́мых боле́зней.

«Тут недоразуме́ние, коне́чно . . . — ду́мал он, гля́дя на багро́вые о́кна. — Ты́сячи полторы́–две фабри́чных рабо́тают без о́тдыха, в нездоро́вой обстано́вке, де́лая плохо́й си́тец, живу́т впро́голодь и то́лько и́зредка в кабаке́ отрезвля́ются от э́того кошма́ра; со́тня люде́й надзира́ет за рабо́той, и вся жизнь э́той со́тни ухо́дит на запи́сывание штра́фов, на брань, несправедли́вости, и то́лько дво́е–тро́е, так-называ́емые хозя́ева, по́льзуются вы́годами, хотя́ совсе́м не рабо́тают и презира́ют плохо́й си́тец. Но каки́е вы́годы, как по́льзуются и́ми? Ля́ликова и её дочь несча́стны, на них жа́лко смотре́ть, живёт в своё удово́льствие то́лько одна́ Христи́на Дми́триевна, пожила́я, глупова́тая деви́ца в pince-nez. И выхо́дит так, зна́чит, что рабо́тают все пять корпусо́в и на восто́чных ры́нках продаётся плохо́й си́тец для того́ то́лько, что́бы Христи́на Дми́триевна могла́ ку́шать сте́рлядь и пить маде́ру.

Вдруг разда́ли́сь стра́нные зву́ки, те са́мые, кото́рые Королёв слы́шал до у́жина. О́коло одного́ из корпусо́в кто́-то бил в металли́ческую до́ску, бил и то́тчас же заде́рживал звук, так что получа́лись коро́ткие, ре́зкие, нечи́стые зву́ки, похо́жие на «дер . . . дер . . . дер . . .». Зате́м полмину́ты тишины́, и у друго́го ко́рпуса раздали́сь зву́ки, таки́е же отры́вистые и неприя́тные, уже́ бо́лее ни́зкие, басовы́е — «дрын . . . дрын . . . дрын. . . ». Оди́ннадцать раз. Очеви́дно, э́то сторожа́ би́ли оди́ннадцать часо́в.

Послы́шалось о́коло тре́тьего ко́рпуса: «жак . . . жак . . . жак. . . .» И так о́коло всех корпусо́в и пото́м за бара́ками и за воро́тами. И похо́же бы́ло, как бу́дто среди́ ночно́й тишины́ издава́ло э́ти зву́ки само́ чудо́вище с багро́выми глаза́ми, сам дья́вол, кото́рый владе́л тут и хозя́евами, и рабо́чими, и обма́нывал и тех и други́х.

Королёв вы́шел со двора́ в по́ле.

— Кто идёт? — окли́кнули его́ у воро́т гру́бым го́лосом.

«То́чно в остро́ге» . . . — поду́мал он и ничего́ не отве́тил.

Здесь соловьи́ и лягу́шки бы́ли слышне́е, чу́вствовалась ма́йская ночь. Со ста́нции доноси́лся шум по́езда; крича́ли где́-то со́нные пету́хи, но всё же ночь была́ тиха́, мир поко́йно спал. В по́ле, недалеко́ от фа́брики, стоя́л сруб, тут был сло́жен материа́л для постро́йки. Королёв сел на до́ски и продолжа́л ду́мать:

«Хорошо́ чу́вствует себя́ здесь то́лько одна́ гуверна́нтка, и фа́брика рабо́тает для её удово́льствия. Но э́то так ка́жется, она́ здесь то́лько подставно́е лицо́. Гла́вное же, для кого́ здесь всё де́лается, — э́то дья́вол».

И он ду́мал о дья́воле, в кото́рого не ве́рил, и огля́дывался на два окна́, в кото́рых свети́лся ого́нь. Ему́ каза́лось, что э́тими багро́выми глаза́ми смотре́л на него́ сам дья́вол, та неве́домая си́ла, кото́рая создала́ отноше́ния ме́жду си́льными и сла́быми, э́ту гру́бую оши́бку, кото́рую тепе́рь ниче́м не испра́вишь. Ну́жно, что́бы си́льный меша́л жить сла́бому, тако́в зако́н приро́ды, но э́то поня́тно и лёгко укла́дывается в мысль то́лько в газе́тной статье́ и́ли в уче́бнике, в той же ка́ше, каку́ю представля́ет из себя́ обы́денная жизнь, в пу́танице всех мелоче́й, из кото́рых со́тканы челове́ческие отноше́ния, э́то уже́ не зако́н, а логи́ческая несообра́зность, когда́ и си́льный, и сла́бый одина́ково па́дают же́ртвой свои́х взаи́мных отноше́ний, нево́льно покоря́ясь како́й-то направля́ющей си́ле, неизве́стной, стоя́щей вне жи́зни, посторо́нней челове́ку. Так ду́мал Королёв, си́дя на до́сках, и мало-по-ма́лу им овладе́ло настрое́ние, как бу́дто э́та неизве́стная, таи́нственная си́ла в са́мом де́ле была́ бли́зко и смотре́ла. Ме́жду тем, восто́к станови́лся все бледне́е, вре́мя шло бы́стро. Пять корпусо́в и тру́бы на се́ром фо́не рассве́та, когда́ круго́м нѐ было ни души́, то́чно вы́мерло всё, име́ли осо́бенный вид, не тако́й, как днём; совсе́м вы́шло из па́мяти, что тут внутри́ паровы́е дви́гатели, электри́чество, телефо́ны, но ка́к-то всё ду́малось о сва́йных постро́йках, о ка́менном ве́ке, чу́вствовалось прису́тствие гру́бой, бессозна́тельной си́лы. . . .

И опя́ть послы́шалось:

— Дер . . . дер . . . дер . . . дер. . . .

Двена́дцать раз. Пото́м ти́хо, ти́хо полмину́ты и — раздаётся в друго́м конце́ двора́:

5 — Дрын . . . дрын . . . дрын. . . .

«Ужа́сно неприя́тно!» — поду́мал Королёв.

— Жак . . . жак . . . — раздало́сь в тре́тьем ме́сте отры́висто, ре́зко, то́чно с доса́дой: — жак . . . жак. . . .

И что́бы проби́ть двена́дцать часо́в, пона́добилось 10 мину́ты четы́ре. Пото́м зати́хло; и опя́ть тако́е впечатле́ние, бу́дто вы́мерло всё круго́м.

Королёв посиде́л ещё немно́го и верну́лся в дом, но ещё до́лго не ложи́лся. В сосе́дних ко́мнатах шепта́лись, слы́шалось шлёпанье ту́фель и босы́х ног.

15 «Уж не опя́ть ли с ней припа́док?» — поду́мал Королёв.

Он вы́шел, что́бы взгляну́ть на больну́ю. В ко́мнатах бы́ло уже́ совсе́м светло́ и в за́ле на стене́ и на полу́ дрожа́л сла́бый со́лнечный свет, прони́кший сюда́ сквозь 20 у́тренний тума́н. Дверь в ко́мнату Ли́зы была́ отво́рена, и сама́ она́ сиде́ла в кре́сле о́коло посте́ли, в капо́те, оку́танная в шаль, непричёсанная. Што́ры на о́кнах бы́ли опу́щены.

— Как вы себя́ чу́вствуете? — спроси́л Королёв.

25 — Благодарю́ вас.

Он потро́гал пульс, пото́м попра́вил ей во́лосы, упа́вшие на лоб.

— Вы не спи́те, — сказа́л он. — На дворе́ прекра́сная пого́да, весна́, пою́т соловьи́, а вы сиди́те в потёмках и о 30 чём-то ду́маете.

Она́ слу́шала и гляде́ла ему́ в лицо́; глаза́ у неё бы́ли

гру́стные, у́мные и бы́ло ви́дно, что она́ хо́чет что́-то сказа́ть ему́.

— Ча́сто э́то с ва́ми быва́ет? — спроси́л он.

Она́ пошевели́ла губа́ми и отве́тила:

— Ча́сто. Мне почти́ ка́ждую ночь тяжело́. 5

В э́то вре́мя на дворе́ сторожа́ на́чали бить два часа́. Послы́шалось — «дер . . . дер . . .» и она́ вздро́гнула.

— Вас беспоко́ят э́ти сту́ки? — спроси́л он.

— Не зна́ю. Меня́ тут всё беспоко́ит, — отве́тила она́ и заду́малась. — Всё беспоко́ит. В ва́шем го́лосе мне 10 слы́шится уча́стие, мне с пе́рвого взгля́да на вас почему́-то показа́лось, что с ва́ми мо́жно говори́ть обо всём.

— Говори́те, прошу́ вас.

— Я хочу́ сказа́ть вам своё мне́ние. Мне ка́жется, что у меня́ не боле́знь, а беспоко́юсь я и мне стра́шно, потому́ 15 что так до́лжно и ина́че быть не мо́жет. Да́же са́мый здоро́вый челове́к не мо́жет не беспоко́иться, е́сли у него́, наприме́р, под окно́м хо́дит разбо́йник. Меня́ ча́сто ле́чат, — продолжа́ла она́, гля́дя себе́ в коле́ни, и улыб-ну́лась застенчиво: — я, коне́чно, о́чень благода́рна и не 20 отрица́ю по́льзы лече́ния, но мне хоте́лось бы поговори́ть не с до́ктором, а с бли́зким челове́ком, с дру́гом, кото́рый бы по́нял меня́, убеди́л бы меня́, что я права́ или неправа́.

— Ра́зве у вас нет друзе́й? — спроси́л Королёв.

— Я одино́ка. У меня́ есть мать, я люблю́ её, но всё же 25 я одино́ка. Так жизнь сложи́лась. . . . Одино́кие мно́го чита́ют, но ма́ло говоря́т и ма́ло слы́шат, жизнь для них таи́нственна; они́ ми́стики и ча́сто ви́дят дья́вола там, где его́ нет. Тама́ра у Ле́рмонтова была́ одино́ка и ви́дела дья́вола. 30

— А вы мно́го чита́ете?

— Мно́го. Ведь у меня́ всё вре́мя свобо́дно, от утра́ до ве́чера. Днём чита́ю, а по ноча́м — пуста́я голова́, вме́сто мы́слей каки́е-то те́ни.

— Вы что́-нибудь ви́дите по ноча́м? — спроси́л Королёв.

— Нет, но я чу́вствую. . . .

Она́ опя́ть улыбну́лась и подняла́ глаза́ на до́ктора и смотре́ла так гру́стно, так умно́; и ему́ каза́лось, что она́ ве́рит ему́, хо́чет говори́ть с ним и́скренно и что она́ ду́мает так же, как он. Но она́ молча́ла и, быть-мо́жет, ждала́, не заговори́т ли он.

И он знал, что̀ сказа́ть ей; для него́ бы́ло я́сно, что ей ну́жно поскоре́е оста́вить пять корпусо́в, и миллио́н, е́сли он у неё есть, оста́вить э́того дья́вола, кото́рый по ноча́м смо́трит; для него́ бы́ло я́сно та́кже, что так ду́мала и она́ сама́, и то́лько ждала́, что́бы кто́-нибудь, кому́ она́ ве́рит, подтверди́л э́то.

Но он не знал, как э́то сказа́ть. Как? У приговорённых люде́й стесня́ются спра́шивать, за что̀ они́ приговорены́; так и у о́чень бога́тых люде́й нело́вко быва́ет спра́шивать, для чего́ им так мно́го де́нег, отчего́ они́ так ду́рно распоряжа́ются свои́м бога́тством, отчего́ не броса́ют его́, да́же когда́ ви́дят в нём своё несча́стье; и е́сли начина́ют разгово́р об э́том, то выхо́дит он обыкнове́нно стыдли́вый, нело́вкий, дли́нный.

Как сказа́ть? — разду́мывал Королёв. — Да и ну́жно ли говори́ть?

И он сказа́л то, что хоте́л, не пря́мо, а око́льным путём:

— Вы в положе́нии владе́лицы фа́брики и бога́той насле́дницы недово́льны, не ве́рите в своё пра́во и тепе́рь вот не спи́те, э́то, коне́чно, лу́чше, чем е́сли бы вы бы́ли дово́льны, кре́пко спа́ли и ду́мали, что всё обстои́т благополу́чно. У вас почте́нная бессо́нница; как бы ни́ было, она́ хоро́ший при́знак. В са́мом де́ле, у роди́телей на́ших был бы не мы́слим тако́й разгово́р; по ноча́м они́ не разгова́ривали, а кре́пко спа́ли, мы же, на́ше поколе́ние, ду́рно спим, томи́мся, мно́го говори́м и всё реша́ем, правы́ мы и́ли нет. А для на́ших дете́й и́ли вну́ков вопро́с э́тот, — правы́ они́ и́ли нет, — бу́дет уже́ решён. Им бу́дет видне́е, чем нам. Хоро́шая бу́дет жизнь лет че́рез пятьдеся́т, жаль то́лько, что мы не дотя́нем. Интере́сно бы́ло бы взгляну́ть.

— Что̀ же бу́дут де́лать де́ти и вну́ки? — спроси́ла Ли́за.

— Не зна́ю. . . . Должно́-быть, побро́сают всё и уйду́т.

— Куда́ уйду́т?

— Куда́? . . . Да куда́ уго́дно, — сказа́л Королёв и засмея́лся. — Ма́ло ли куда́ мо́жно уйти́ хоро́шему, у́мному челове́ку.

Он взгляну́л на часы́.

— Уже́ со́лнце взошло́, одна́ко, — сказа́л он. — Вам пора́ спать. Раздева́йтесь и спи́те себе́ во здра́вие. О́чень рад, что познако́мился с ва́ми, — продолжа́л он, пожима́я ей ру́ку. — Вы сла́вный, интере́сный челове́к. Споко́йной но́чи!

Он пошёл к себе́ и лёг спать.

На друго́й день у́тром, когда́ по́дали экипа́ж, все вы́шли на крыльцо́ проводи́ть его́. Ли́за была́ по-пра́здничному в бе́лом пла́тье, с цветко́м в волоса́х, бле́дная, то́мная; она́ смотре́ла на него́, как вчера́, гру́стно и умно́, улыба́лась, говори́ла и всё с таки́м выраже́нием, как бу́дто хоте́ла сказа́ть ему́ что́-то осо́бенное, ва́жное, — то́лько ему́ одному́. Бы́ло слы́шно, как пе́ли жа́воронки, как звони́ли в це́ркви. О́кна в фабри́чных корпуса́х ве́село сия́ли и, проезжа́я че́рез двор и пото́м по доро́ге к ста́нции, Королёв уже́ не по́мнил ни о рабо́чих, ни о сва́йных постро́йках, ни о дья́воле, а ду́мал о том вре́мени, быть-мо́жет, уже́ бли́зком, когда́ жизнь бу́дет тако́ю же све́тлою и ра́достной, как э́то ти́хое, воскре́сное у́тро; и ду́мал о том, как э́то прия́тно в тако́е у́тро, весно́й, е́хать на тро́йке, в хоро́шей коля́ске и гре́ться на со́лнышке.

11. А́ННА НА ШЕ́Е

I

По́сле венча́ния нѐ было да́же лёгкой заку́ски; молоды́е вы́пили по бока́лу, переоде́лись и пое́хали на вокза́л. Вме́сто весёлого сва́дебного ба́ла и у́жина, вме́сто му́зыки и та́нцев — пое́здка на богомо́лье за две́сти вёрст. Мно́гие одобря́ли э́то, говоря́, что Моде́ст Алексе́ич уже́ в чина́х и не мо́лод, и шу́мная сва́дьба могла́ бы, пожа́луй, показа́ться не совсе́м прили́чной; да и ску́чно слу́шать му́зыку, когда́ чино́вник 52 лет же́нится на де́вушке, кото́рой едва́ ми́нуло 18. Говори́ли та́кже, что э́ту пое́здку в монасты́рь Моде́ст Алексе́ич, как челове́к с пра́вилами, зате́ял со́бственно для того́, что́бы дать поня́ть свое́й молодо́й жене́, что и в бра́ке он отдаёт пе́рвое ме́сто рели́гии и нра́вственности.

Молоды́х провожа́ли. Толпа́ сослужи́вцев и родны́х стоя́ла с бока́лами и ждала́, когда́ пойдёт по́езд, что́бы кри́кнуть ура́, и Пётр Лео́нтьич, оте́ц, в цили́ндре, в учи́тельском фра́ке, уже́ пья́ный и уже́ о́чень бле́дный, всё тяну́лся к окну́ со свои́м бока́лом и говори́л умоля́юще:

— Аню́та! А́ня! А́ня, на одно́ сло́во!

А́ня наклоня́лась к нему́ из окна́, и он шепта́л ей что́-то, обдава́я её за́пахом ви́нного перега́ра, дул в у́хо, — ничего́ нельзя́ бы́ло поня́ть, — и крести́л ей лицо́, грудь, ру́ки; при э́том дыха́ние у него́ дрожа́ло, и на глаза́х блесте́ли слёзы. А бра́тья А́ни, Пе́тя и Андрю́ша, гимнази́сты, дёргали его́ сза́ди за фрак и шепта́ли сконфу́женно:

— Па́почка, бу́дет. . . . Па́почка, не на́до. . . .

Когда́ по́езд тро́нулся, А́ня ви́дела, как её оте́ц побежа́л немно́жко за ваго́ном, поша́тываясь и расплёскивая своё вино́, и како́е у него́ бы́ло жа́лкое, до́брое, винова́тое лицо́.

— Ура́-а-а! — крича́л он.

Молоды́е оста́лись одни́. Моде́ст Алексе́ич осмотре́лся в купэ́, разложи́л ве́щи по по́лкам и сел про́тив свое́й молодо́й жены́, улыба́ясь. Э́то был чино́вник сре́днего ро́ста, дово́льно по́лный, пу́хлый, о́чень сы́тый, с дли́нными ба́кенами и без усо́в, и его́ бри́тый, кру́глый, ре́зко очёрченный подборо́док походи́л на пя́тку. Са́мое характе́рное в его́ лице́ бы́ло отсу́тствие усо́в, э́то све́же вы́бритое го́лое ме́сто, кото́рое постепе́нно переходи́ло в жи́рные, дрожа́щие, как желе́, щёки. Держа́лся он соли́дно, движе́ния у него́ бы́ли не бы́стрые, мане́ры мя́гкие.

— Не могу́ не припо́мнить тепе́рь одного́ обстоя́тельства, — сказа́л он, улыба́ясь. — Пять лет наза́д, когда́ Косоро́тов получи́л о́рден свя́тыя А́нны второ́й сте́пени и пришёл благодари́ть, то его́ сия́тельство вы́разился так: «Зна́чит, у вас тепе́рь три А́нны: одна́ в петли́це, две на ше́е». А на́до сказа́ть, что в то вре́мя к Косоро́тову то́лько-что верну́лась его́ жена́, осо́ба сварли́вая и легкомы́сленная, кото́рую зва́ли А́нной. Наде́юсь, что когда́ я получу́ А́нну второ́й сте́пени, то его́ сия́тельство не бу́дет име́ть по́вода сказа́ть мне то же са́мое.

Он улыба́лся свои́ми ма́ленькими гла́зками. И она́ то́же улыба́лась, волну́ясь от мы́сли, что э́тот челове́к мо́жет ка́ждую мину́ту поцелова́ть её свои́ми по́лными, вла́жными губа́ми и что она́ уже́ не име́ет пра́ва отказа́ть ему́ в э́том. Мя́гкие движе́ния его́ пу́хлого те́ла пуга́ли её, ей бы́ло и стра́шно, и га́дко. Он встал, не спеша́ снял с ше́и о́рден, снял фрак и жиле́т и наде́л хала́т.

— Вот так, — сказа́л он, садя́сь ря́дом с А́ней.

Она́ вспомина́ла, как мучи́тельно бы́ло венча́ние, когда́ каза́лось ей, что и свяще́нник, и го́сти, и все в це́ркви гляде́ли на неё печа́льно: заче́м, заче́м она́, така́я ми́лая, хоро́шая, выхо́дит за э́того пожило́го, неинтере́сного господи́на? Ещё у́тром сего́дня она́ была́ в восто́рге, что всё так хорошо́ устро́илось, во вре́мя же венча́ния и тепе́рь в ваго́не чу́вствовала себя́ винова́той, обма́нутой и смешно́й. Вот она́ вы́шла за бога́того, а де́нег у неё всётаки нѐ было, венча́льное пла́тье ши́ли в долг и, когда́ сего́дня её провожа́ли оте́ц и бра́тья, она́ по их ли́цам ви́дела, что у них нѐ было ни копе́йки. Бу́дут ли они́ сего́дня у́жинать? А за́втра? И ей почему́-то каза́лось, что оте́ц и ма́льчики сидя́т тепе́рь без неё голо́дные и испы́тывают то́чно та́кую же тоску́, кака́я была́ в пе́рвый ве́чер по́сле похоро́н ма́тери.

«О, как я несча́стна! — ду́мала она́. — Заче́м я так несча́стна?»

С нело́вкостью челове́ка соли́дного, непривы́кшего обраща́ться с же́нщинами, Моде́ст Алексе́ич тро́гал её за та́лию и похло́пывал по плечу́, и она́ ду́мала о деньга́х, о ма́тери, об её сме́рти. Когда́ умерла́ мать, оте́ц, Пётр Лео́нтьич, учи́тель чистописа́ния и рисова́ния в гимна́зии, за́пил, наступи́ла нужда́; у ма́льчиков нѐ было сапо́г и кало́ш, отца́ таска́ли к мирово́му, приходи́л суде́бный при́став и опи́сывал ме́бель. . . . Како́й стыд! А́ня должна́ была́ уха́живать за пья́ным отцо́м, што́пать бра́тьям чулки́, ходи́ть на ры́нок и, когда́ хвали́ли её красоту́, мо́лодость и изя́щные мане́ры, ей каза́лось, что весь свет ви́дит её дешёвую шля́пку и ды́рочки на боти́нках, зама́занные черни́лами. А по ноча́м слёзы и неотвя́зчивая, беспоко́йная мысль, что ско́ро-ско́ро отца́ уво́лят из гимна́зии за сла́бость и что он не перенесёт э́того и то́же умрёт, как мать. Но вот знако́мые да́мы засуети́лись и ста́ли иска́ть для А́ни хоро́шего челове́ка. Ско́ро нашёлся вот э́тот са́мый Моде́ст Алексе́ич, не молодо́й и не краси́вый, но с деньга́ми. У него́ в ба́нке ты́сяч сто, и есть родово́е име́ние, кото́рое он отдаёт в аре́нду. Э́то челове́к с пра́вилами и на хоро́шем счету́ у его́ сия́тельства; ему́ ничего́ не сто́ит, как говори́ли А́не, взять у его́ сия́тельства запи́сочку к дире́ктору гимна́зии и да́же к попечи́телю, что́бы Петра́ Лео́нтьича не увольня́ли. . . .

Пока́ она́ вспомина́ла э́ти подро́бности, послы́шалась вдруг му́зыка, ворва́вшаяся в окно́ вме́сте с шу́мом голосо́в. Э́то по́езд останови́лся на полуста́нке. За платфо́рмой в толпе́ бо́йко игра́ли на гармо́нике и на дешёвой визгли́вой скри́пке, а и́з-за высо́ких берёз и тополе́й, и́з-за дач, залиты́х лу́нным све́том, доноси́лись зву́ки вое́нного орке́стра: должно́-быть, на да́чах был танцова́льный ве́чер. На платфо́рме гуля́ли да́чники и горожа́не, приезжа́вшие сюда́ в хоро́шую пого́ду подыша́ть чи́стым во́здухом. Был тут и Арты́нов, владе́лец всего́ э́того да́чного ме́ста, бога́ч, высо́кий, по́лный брюне́т, похо́жий лицо́м на армяни́на, с глаза́ми на вы́кате и в стра́нном костю́ме. На нём была́ руба́ха, расстёгнутая на груди́, и высо́кие сапо́ги со шпо́рами, и с плеч спуска́лся чёрный плащ, тащи́вшийся по земле́, как шлейф. За ним, опусти́в свои́ о́стрые мо́рды, ходи́ли две борзы́е.

У А́ни ещё блесте́ли на глаза́х слёзы, но она́ уже́ не по́мнила ни о ма́тери, ни о деньга́х, ни о свое́й сва́дьбе, а пожима́ла ру́ки знако́мым гимнази́стам и офице́рам, ве́село смея́лась и говори́ла бы́стро:

— Здра́вствуйте! Как пожива́ете?

Она́ вы́шла на площа́дку, под лу́нный свет, и ста́ла так, что́бы ви́дели её всю в но́вом великоле́пном пла́тье и в шля́пке.

— Заче́м мы здесь стои́м? — спроси́ла она́.

— Здесь разъе́зд, — отве́тили ей: — ожида́ют почто́вого по́езда.

Заме́тив, что на неё смо́трит Арты́нов, она́ коке́тливо прищу́рила глаза́ и заговори́ла гро́мко по-францу́зски, и оттого́, что её со́бственный го́лос звуча́л так прекра́сно, и что слы́шалась му́зыка, и луна́ отража́лась в пруде́, и оттого́, что на неё жа́дно и с любопы́тством смотре́л Арты́нов, э́тот изве́стный дон-жуа́н и баловни́к, и оттого́, что всем бы́ло ве́село, она́ вдруг почу́вствовала ра́дость и, когда́ по́езд тро́нулся и знако́мые офице́ры на проща́нье сде́лали ей под козырёк, она́ уже́ напева́ла по́льку, зву́ки кото́рой посыла́л ей вдого́нку вое́нный орке́стр, греме́вший где́-то там за дере́вьями; и верну́лась она́ в своё купэ́ с таки́м чу́вством, как бу́дто на полуста́нке её убеди́ли, что она́ бу́дет сча́стлива непреме́нно, несмотря́ ни на что̀.

Молоды́е про́были в монастыре́ два дня, пото́м верну́лись в го́род. Жи́ли они́ на казённой кварти́ре. Когда́ Моде́ст Алексе́ич уходи́л на слу́жбу, А́ня игра́ла на роя́ле, и́ли пла́кала от ску́ки, и́ли ложи́лась на куше́тку и чита́ла рома́ны, и рассма́тривала мо́дный журна́л. За обе́дом Моде́ст Алексе́ич ел о́чень мно́го и говори́л о поли́тике, о назначе́ниях, перево́дах и награ́дах, о том, что на́до труди́ться, что семе́йная жизнь есть не удово́льствие, а долг, что копе́йка рубль бережёт и что вы́ше всего́ на све́те он ста́вит рели́гию и нра́вственность. И, держа́ нож в кулаке́, как меч, он говори́л:

— Ка́ждый челове́к до́лжен име́ть свои́ обя́занности!

А А́ня слу́шала его́, боя́лась и не могла́ есть, и обыкнове́нно встава́ла и́з-за стола́ голо́дной. По́сле обе́да муж отдыха́л и гро́мко храпе́л, а она́ уходи́ла к свои́м. Оте́ц и ма́льчики посма́тривали на неё ка́к-то осо́бенно, как бу́дто то́лько-что до её прихо́да осужда́ли её за то, что она́ вы́шла и́з-за де́нег, за нелюби́мого, ну́дного, ску́чного челове́ка; её шурша́щее пла́тье, брасле́тки и вообще́ да́мский вид стесня́ли, оскорбля́ли их; в её прису́тствии они́ немно́жко конфу́зились и не зна́ли, о чём говори́ть с ней; но всё же люби́ли они́ её попре́жнему и ещё не привы́кли обе́дать без неё. Она́ сади́лась и ку́шала с ни́ми щи, ка́шу и карто́шку, жа́реную на бара́ньем са́ле, от кото́рого па́хло све́чкой. Пётр Лео́нтьич дрожа́щей руко́й налива́л из графи́нчика и выпива́л бы́стро, с жа́дностью, с отвраще́нием, пото́м выпива́л другу́ю рю́мку, пото́м тре́тью. . . . Пе́тя и Андрю́ша, ху́денькие, бле́дные ма́льчики с больши́ми глаза́ми, бра́ли графи́нчик и говори́ли растеря́нно:

— Не на́до, па́почка. . . . Дово́льно, па́почка. . . .

И А́ня то́же трево́жилась и умоля́ла его бо́льше не пить, а он вдруг вспы́хивал и стуча́л кулако́м по столу́.

— Я никому́ не позво́лю надзира́ть за мной! — крича́л он. — Мальчи́шки! Девчо́нка! Я вас всех вы́гоню вон!

Но в го́лосе его́ слы́шались сла́бость, доброта́, и никто́ его́ не боя́лся. По́сле обе́да обыкнове́нно он наряжа́лся: бле́дный, с поре́занным от бритья́ подборо́дком, вытя́гивая то́щую ше́ю, он це́лых полчаса́ стоя́л пе́ред зе́ркалом и прихора́шивался, то причёсываясь, то закру́чивая свои́ чёрные усы́, пры́скался духа́ми, завя́зывал ба́нтом га́лстук, пото́м надева́л перча́тки, цили́ндр и уходи́л на ча́стные уро́ки. А е́сли был пра́здник, то он остава́лся до́ма и писа́л кра́сками, и́ли игра́л на фисгармо́нии, кото́рая шипе́ла и рыча́ла; он стара́лся вы́давить из неё стро́йные, гармони́чные зву́ки и подпева́л, и́ли же серди́лся на ма́льчиков:

— Мерза́вцы! Негодя́и! Испо́ртили инструме́нт!

По вечера́м муж А́ни игра́л в ка́рты со свои́ми сослужи́вцами, жи́вшими с ним под одно́й кры́шей в казённом до́ме. Сходи́лись во вре́мя карт жёны чино́вников, некраси́вые, безвку́сно наря́женные, гру́бые, как куха́рки, и в кварти́ре начина́лись сплётни, таки́е же некраси́вые и безвку́сные, как са́ми чино́вницы. Случа́лось, что Моде́ст Алексе́ич ходи́л с А́ней в теа́тр. В антра́ктах он не отпуска́л её от себя́ ни на шаг, а ходи́л с ней по̀д руку по коридо́рам и по фойэ́. Раскла́нявшись с ке́м-нибудь, он то́тчас уже́ шепта́л А́не: — «Ста́тский сове́тник . . . при́нят у его́ сия́тельства . . .» и́ли «Со сре́дствами . . . име́ет свой дом. . . .» Когда́ проходи́ли ми́мо буфе́та, А́не о́чень хоте́лось чего́-нибудь сла́дкого; она́ люби́ла шокола́д и я́блочное пиро́жное, но де́нег у неё нѐ было, а спроси́ть у му́жа она́ стесня́лась. Он брал гру́шу, мял её па́льцами и спра́шивал нереши́тельно:

— Ско́лько сто́ит?

— Два́дцать пять копе́ек.

— Одна́ко! — говори́л он и клал гру́шу на ме́сто; но так как бы́ло нело́вко отойти́ от буфе́та, ничего́ не купи́вши, то он тре́бовал се́льтерской воды́ и выпива́л оди́н всю буты́лку, и слёзы выступа́ли у него́ на глаза́х, и А́ня ненави́дела его́ в э́то вре́мя.

И́ли он, вдруг весь покрасне́в, говори́л ей бы́стро:

— Поклони́сь э́той ста́рой да́ме!

— Но я с ней незнако́ма.

— Всё равно́. Э́то супру́га управля́ющего казённой пала́той! Поклони́сь же, тебе́ говорю́! — ворча́л он насто́йчиво. — Голова́ у тебя́ не отва́лится.

А́ня кла́нялась, и голова́ у неё в са́мом де́ле не отва́ливалась, но бы́ло мучи́тельно. Она́ де́лала всё, что хоте́л муж, и зли́лась на себя́ за то, что он обману́л её, как после́днюю ду́рочку. Выходи́ла она́ за него́ то́лько и́з-за де́нег, а ме́жду тем де́нег у неё тепе́рь бы́ло ме́ньше, чем до заму́жества. Пре́жде хоть оте́ц дава́л двугри́венные, а тепе́рь — ни гроша́. Брать та́йно и́ли проси́ть она́ не могла́, она́ боя́лась му́жа, трепета́ла его́. Ей каза́лось, что страх к э́тому челове́ку она́ но́сит в свое́й душе́ уже́ давно́. Когда́-то в де́тстве са́мой внуши́тельной и стра́шной си́лой, надвига́ющейся как ту́ча и́ли локомоти́в, гото́вый задави́ть, ей всегда́ представля́лся дире́ктор гимна́зии, друго́й тако́ю же си́лой, о кото́рой в семье́ всегда́ говори́ли и кото́рую почему́-то боя́лись, был его́ сия́тельство; и был ещё деся́ток сил поме́льче, и ме́жду ни́ми учителя́ гимна́зии с бри́тыми уса́ми, стро́гие, неумоли́мые и, тепе́рь вот, наконе́ц, Моде́ст Алексе́ич, челове́к с пра́вилами, кото́рый да́же лицо́м походи́л на дире́ктора. И в воображе́нии А́ни все э́ти си́лы слива́лись в одно́ и в ви́де одного́ стра́шного грома́дного бе́лого медве́дя надвига́лись на сла́бых и винова́тых, таки́х, как её оте́ц, и она́ боя́лась сказа́ть что́-нибудь про́тив и натя́нуто улыба́лась и выража́ла притво́рное удово́льствие, когда́ её гру́бо ласка́ли и оскверня́ли объя́тиями, наводи́вшими на неё у́жас.

То́лько оди́н раз Пётр Лео́нтьич осме́лился попроси́ть у него́ пятьдеся́т рубле́й взаймы́, что́бы заплати́ть како́й-то о́чень неприя́тный долг, но како́е э́то бы́ло страда́ние!

— Хорошо́, я вам дам, — сказа́л Моде́ст Алексе́ич, поду́мав: — но предупрежда́ю, что бо́льше уже́ не бу́ду помога́ть вам, пока́ вы не бро́сите пить. Для челове́ка, состоя́щего на госуда́рственной слу́жбе, посты́дна така́я сла́бость. Не могу́ не напо́мнить вам общеизве́стного фа́кта, что мно́гих спосо́бных люде́й погуби́ла э́та страсть, ме́жду тем как при воздержа́нии они́, быть-мо́жет, могли́ бы со вре́менем сде́латься высокопоста́вленными людьми́.

И потяну́лись дли́нные пери́оды: «по ме́ре того́» . . . «исходя́ из того́ положе́ния» . . . «в виду́ то́лько-что ска́занного», а бе́дный Пётр Лео́нтьич страда́л от униже́ния и испы́тывал си́льное жела́ние вы́пить.

И ма́льчики, приходи́вшие к А́не в го́сти, обыкнове́нно в рва́ных сапога́х и в поно́шенных брю́ках, то́же должны́ бы́ли выслу́шивать наставле́ния.

— Ка́ждый челове́к до́лжен име́ть свои́ обя́занности! — говори́л им Моде́ст Алексе́ич.

А де́нег не дава́л. Но зато́ он дари́л А́не ко́льца, брасле́ты и бро́ши, говоря́, что э́ти ве́щи хорошо́ име́ть про чёрный день. И ча́сто он отпира́л её комо́д и де́лал реви́зию: все ли ве́щи це́лы.

II

Наступи́ла ме́жду тем зима́. Ещё задо́лго до Рождества́ в ме́стной газе́те бы́ло объя́влено, что 29-го декабря́ в дворя́нском собра́нии «име́ет быть» обы́чный зи́мний бал. Ка́ждый ве́чер по́сле карт, Моде́ст Алексе́ич, взволно́ванный, шепта́лся с чино́вницами, озабо́ченно погля́дывая на А́ню, и пото́м до́лго ходи́л из угла́ в у́гол, о чём-то ду́мая. Наконе́ц, ка́к-то по́здно ве́чером он останови́лся пе́ред А́ней и сказа́л:

— Ты должна́ сшить себе́ ба́льное пла́тье. Понима́ешь? То́лько, пожа́луйста, посове́туйся с Ма́рьей Григо́рьевной и с Ната́льей Кузьми́нишной.

И дал ей сто рубле́й. Она́ взяла́; но зака́зывая ба́льное пла́тье, ни с кем не сове́товалась, а поговори́ла то́лько с отцо́м и постара́лась вообрази́ть себе́, как бы оде́лась на бал её мать. Её поко́йная мать сама́ одева́лась всегда́ по после́дней мо́де и всегда́ вози́лась с А́ней и одева́ла её изя́щно, как ку́клу, и научи́ла её говори́ть по-францу́зски и превосхо́дно танцова́ть мазу́рку (до заму́жества она́ пять лет прослужи́ла в гуверна́нтках). А́ня так же, как мать, могла́ из ста́рого пла́тья сде́лать но́вое, мыть в бензи́не перча́тки, брать на прока́т bijoux и так же, как мать, уме́ла щу́рить глаза́, карта́вить, принима́ть краси́вые по́зы, приходи́ть, когда́ ну́жно, в восто́рг, гляде́ть печа́льно и зага́дочно. А от отца́ она́ унасле́довала тёмный цвет воло́с и глаз, не́рвность и э́ту мане́ру всегда́ прихора́шиваться.

Когда́ за полчаса́ до отъе́зда на бал Моде́ст Алексе́ич вошёл к ней без сюртука́, что́бы пе́ред её трюмо́ наде́ть себе́ на ше́ю о́рден, то, очаро́ванный её красото́й и бле́ском её све́жего, возду́шного наря́да, самодово́льно расчеса́л себе́ ба́кены и сказа́л:

— Вот ты у меня́ кака́я . . . вот ты кака́я! Аню́та! — продолжа́л он, вдруг впада́я в торже́ственный тон. — Я тебя́ осчастли́вил, а сего́дня ты мо́жешь осчастли́вить меня́. Прошу́ тебя́, предста́вься супру́ге его́ сия́тельства! Ра́ди Бо́га! Че́рез неё я могу́ получи́ть ста́ршего докла́дчика!

Пое́хали на бал. Вот и дворя́нское собра́ние, и подъе́зд со швейца́ром. Пере́дняя с ве́шалками, шу́бы, сную́щие лаке́и и декольти́рованные да́мы, закрыва́ющиеся веера́ми от сквозно́го ве́тра; па́хнет свети́льным га́зом и солда́тами. Когда́ А́ня, и́дя вверх по ле́стнице по́д-руку с му́жем, услы́шала му́зыку и увида́ла в грома́дном зе́ркале всю себя́, освещённую мно́жеством огне́й, то в душе́ её просну́лась ра́дость и то са́мое предчу́вствие сча́стья, како́е испыта́ла она́ в лу́нный ве́чер на полуста́нке. Она́ шла го́рдая, самоуве́ренная, в пе́рвый раз чу́вствуя себя́ не де́вочкой, а да́мой, и нево́льно похо́дкою и мане́рами подража́я свое́й поко́йной ма́тери. И в пе́рвый раз в жи́зни она́ чу́вствовала себя́ бога́той и свобо́дной. Да́же прису́тствие му́жа не стесня́ло её, так как, перейдя́ поро́г собра́ния, она́ уже́ угада́ла инсти́нктом, что бли́зость ста́рого му́жа нисько́лько не унижа́ет её, а наоборо́т, кладёт на неё печа́ть пика́нтной таи́нственности, кото́рая так нра́вится мужчи́нам. В большо́й за́ле уже́ греме́л орке́стр и начали́сь та́нцы. По́сле казённой кварти́ры, охва́ченная впечатле́ниями све́та, пестроты́, му́зыки, шу́ма, А́ня оки́нула взгля́дом за́лу и поду́мала: — «ах, как хорошо́!» и сра́зу отличи́ла в толпе́ всех свои́х знако́мых, всех, кого́ она́ ра́ньше встреча́ла на вечера́х и́ли на гуля́ньях, всех э́тих офице́ров, учителе́й, адвока́тов, чино́вников, поме́щиков, его́ сия́тельство, Арты́нова и дам вы́сшего о́бщества, разоде́тых, си́льно декольти́рованных, краси́вых и безобра́зных, кото́рые уже́ занима́ли свои́ пози́ции в избу́шках и павильо́нах благотвори́тельного база́ра, что́бы нача́ть торго́влю в по́льзу бе́дных. Грома́дный офице́р в эполе́тах — она́ познако́милась с ним на Ста́ро-Ки́евской у́лице, когда́ была́ гимнази́сткой, а тепе́рь не по́мнила его́ фами́лии — то́чно и́з-под земли́ вы́рос и пригласи́л на вальс, и она́ отлете́ла от му́жа, и ей уж каза́лось, бу́дто она́ плыла́ на па́русной ло́дке, в си́льную бу́рю, а муж оста́лся далёко на берегу́. . . . Она́ танцова́ла стра́стно, с увлече́нием и вальс, и по́льку, и кадри́ль, переходя́ с рук на̀ руки, угора́я от му́зыки и шу́ма, меша́я ру́сский язы́к с францу́зским, карта́вя, смея́сь и не ду́мая ни о му́же, ни о ком и ни о чём. Она́ име́ла успе́х у мужчи́н, э́то бы́ло я́сно, да ина́че и быть не могло́, она́ задыха́лась от волне́ния, су́дорожно ти́скала в рука́х ве́ер и хоте́ла пить. Оте́ц, Пётр Лео́нтьич, в помя́том фра́ке, от кото́рого па́хло бензи́ном, подошёл к ней, протя́гивая блю́дечко с кра́сным моро́женым.

— Ты очарова́тельна сего́дня, — говори́л он, гля́дя на неё с восто́ргом: — и никогда́ ещё я так не жале́л, что ты поспеши́ла за́муж. . . . Заче́м? Я зна́ю, ты сде́лала э́то ра́ди нас, но . . . — он дрожа́щими рука́ми вы́тащил па́чечку де́нег и сказа́л: — Я сего́дня получи́л с уро́ка и могу́ отда́ть долг твоему́ му́жу.

Она́ су́нула ему́ в ру́ки блю́дечко и, подхва́ченная ке́м-то, унесла́сь далёко и ме́льком, че́рез плечо́ своего́ кавале́ра, ви́дела, как оте́ц, скользя́ по парке́ту, о́бнял да́му и понёсся с ней по за́ле.

— Как он мил, когда́ трезв! — ду́мала она́.

Мазу́рку она́ танцова́ла с тем же грома́дным офице́ром; он ва́жно и тяжело́, сло́вно ту́ша в мунди́ре, ходи́л, поводи́л плеча́ми и гру́дью, прито́птывал нога́ми е́ле-е́ле — ему́ стра́шно не хоте́лось танцова́ть, а она́ порха́ла о́коло, дразня́ его́ свое́й красото́й, свое́й откры́той ше́ей; глаза́ её горе́ли задо́ром, движе́ния бы́ли стра́стные, а он станови́лся всё равноду́шнее и протя́гивал к ней ру́ки ми́лостиво, как коро́ль.

— Бра́во, бра́во! — говори́ли в пу́блике.

Но мало-по-ма́лу и грома́дного офице́ра прорва́ло; он оживи́лся, заволнова́лся и, уже́ подда́вшись очарова́нию, вошёл в аза́рт и дви́гался легко́, мо́лодо, а она́ то́лько поводи́ла плеча́ми и гляде́ла лука́во, то́чно она́ уже́ была́ короле́ва, а он раб, и в э́то вре́мя ей каза́лось, что на них смо́трит вся за́ла, что все э́ти лю́ди мле́ют и зави́дуют им. Едва́ грома́дный офице́р успе́л поблагодари́ть её, как пу́блика вдруг расступи́лась и мужчи́ны вы́тянулись ка́к-то стра́нно, опусти́в ру́ки. . . . Э́то шёл к ней его́ сия́тельство, во фра́ке с двумя́ звёздами. Да, его́ сия́тельство шёл и́менно к ней, потому́ что гляде́л пря́мо на неё в упо́р и слаща́во улыба́лся, и при э́том жева́л губа́ми, что де́лал он всегда́, когда́ ви́дел хоро́шеньких же́нщин.

— О́чень рад, о́чень рад . . . — на́чал он. — А я прикажу́ посади́ть ва́шего му́жа на гауптва́хту за то, что он до сих пор скрыва́л от нас тако́е сокро́вище. Я к вам с поруче́нием от жены́, — продолжа́л он, подава́я ей ру́ку. — Вы должны́ помо́чь нам. . . . М-да. . . . Ну́жно назна́чить вам пре́мию за красоту́ . . . как в Аме́рике. . . . М-да. . . . Америка́нцы. . . . Моя́ жена́ ждёт вас с нетерпе́нием.

Он привёл её в избу́шку, к пожило́й да́ме, у кото́рой ни́жняя часть лица́ была́ несоразме́рно велика́, так что каза́лось, бу́дто она́ во рту держа́ла большо́й ка́мень.

— Помоги́те нам, — сказа́ла она в нос, нараспе́в. — Все хоро́шенькие же́нщины рабо́тают на благотвори́тельном база́ре, и то́лько одна́ вы почему́-то гуля́ете. Отчего́ вы не хоти́те нам помо́чь?

Она́ ушла́, и А́ня заняла́ её ме́сто о́коло серебряного

самова́ра с ча́шками. То́тчас же начала́сь бо́йкая торго́вля. За ча́шку ча́ю А́ня брала́ не ме́ньше рубля́, а грома́дного офице́ра заста́вила вы́пить три ча́шки. Подошёл Арты́нов, бога́ч, с вы́пуклыми глаза́ми, страда́ющий оды́шкой, но уже́ не в том стра́нном костю́ме, в како́м ви́дела его́ А́ня ле́том, а во фра́ке, как все. Не отрыва́я глаз с А́ни, он вы́пил бока́л шампа́нского и заплати́л сто рубле́й, пото́м вы́пил ча́ю и дал ещё сто — и всё э́то мо́лча, страда́я а́стмой. . . . А́ня зазыва́ла покупа́телей и брала́ с них де́ньги, уже́ глубоко́ убеждённая, что её улы́бки и взгля́ды не доставля́ют э́тим лю́дям ничего́, кро́ме большо́го удово́льствия. Она́ уже́ поняла́, что она́ со́здана исключи́тельно для э́той шу́мной, блестя́щей, смею́щейся жи́зни с му́зыкой, та́нцами, покло́нниками, и давни́шний страх её пе́ред си́лой, кото́рая надвига́ется и грози́т задави́ть, каза́лся ей смешны́м; никого́ она́ уже́ не боя́лась, и то́лько жале́ла, что нет ма́тери, кото́рая пора́довалась бы тепе́рь вме́сте с ней её успе́хам.

Пётр Лео́нтьич, уже́ бле́дный, но ещё кре́пко держа́сь на нога́х, подошёл к избу́шке и попроси́л рю́мку коньяку́. А́ня покрасне́ла, ожида́я, что он ска́жет что́-нибудь не подоба́ющее (ей уже́ бы́ло сты́дно, что у неё тако́й бе́дный, тако́й обыкнове́нный оте́ц), но он вы́пил, вы́бросил из свое́й па́чечки де́сять рубле́й и ва́жно отошёл, не сказа́в ни сло́ва. Немно́го погодя́, она́ ви́дела, как он шёл в па́ре в grand rond и в э́тот раз он уже́ поша́тывался и что́-то выкри́кивал, к вели́кому конфу́зу свое́й да́мы, и А́ня вспо́мнила, как го́да три наза́д на балу́ он так же вот поша́тывался и выкри́кивал — и ко́нчилось тем, что околото́чный увёз его́ домо́й спать, а на друго́й день дире́ктор грози́л уво́лить со слу́жбы. Как некста́ти бы́ло э́то воспомина́ние!

Когда́ в избу́шках поту́хли самова́ры и утомлённые благотвори́тельницы сда́ли вы́ручку пожило́й да́ме с ка́мнем во рту, Арты́нов повёл А́ню по́д-руку в за́лу, где был серviро́ван у́жин для всех уча́ствовавших в благотвори́тельном база́ре. У́жинало челове́к два́дцать, не бо́льше, но бы́ло о́чень шу́мно. Его́ сия́тельство провозгласи́л тост: «В э́той роско́шной столо́вой бу́дет уме́стно вы́пить за процвета́ние дешёвых столо́вых, служи́вших предме́том сего́дняшнего база́ра». Брига́дный генера́л предложи́л вы́пить «за си́лу, пе́ред кото́рой пассу́ет да́же артилле́рия», и все потяну́лись чо́каться с да́мами. Бы́ло о́чень, о́чень ве́село!

Когда́ А́ню провожа́ли домо́й, то уже́ света́ло, и куха́рки шли на ры́нок. Ра́достная, пья́ная, по́лная но́вых впечатле́ний, заму́ченная, она́ разде́лась, повали́лась в посте́ль и то́тчас же усну́ла.

Во второ́м часу́ дня её разбуди́ла го́рничная и доложи́ла, что прие́хал господи́н Арты́нов с визи́том. Она́ бы́стро оде́лась и пошла́ в гости́ную. Вско́ре по́сле Арты́нова приезжа́л его́ сия́тельство благодари́ть за уча́стие в благотвори́тельном база́ре. Он, гля́дя на неё слаща́во и жуя́, поцелова́л ей ру́чку и попроси́л позволе́ния быва́ть ещё и уе́хал, а она́ стоя́ла среди́ гости́ной, изумлённая, очаро́ванная, не ве́ря, что переме́на в её жи́зни, удиви́тельная переме́на, произошла́ так ско́ро; и в э́то са́мое вре́мя вошёл её муж, Моде́ст Алексе́ич. . . . И пе́ред ней та́кже стоя́л он тепе́рь с тем же заи́скивающим, сла́дким, холо́пски-почти́тельным выраже́нием, како́е она́ привы́кла ви́деть у него́ в прису́тствии си́льных и зна́тных; и с восто́ргом, с негодова́нием, с презре́нием, уже́ уве́ренная, что ей за э́то ничего́ не бу́дет, она́ сказа́ла, отчётливо выгова́ривая ка́ждое сло́во:

— Поди́те прочь, болва́н!

По́сле э́того у А́ни не́ было уже́ ни одного́ свобо́дного дня, так как она́ принима́ла уча́стие то в пикнике́, то в прогу́лке, то в спекта́кле. Возвраща́лась она́ домо́й ка́ждый день под у́тро и ложи́лась в гости́ной на полу́, и пото́м расска́зывала всем тро́гательно, как она́ спит под цвета́ми. Де́нег ну́жно бы́ло о́чень мно́го, но она́ уже́ не боя́лась Моде́ста Алексе́ича и тра́тила его́ де́ньги, как свои́; и она́ не проси́ла, не тре́бовала, а то́лько посыла́ла ему́ счета́, и́ли запи́ски: «вы́дать пода́телю сего́ 200 р.», и́ли: «неме́дленно уплати́ть 100 р.»

На Па́схе Моде́ст Алексе́ич получи́л А́нну второ́й сте́пени. Когда́ он пришёл благодари́ть, его́ сия́тельство отложи́л в сто́рону газе́ту и сел поглу́бже в кре́сло.

— Зна́чит, у вас тепе́рь три А́нны, — сказа́л он, осма́тривая свои́ бе́лые ру́ки с ро́зовыми ногтя́ми: — одна́ в петли́це, две на ше́е.

Моде́ст Алексе́ич приложи́л два па́льца к губа́м из осторо́жности, что́бы не рассмея́ться гро́мко, и сказа́л:

— Тепе́рь остаётся ожида́ть появле́ния на свет ма́ленького Влади́мира. Осме́люсь проси́ть ва́ше сия́тельство в восприе́мники.

Он намека́л на Влади́мира IV сте́пени и уже́ вообража́л, как он бу́дет всю́ду расска́зывать об э́том своём каламбу́ре, уда́чном по нахо́дчивости и сме́лости, и хоте́л сказа́ть ещё что́-нибудь тако́е же уда́чное, но его́ сия́тельство вновь углуби́лся в газе́ту и кивну́л голово́й. . . .

А А́ня всё ката́лась на тро́йках, е́здила с Арты́новым

на охо́ту, игра́ла в одноа́ктных пье́сах, у́жинала, и всё ре́же и ре́же быва́ла у свои́х. Они́ обе́дали уже́ одни́. Пётр Лео́нтьич запива́л сильне́е пре́жнего, де́нег нѐ было и фисгармо́нию давно́ уже́ про́дали за долг. Ма́льчики тепе́рь не отпуска́ли его́ одного́ на у́лицу и всё следи́ли за ним, что́бы он не упа́л; и когда́ во вре́мя ката́нья на Ста́ро-Ки́евской им встреча́лась А́ня на па́ре с пристяжно́й на отлёте и с Арты́новым на ко́злах вме́сто ку́чера, Пётр Лео́нтьич снима́л цили́ндр и собира́лся что́-то кри́кнуть, а Пе́тя и Андрю́ша бра́ли его́ по́д-руки и говори́ли умоля́юще:

— Не на́до, па́почка. . . . Бу́дет, па́почка. . . .

12. ДОМ С МЕЗОНИ́НОМ

(РАССКА́З ХУДО́ЖНИКА)

I

Э́то бы́ло шесть–семь лет тому́ наза́д, когда́ я жил в одно́м из уе́здов Т-ой губе́рнии, в име́нии поме́щика Белоку́рова, молодо́го челове́ка, кото́рый встава́л о́чень ра́но, ходи́л в поддёвке, по вечера́м пил пи́во и всё жа́ловался мне, что он нигде́ и ни в ком не встреча́ет сочу́вствия. Он жил в саду́ во фли́геле, а я в ста́ром ба́рском до́ме, в грома́дной за́ле с коло́ннами, где нѐ было никако́й ме́бели, кро́ме широ́кого дива́на, на кото́ром я спал, да ещё стола́, на кото́ром я раскла́дывал пасья́нс. Тут всегда́, да́же в ти́хую пого́ду, что́-то гуде́ло в ста́рых амо́совских печа́х, а во вре́мя грозы́ весь дом дрожа́л и, каза́лось, тре́скался на ча́сти, и бы́ло немно́жко стра́шно, осо́бенно но́чью, когда́ все де́сять больши́х о́кон вдруг освеща́лись мо́лнией.

Обречённый судьбо́й на постоя́нную пра́здность, я не де́лал реши́тельно ничего́. По це́лым часа́м я смотре́л в свои́ о́кна на не́бо, на птиц, на алле́и, чита́л всё, что̀ привози́ли мне с по́чты, спал. Иногда́ я уходи́л ѝз дому и до по́зднего ве́чера броди́л где́-нибудь.

Одна́жды, возвраща́ясь домо́й, я неча́янно забрёл в каку́ю-то незнако́мую уса́дьбу. Со́лнце уже́ пря́талось, и на цвету́щей ржи растяну́лись вече́рние те́ни. Два ряда́ ста́рых, те́сно поса́женных, о́чень высо́ких е́лей стоя́ли, как две сплошны́е стены́, образу́я мра́чную, краси́вую алле́ю. Я легко́ переле́з че́рез и́згородь и пошёл по э́той алле́е, скользя́ по ело́вым и́глам, кото́рые тут на вершо́к покрыва́ли зе́млю. Бы́ло ти́хо, темно́, и то́лько высоко́ на верши́нах кое-где́ дрожа́л я́ркий золото́й свет и перелива́л ра́дугой в сетя́х паука́. Си́льно, до духоты́ па́хло хво́ем. Пото́м я поверну́л на дли́нную ли́повую алле́ю. И тут то́же запусте́ние и ста́рость; прошлого́дняя листва́ печа́льно шелесте́ла под нога́ми и в су́мерках ме́жду дере́вьями пря́тались те́ни. Напра́во, в ста́ром фрукто́вом саду́, не́хотя, сла́бым го́лосом пе́ла и́волга, должно́-быть то́же стару́шка. Но вот и ли́пы ко́нчились; я прошёл ми́мо бе́лого до́ма с терра́сой и с мезони́ном, и пе́редо мно́ю неожи́данно разверну́лся вид на ба́рский двор и на широ́кий пруд с купа́льней, с толпо́й зелёных ив, с дере́вней на том берегу́, с высо́кой, у́зкой колоко́льней, на кото́рой горе́л крест, отража́я в себе заходи́вшее со́лнце. На миг на меня́ пове́яло очарова́нием чего́-то родно́го, о́чень знако́мого, бу́дто я уже́ ви́дел э́ту са́мую панора́му когда́-то в де́тстве.

А у бе́лых ка́менных воро́т, кото́рые вели́ со двора́ в по́ле, у стари́нных кре́пких воро́т со льва́ми, стоя́ли две де́вушки. Одна́ из них, поста́рше, то́нкая, бле́дная, о́чень краси́вая, с це́лой копно́й кашта́новых воло́с на голове́, с ма́леньким упря́мым ртом, име́ла стро́гое выраже́ние и на меня́ едва́ обрати́ла внима́ние; друга́я же, совсе́м ещё моло́денькая — ей бы́ло семна́дцать–восемна́дцать лет, не бо́льше — то́же то́нкая и бле́дная, с больши́м ртом и с больши́ми глаза́ми, с удивле́нием посмотре́ла на меня́, когда́ я проходи́л ми́мо, сказа́ла что́-то по-англи́йски и сконфу́зилась, и мне показа́лось, что и э́ти два ми́лых лица́ мне давно́ уже́ знако́мы. И я верну́лся домо́й с таки́м чу́вством, как бу́дто ви́дел хоро́ший сон.

Вско́ре по́сле э́того, ка́к-то в по́лдень, когда́ я и Белоку́ров гуля́ли о́коло до́ма, неожи́данно, шурша́ по траве́, въе́хала во двор рессо́рная коля́ска, в кото́рой сиде́ла одна́ из тех де́вушек. Э́то была́ ста́ршая. Она́ прие́хала с подписны́м листо́м проси́ть на погоре́льцев. Не гля́дя на нас, она́ о́чень серьёзно и обстоя́тельно рассказа́ла нам, ско́лько сгоре́ло домо́в в селе́ Сия́нове, ско́лько мужчи́н, же́нщин и детей оста́лось без кро́ва и что̀ наме́рен предприня́ть на пе́рвых пора́х погоре́льческий комите́т, чле́ном кото́рого она́ тепе́рь была́. Да́вши нам подписа́ться, она́ спря́тала лист и то́тчас же ста́ла проща́ться.

— Вы совсе́м забы́ли нас, Пётр Петро́вич, — сказа́ла она́ Белоку́рову, подава́я ему́ ру́ку. — Приезжа́йте, и е́сли Monsieur N. (она́ назвала́ мою́ фами́лию) захо́чет взгляну́ть, как живу́т почита́тели его́ тала́нта, и пожа́лует к нам, то ма́ма и я бу́дем о́чень ра́ды.

Я поклони́лся.

Когда́ она́ уе́хала, Пётр Петро́вич стал расска́зывать. Э́та де́вушка, по его́ слова́м, была́ из хоро́шей семьи́ и зва́ли её Ли́дией Волчани́новой, а име́ние, в кото́ром она́ жила́ с ма́терью и сестро́й, так же как и село́ на друго́м берегу́ пруда́, называ́лось Шелко́вкой. Оте́ц её когда́-то занима́л ви́дное ме́сто в Москве́ и у́мер в чи́не та́йного сове́тника. Несмотря́ на хоро́шие сре́дства, Волчани́новы жи́ли в дере́вне безвы́ездно, ле́то и зи́му, и Ли́дия была́ учи́тельницей в зе́мской шко́ле у себя́ в Шелко́вке и получа́ла два́дцать-пять рубле́й в ме́сяц. Она́ тра́тила на себя́ то́лько э́ти де́ньги и горди́лась, что живёт на со́бственный счёт.

— Интере́сная семья́, — сказа́л Белоку́ров. — Пожа́луй, схо́дим к ним ка́к-нибудь. Они́ бу́дут вам о́чень ра́ды.

Ка́к-то по́сле обе́да, в оди́н из пра́здников, мы вспо́мнили про Волчани́новых и отпра́вились к ним в Шелко́вку. Они́, мать и о́бе до́чери, бы́ли до́ма. Мать, Екатери́на Па́вловна, когда́-то, повиди́мому, краси́вая, тепе́рь же се́рая не по лета́м, больна́я оды́шкой, гру́стная, рассе́янная, стара́лась заня́ть меня́ разгово́ром о жи́вописи. Узна́в от до́чери, что я, быть-мо́жет, прие́ду в Шелко́вку, она торопли́во припо́мнила два-три мои́х пейза́жа, каки́е ви́дела на вы́ставках в Москве́, и тепе́рь спра́шивала, что̀ я хоте́л в них вы́разить. Ли́дия, и́ли, как её зва́ли до́ма, Ли́да говори́ла бо́льше с Белоку́ровым, чем со мной. Серьёзная, не улыба́ясь, она́ спра́шивала его́, почему́ он не слу́жит в зе́мстве и почему́ до сих пор нѐ был ни на одно́м зе́мском собра́нии.

— Не хорошо́, Пётр Петро́вич, — говори́ла она́ укори́зненно. — Не хорошо́. Сты́дно.

— Пра́вда, Ли́да, пра́вда, — соглаша́лась мать. — Не хорошо́.

— Весь наш уе́зд нахо́дится в рука́х Бала́гина, — продолжа́ла Ли́да, обраща́ясь ко мне. — Сам он председа́тель упра́вы, и все до́лжности в уе́зде ро́здал свои́м племя́нникам и зятья́м и де́лает что̀ хо́чет. На́до боро́ться. Молодёжь должна́ соста́вить из себя́ си́льную па́ртию, но вы ви́дите, кака́я у нас молодёжь. Сты́дно, Пётр Петро́вич!

Мла́дшая сестра́, Же́ня, пока́ говори́ли о зе́мстве, молча́ла. Она́ не принима́ла уча́стия в серьёзных разгово́рах, её в семье́ ещё не счита́ли взро́слой и, как ма́ленькую, называ́ли Мисю́сь, потому́ что в де́тстве она́ называ́ла так мисс, свою́ гуверна́нтку. Всё вре́мя она́ смотре́ла на меня́ с любопы́тством и, когда́ я осма́тривал в альбо́ме фотогра́фии, объясня́ла мне: «Э́то дя́дя. . . . Э́то крёстный па́па», и води́ла па́льчиком по портре́там, и в э́то вре́мя по-де́тски каса́лась меня́ свои́м плечо́м, и я бли́зко ви́дел её сла́бую, неразви́тую грудь, то́нкие 5 пле́чи, ко́су и ху́денькое те́ло, ту́го стя́нутое по́ясом.

Мы игра́ли в кроке́т и лоун-те́ннис, гуля́ли по са́ду, пи́ли чай, пото́м до́лго у́жинали. По́сле грома́дной пусто́й за́лы с коло́ннами мне бы́ло ка́к-то по себе́ в э́том небольшо́м ую́тном до́ме, в кото́ром нѐ было на 10 стена́х олеогра́фий и прислу́ге говори́ли вы, и всё мне каза́лось молоды́м и чи́стым, благодаря́ прису́тствию Ли́ды и Мисю́сь, и всё дыша́ло поря́дочностью. За у́жином Ли́да опя́ть говори́ла с Белоку́ровым о зе́мстве, о Бала́гине, о шко́льных библиоте́ках. Э́то была́ жива́я, 15 и́скренняя, убеждённая де́вушка, и слу́шать её бы́ло интере́сно, хотя́ говори́ла она́ мно́го и гро́мко — быть-мо́жет, оттого́, что привы́кла говори́ть в шко́ле. Зато́ мой Пётр Петро́вич, у кото́рого ещё со студе́нчества оста́лась мане́ра вся́кий разгово́р своди́ть на спор, говори́л 20 ску́чно, вя́ло и дли́нно, с я́вным жела́нием каза́ться у́мным и передовы́м челове́ком. Жестикули́руя, он опроки́нул рукаво́м со́усник, и на ска́терти образова́лась больша́я лу́жа, но кро́ме меня́, каза́лось, никто́ не заме́тил э́того.

25 Когда́ мы возвраща́лись домо́й, было темно́ и ти́хо.

— Хоро́шее воспита́ние не в том, что ты не прольёшь со́уса на ска́терть, а в том, что ты не заме́тишь, е́сли э́то сде́лает кто́-нибудь друго́й, — сказа́л Белоку́ров и вздох-ну́л. — Да, прекра́сная, интеллиге́нтная семья́. Отста́л 30 я от хоро́ших люде́й, ах как отста́л! А всё дела́, дела́! Дела́!

Он говори́л о том, как мно́го прихо́дится рабо́тать, когда́ хо́чешь стать образцо́вым се́льским хозя́ином. А я ду́мал: како́й э́то тяжёлый и лени́вый ма́лый! Он, когда́ говори́л о чём-нибудь серьёзно, то с напряже́нием тяну́л «э-э-э-э», и рабо́тал так же, как говори́л, — ме́дленно, всегда́ опа́здывая, пропуска́я сро́ки. В его́ делови́тость я пло́хо ве́рил уже́ потому́, что пи́сьма, кото́рые я поруча́л ему́ отправля́ть на по́чту, он по це́лым неде́лям таска́л у себя́ в карма́не.

— Тяжеле́е всего́, — бормота́л он, и́дя ря́дом со мной: — тяжеле́е всего́, что рабо́таешь и ни в ком не встреча́ешь сочу́вствия. Никако́го сочу́вствия!

II

Я стал быва́ть у Волчани́новых. Обыкнове́нно я сиде́л на ни́жней ступе́ни терра́сы; меня́ томи́ло недово́льство собо́й, бы́ло жаль свое́й жи́зни, кото́рая протека́ла так бы́стро и неинтере́сно, и я всё ду́мал о том, как хорошо́ бы́ло бы вы́рвать из свое́й груди́ се́рдце, кото́рое ста́ло у меня́ таки́м тяжёлым. А в э́то вре́мя на терра́се говори́ли, слы́шался шо́рох пла́тьев, перели́стывали кни́гу. Я ско́ро привы́к к тому́, что днём Ли́да принима́ла больны́х, раздава́ла кни́жки и ча́сто уходи́ла в дере́вню с непокры́той голово́й, под зо́нтиком, а ве́чером гро́мко говори́ла о зе́мстве, о шко́лах. Э́та то́нкая, краси́вая, неизме́нно стро́гая де́вушка, с ма́леньким, изя́щно оче́рченным ртом, вся́кий раз, когда́ начина́лся делово́й разгово́р, говори́ла мне су́хо:

— Э́то для вас не интере́сно.

Я был ей не симпати́чен. Она́ не люби́ла меня́ за то, что я пейзажи́ст и в свои́х карти́нах не изобража́ю наро́дных нужд и что я, как ей каза́лось, был равноду́шен к тому́, во что́ она́ так кре́пко ве́рила. По́мнится, когда́ я е́хал по бе́регу Байка́ла, мне встре́тилась де́вушка-буря́тка, в руба́хе и в штана́х из си́ней да́бы, верхо́м на ло́шади; я спроси́л у неё, не прода́ст ли она́ мне свою́ тру́бку, и, пока́ мы говори́ли, она́ с презре́нием смотре́ла на моё европе́йское лицо́ и на мою́ шля́пу, и в одну́ мину́ту ей надое́ло говори́ть со мной, она́ ги́кнула и поскака́ла прочь. И Ли́да то́чно так же презира́ла во мне чужо́го. Вне́шним о́бразом она́ ника́к не выража́ла своего́ нерасположе́ния ко мне, но я чу́вствовал его́ и, си́дя на ни́жней ступе́ни терра́сы, испы́тывал раздраже́ние и говори́л, что лечи́ть мужико́в, не бу́дучи врачо́м, зна́чит обма́нывать их, и что легко́ быть благоде́телем, когда́ име́ешь две ты́сячи десяти́н.

А её сестра́, Мисю́сь, не име́ла никаки́х забо́т и проводи́ла свою́ жизнь в по́лной пра́здности, как я. Вста́вши у́тром, она́ то́тчас же брала́сь за кни́гу и чита́ла, си́дя на терра́се в глубо́ком кре́сле, так что но́жки её едва́ каса́лись земли́, и́ли пря́талась с кни́гой в ли́повой алле́е, и́ли шла за воро́та в по́ле. Она́ чита́ла це́лый день, с жа́дностью гля́дя в кни́гу, и то́лько потому́, что взгляд её иногда́ станови́лся уста́лым, ошеломлённым, и лицо́ си́льно бледне́ло, мо́жно бы́ло догада́ться, как э́то чте́ние утомля́ло её мозг. Когда́ я приходи́л, она́, уви́дев меня́, слегка́ красне́ла, оставля́ла кни́гу и с оживле́нием, гля́дя мне в лицо́ свои́ми больши́ми глаза́ми, расска́зывала о том что случи́лось, наприме́р о том, что в людско́й загоре́лась са́жа, и́ли что рабо́тник пойма́л в пруде́ большу́ю ры́бу. В бу́дни она́ ходи́ла обыкнове́нно в све́тлой руба́шечке и в тёмно-си́ней ю́бке. Мы гуля́ли вме́сте, рва́ли ви́шни для варе́нья, ката́лись в ло́дке, и, когда́ она́ пры́гала, что́бы доста́ть ви́шню, и́ли рабо́тала вёслами, сквозь широ́кие рукава́ просве́чивали её то́нкие, сла́бые ру́ки. И́ли я писа́л этю́д, а она́ стоя́ла во́зле и смотре́ла с восхище́нием.

В одно́ из воскресе́ний, в конце́ ию́ля, я пришёл к Волчани́новым у́тром, часо́в в де́вять. Я ходи́л по па́рку, держа́сь пода́льше от до́ма, и оты́скивал бе́лые грибы́, кото́рых в то ле́то бы́ло о́чень мно́го, и ста́вил о́коло них ме́тки, что́бы пото́м подобра́ть их вме́сте с Же́ней. Дул тёплый ве́тер. Я ви́дел, как Же́ня и её мать, о́бе в све́тлых пра́здничных пла́тьях, прошли́ из це́ркви домо́й, и Же́ня приде́рживала от ве́тра шля́пу. Пото́м я слы́шал, как на терра́се пи́ли чай.

Для меня́, челове́ка беззабо́тного, и́щущего оправда́ния для свое́й постоя́нной пра́здности, э́ти ле́тние пра́здничные у́тра в на́ших уса́дьбах всегда́ бы́ли необыкнове́нно привлека́тельны. Когда́ зелёный сад, ещё вла́жный от росы́, весь сия́ет от со́лнца и ка́жется счастли́вым, когда́ о́коло до́ма па́хнет резедо́й и олеа́ндром, молодёжь то́лько-что верну́лась из це́ркви и пьёт чай в саду́, и когда́ все так ми́ло оде́ты и ве́селы, и когда́ зна́ешь, что все э́ти здоро́вые, сы́тые, краси́вые лю́ди весь дли́нный день ничего́ не бу́дут де́лать, то хо́чется, что́бы вся жизнь была́ тако́ю. И тепе́рь я ду́мал то же са́мое и ходи́л по са́ду, гото́вый ходи́ть так без де́ла и без це́ли весь день, всё ле́то.

Пришла́ Же́ня с корзи́ной; у неё бы́ло тако́е выраже́ние, как бу́дто она́ зна́ла и́ли предчу́вствовала, что найдёт меня́ в саду́. Мы подбира́ли грибы́ и говори́ли, и когда́ она спра́шивала о чём-нибудь, то заходи́ла вперёд, что́бы ви́деть моё лицо́.

— Вчера́ у нас в дере́вне произошло́ чу́до, — сказа́ла она́. — Хрома́я Пелаге́я была́ больна́ це́лый год, никаки́е доктора́ и лека́рства не помога́ли, а вчера́ стару́ха пошепта́ла, и прошло́.

— Э́то не ва́жно, — сказа́л я. — Не сле́дует иска́ть чуде́с то́лько о́коло больны́х и стару́х. Ра́зве здоро́вье не чу́до? А сама́ жизнь? Что̀ не поня́тно, то и есть чу́до.

— А вам не стра́шно то, что не поня́тно?

— Нет. К явле́ниям, кото́рых я не понима́ю, я подхожу́ бо́дро и не подчиня́юсь им. Я вы́ше их. Челове́к до́лжен сознава́ть себя́ вы́ше львов, ти́гров, звёзд, вы́ше всего́ в приро́де, да́же вы́ше того́, что непоня́тно и ка́жется чуде́сным, ина́че он не челове́к, а мышь, кото́рая всего́ бои́тся.

Же́ня ду́мала, что я, как худо́жник, зна́ю о́чень мно́гое и могу́ ве́рно уга́дывать то, чего́ не зна́ю. Ей хоте́лось, что́бы я ввёл её в о́бласть ве́чного и прекра́сного, в э́тот вы́сший свет, в кото́ром, по её мне́нию, я был свои́м челове́ком, и она́ говори́ла со мной о Бо́ге, о ве́чной жи́зни, о чуде́сном. И я, не допуска́вший, что я и моё воображе́ние по́сле сме́рти поги́бнем наве́ки, отвеча́л: «да, лю́ди бессме́ртны», «да, нас ожида́ет ве́чная жизнь». А она́ слу́шала, ве́рила и не тре́бовала доказа́тельств.

Когда́ мы шли к до́му, она́ вдруг останови́лась и сказа́ла:

— На́ша Ли́да замеча́тельный челове́к. Не пра́вда ли? Я её горячо́ люблю́ и могла́ бы ка́ждую мину́ту поже́ртвовать для неё жи́знью. Но скажи́те, — Же́ня дотро́нулась до моего́ рукава́ па́льцем: — скажи́те, почему́ вы с ней всё спо́рите? Почему́ вы раздражены́?

— Потому́ что она́ неправа́.

Же́ня отрица́тельно покача́ла голово́й, и слёзы показа́лись у неё на глаза́х.

— Как э́то непоня́тно! — проговори́ла она́.

В э́то вре́мя Ли́да то́лько-что верну́лась отку́да-то и, сто́я о́коло крыльца́ с хлысто́м в рука́х, стро́йная, краси́вая, освещённая со́лнцем, прика́зывала что́-то рабо́тнику. Торопя́сь и гро́мко разгова́ривая, она́ приняла́ двух-трёх больны́х, пото́м с делову́м, озабо́ченным ви́дом ходи́ла по ко́мнатам, отворя́я то оди́н шкап, то друго́й, уходи́ла в мезони́н; её до́лго иска́ли и зва́ли обе́дать, и пришла́ она́, когда́ мы уже́ съе́ли суп. Все э́ти ме́лкие подро́бности я почему́-то по́мню и люблю́, и весь э́тот день живо по́мню, хотя́ не произошло́ ничего́ осо́бенного. По́сле обе́да Же́ня чита́ла, лёжа в глубо́ком кре́сле, а я сиде́л на ни́жней ступе́ни терра́сы. Мы молча́ли. Всё не́бо заволокло́ облака́ми, и стал накра́пывать ре́дкий, ме́лкий дождь. Бы́ло жа́рко, ве́тер давно́ уже́ стих, и каза́лось, что э́тот день никогда́ не ко́нчится. К нам на терра́су вы́шла Екатери́на Па́вловна, за́спанная, с ве́ером.

— О, ма́ма, — сказа́ла Же́ня, целу́я у неё ру́ку: — тебе́ вре́дно спать днём.

Они́ обожа́ли друг дру́га. Когда́ одна́ уходи́ла в сад, то друга́я уже́ стоя́ла на терра́се и, гля́дя на дере́вья, оклика́ла: «а , Же́ня!» и́ли «ма́мочка, где́ ты?» Они́ всегда́ вме́сте моли́лись, и о́бе одина́ково ве́рили, и хорошо́ понима́ли друг дру́га, да́же когда́ молча́ли. И к лю́дям они́ относи́лись одина́ково. Екатери́на Па́вловна та́кже ско́ро привы́кла и привяза́лась ко мне, и когда́ я не появля́лся два-три дня, присыла́ла узна́ть, здоро́в ли я. На мои́ этю́ды она́ смотре́ла то́же с восхище́нием, и с тако́ю же болтли́востью и так же открове́нно, как Мисю́сь, расска́зывала мне что̀ случи́лось, и ча́сто поверя́ла мне свои́ дома́шние та́йны.

Она́ благогове́ла пе́ред свое́й ста́ршей до́черью. Ли́да никогда́ не ласка́лась, говори́ла то́лько о серьёзном; она́ жила́ свое́ю осо́бенною жи́знью и для ма́тери и для сестры́ была́ тако́ю же свяще́нной, немно́го зага́дочной осо́бой, как для матро́сов адмира́л, кото́рый всё сиди́т у себя́ в каю́те.

— На́ша Ли́да замеча́тельный челове́к, — говори́ла ча́сто мать. — Не пра́вда ли?

И тепе́рь, пока́ накра́пывал дождь, мы говори́ли о Ли́де.

— Она́ замеча́тельный челове́к, — сказа́ла мать и приба́вила вполго́лоса то́ном загово́рщицы, испу́ганно огля́дываясь: — Таки́х днём с огнём поиска́ть, хотя́, зна́ете ли, я начина́ю немно́жко беспоко́иться. Шко́ла, апте́чки, кни́жки — всё э́то хорошо́, но заче́м кра́йности? Ведь, ей уже́ два́дцать четвёртый год, пора́ о себе́ серьёзно поду́мать. Э́так за кни́жками и за апте́чками и не уви́дишь, как жизнь пройдёт. . . . За́муж ну́жно.

Же́ня, бле́дная от чте́ния, с помя́тою причёской, приподняла́ го́лову и сказа́ла как бы про себя́, гля́дя на мать:

— Ма́мочка, всё зави́сит от во́ли Бо́жией!

И опя́ть погрузи́лась в чте́ние.

Пришёл Белоку́ров в поддёвке и в вы́шитой соро́чке. Мы игра́ли в кроке́т и лоун-те́ннис, пото́м, когда потемне́ло, до́лго у́жинали, и Ли́да опя́ть говори́ла о шко́лах и о Бала́гине, кото́рый забра́л в свои́ ру́ки весь уе́зд.

Уходя́ в э́тот ве́чер от Волчани́новых, я уноси́л впечатле́ние дли́нного-дли́нного, пра́здного дня, с гру́стным созна́нием, что всё конча́ется на э́том све́те, как бы ни́ было дли́нно. Нас до воро́т провожа́ла Же́ня, и оттого́, быть-мо́жет, что она́ провела́ со мной весь день от утра́ до ве́чера, я почу́вствовал, что без неё мне как бу́дто ску́чно и что вся э́та ми́лая семья́ близка́ мне; и в пе́рвый раз за всё ле́то мне захоте́лось писа́ть.

— Скажи́те, отчего́ вы живёте так ску́чно, так не колори́тно? — спроси́л я у Белоку́рова, и́дя с ним домо́й. — Моя́ жизнь скучна́, тяжела́, однообра́зна, потому́ что я худо́жник, я стра́нный челове́к, я издёрган с ю́ных дней за́вистью, недово́льством собо́й, неве́рием в своё де́ло, я всегда́ бе́ден, я бродя́га, но вы́-то, вы, здоро́вый, норма́льный челове́к, поме́щик, ба́рин, — отчего́ вы живёте так неинтере́сно, так ма́ло берёте от жи́зни? Отчего́, наприме́р, вы до сих пор не влюби́лись в Ли́ду и́ли Же́ню?

— Вы забыва́ете, что я люблю́ другу́ю же́нщину, — отве́тил Белоку́ров.

Э́то он говори́л про свою́ подру́гу, Любо́вь Ива́новну, жи́вшую с ним вме́сте во фли́геле. Я ка́ждый день ви́дел, как э́та да́ма, о́чень по́лная, пу́хлая, ва́жная, похо́жая на отко́рмленную гусы́ню, гуля́ла по са́ду в ру́сском костю́ме с бу́сами, всегда́ под зо́нтиком, и прислу́га то и де́ло звала́ её то ку́шать, то чай пить. Го́да три наза́д она́ наняла́ оди́н из флигеле́й под да́чу, да так и оста́лась жить у Белоку́рова, повиди́мому, навсегда́. Она́ была́ ста́рше его́ лет на де́сять и управля́ла им стро́го, так что, отлуча́ясь из дому, он до́лжен был спра́шивать у неё позволе́ния. Она́ ча́сто рыда́ла мужски́м го́лосом, и тогда́ я посыла́л сказа́ть ей, что, е́сли она́ не переста́нет, то я съе́ду с кварти́ры; и она́ перестава́ла.

Когда́ мы пришли́ домо́й, Белоку́ров сел на дива́н и нахму́рился в разду́мьи, а я стал ходи́ть по за́ле, испы́тывая ти́хое волне́ние, то́чно влюблённый. Мне хоте́лось говори́ть про Волчани́новых.

— Ли́да мо́жет полюби́ть то́лько зе́мца, увлечённого так же, как она́, больни́цами и шко́лами, — сказа́л я. — О, ра́ди тако́й де́вушки мо́жно не то́лько стать зе́мцем, но да́же истаска́ть, как в ска́зке, желе́зные башмаки́. А Мисю́сь? Кака́я пре́лесть э́та Мисю́сь!

Белоку́ров дли́нно, растя́гивая «э-э-э-э», заговори́л о боле́зни ве́ка — пессими́зме. Говори́л он уве́ренно и та́ким то́ном, как бу́дто я спо́рил с ним. Со́тни вёрст пусты́нной, однообра́зной, вы́горевшей сте́пи не мо́гут нагна́ть тако́го уны́ния, как оди́н челове́к, когда́ он сиди́т, говори́т, и неизве́стно, когда́ он уйдёт.

— Де́ло не в пессими́зме и не в оптими́зме, — сказа́л я раздражённо: — а в том, что у девяно́сто девяти́ из ста нет ума́.

Белоку́ров при́нял э́то на свой счёт, оби́делся и ушёл.

III

— В Малозёмове гости́т князь, тебе́ кла́няется, — говори́ла Ли́да ма́тери, верну́вшись отку́да-то и снима́я перча́тки. — Расска́зывал мно́го интере́сного. . . . Обеща́л опя́ть подня́ть в губе́рнском собра́нии вопро́с о медици́нском пу́нкте в Малозёмове, но говори́т: ма́ло наде́жды. — И обратя́сь ко мне, она́ сказа́ла: — Извини́те, я всё забыва́ю, что для вас э́то не мо́жет быть интере́сно.

Я почу́вствовал раздраже́ние.

— Почему́ же не интере́сно? — спроси́л я и пожа̀л плеча́ми. — Вам не уго́дно знать моё мне́ние, но уверя́ю вас, э́тот вопро́с меня́ жи́во интересу́ет.

— Да?

— Да. По моему́ мне́нию, медици́нский пункт в Малозёмове во́все не ну́жен.

Моё раздраже́ние передало́сь и ей; она́ посмотре́ла на меня́, прищу́рив глаза́, и спроси́ла:

— Что же ну́жно? Пейза́жи?

— И пейза́жи не нужны́. Ничего́ там не ну́жно.

Она́ ко́нчила снима́ть перча́тки и разверну́ла газе́ту, кото́рую то́лько-что привезли́ с по́чты; че́рез мину́ту она́ сказа́ла ти́хо, очеви́дно сде́рживая себя́:

— На про́шлой неде́ле умерла́ от родо́в А́нна, а е́сли бы побли́зости был медици́нский пункт, то она́ оста́лась бы жива́. И господа́ пейзажи́сты, мне ка́жется, должны́ бы име́ть каки́е-нибудь убежде́ния на э́тот счёт.

— Я име́ю на э́тот счёт о́чень определённое убежде́ние, уверя́ю вас, — отве́тил я, а она́ закры́лась от меня́ газе́той, как бы не желя́я слу́шать. — По-мо́ему, медици́нские пу́нкты, шко́лы, библиоте́чки, апте́чки, при существу́ющих усло́виях, слу́жат то́лько порабоще́нию. Наро́д опу́тан це́пью вели́кой, и вы не ру́бите э́той це́пи, а лишь прибавля́ете но́вые зве́нья — вот вам моё убежде́ние.

Она́ подняла́ на меня́ глаза́ и насме́шливо улыбну́лась, а я продолжа́л, стара́ясь улови́ть свою́ гла́вную мысль:

— Не то ва́жно, что А́нна умерла́ от родо́в, а то, что все э́ти А́нны, Ма́вры, Пелаге́и с ра́ннего утра́ до потёмок гнут спи́ны, боле́ют от непоси́льного труда́, всю жизнь дрожа́т за голо́дных и больны́х дете́й, всю жизнь боя́тся сме́рти и боле́зней, всю жизнь ле́чатся, ра́но блёкнут, ра́но ста́рятся и умира́ют в грязи́ и в во́ни; их де́ти, подроста́я, начина́ют ту же му́зыку, и так прохо́дят со́тни лет, и миллиа́рды люде́й живу́т ху́же живо́тных — то́лько ра́ди куска́ хле́ба, испы́тывая постоя́нный страх. Весь у́жас их положе́ния в том, что им не́когда о душе́ поду́мать, не́когда вспо́мнить о своём о́бразе и подо́бии; го́лод, хо́лод, живо́тный страх, ма́сса труда́, то́чно снеговы́е обва́лы, загороди́ли им все пути́ к духо́вной де́ятельности, и́менно к тому́ са́мому, что отлича́ет челове́ка от живо́тного и составля́ет еди́нственное, ра́ди чего́ сто́ит жить. Вы прихо́дите к ним на по́мощь с больни́цами и шко́лами, но э́тим не освобожда́ете их от пут, а, напро́тив, ещё бо́льше порабоща́ете, так как, внося́ в их жизнь но́вые предрассу́дки, вы увели́чиваете число́ их потре́бностей, не говоря́ уже́ о том, что за му́шки и за кни́жки они́ должны́ плати́ть зе́мству и, зна́чит, сильне́е гнуть спи́ну.

— Я спо́рить с ва́ми не ста́ну, — сказа́ла Ли́да, опуска́я газе́ту. — Я уже́ э́то слы́шала. Скажу́ вам то́лько одно́: нельзя́ сиде́ть сло́жа ру́ки. Пра́вда, мы не спаса́ем челове́чества и, быть-мо́жет, во мно́гом ошиба́емся, но мы де́лаем то, что мо́жем, и мы — пра́вы. Са́мая высо́кая и свята́я зада́ча культу́рного челове́ка — э́то служи́ть бли́жнему, и мы пыта́емся служи́ть, как уме́ем. Вам не нра́вится, но, ведь, на всех не угоди́шь.

— Пра́вда, Ли́да, пра́вда, — сказа́ла мать.

В прису́тствии Ли́ды она́ всегда́ робе́ла и, разгова́ривая, трево́жно погля́дывала на неё, боя́сь сказа́ть что́-нибудь ли́шнее и́ли неуме́стное; и никогда́ она́ не противоре́чила ей, а всегда́ соглаша́лась: пра́вда, Ли́да, пра́вда.

— Мужи́цкая гра́мотность, кни́жки с жа́лкими наставле́ниями и прибау́тками и медици́нские пу́нкты не мо́гут уменьши́ть ни неве́жества, ни сме́ртности, так же как свет из ва́ших о́кон не мо́жет освети́ть э́того грома́дного са́да, — сказа́л я. — Вы не даёте ничего́, вы свои́м вмеша́тельством в жизнь э́тих люде́й создаёте лишь но́вые потре́бности, но́вый по́вод к труду́.

— Ах, Бо́же мой, но ведь ну́жно же де́лать что́-нибудь! — сказа́ла Ли́да с доса́дой, и по её то́ну бы́ло заме́тно, что мои́ рассужде́ния она́ счита́ет ничто́жными и презира́ет их.

— Ну́жно освободи́ть люде́й от тя́жкого физи́ческого труда́, — сказа́л я. — Ну́жно облегчи́ть их ярмо́, дать им переды́шку, что́бы они́ не всю свою́ жизнь проводи́ли у пече́й, коры́т и в по́ле, но име́ли бы та́кже вре́мя поду́мать о душе́, о Бо́ге, могли́ бы поши́ре прояви́ть свои́ духо́вные спосо́бности. Призва́ние вся́кого челове́ка в духо́вной де́ятельности — в постоя́нном иска́нии пра́вды и смы́сла жи́зни. Сдела́йте же для них нену́жным гру́бый живо́тный труд, да́йте им почу́вствовать себя́ на свобо́де, и тогда́ увидите, кака́я в су́щности насме́шка э́ти кни́жки и апте́чки. Раз челове́к сознаёт своё и́стинное призва́ние, то удовлетворя́ть его́ мо́гут то́лько рели́гия, нау́ки, иску́сства, а не э́ти пустяки́.

— Освободи́ть от труда́! — усмехну́лась Ли́да. — Ра́зве это возмо́жно?

— Да. Возьми́те на себя́ до́лю их труда́. Е́сли бы все мы, городски́е и дереве́нские жи́тели, все без исключе́ния, согласи́лись подели́ть ме́жду собо́ю труд, кото́рый затра́чивается вообще́ челове́чеством на удовлетворе́ние физи́ческих потре́бностей, то на ка́ждого из нас, быть-мо́жет, пришло́сь бы не бо́лее двух-трёх часо́в в день. Предста́вьте, что все мы, бога́тые и бе́дные, рабо́таем то́лько три часа́ в день, а остально́е вре́мя у нас свобо́дно. Предста́вьте ещё, что мы, что́бы ещё ме́нее зави́сеть от своего́ те́ла и ме́нее труди́ться, изобрета́ем маши́ны, заменя́ющие труд, мы стара́емся сократи́ть число́ на́ших потре́бностей до ми́нимума. Мы закаля́ем себя́, на́ших дете́й, что́бы они́ не боя́лись го́лода, хо́лода, и мы не дрожа́ли бы постоя́нно за их здоро́вье, как дрожа́т А́нна, Ма́вра и Пелаге́я. Предста́вьте, что мы не ле́чимся, не де́ржим апте́к, таба́чных фа́брик, виноку́ренных заво́дов, — ско́лько свобо́дного вре́мени у нас остаётся в конце́-концо́в. Все мы сообща́ отдаём э́тот досу́г нау́кам и иску́сствам. Как иногда́ мужики́ ми́ром починя́ют доро́гу, так и все мы сообща́, ми́ром, иска́ли бы пра́вды и смы́сла жи́зни, и — я уве́рен в э́том — пра́вда была́ бы откры́та о́чень ско́ро, челове́к изба́вился бы от э́того постоя́нного мучи́тельного, угнета́ющего стра́ха сме́рти, и да́же от само́й сме́рти.

— Вы, одна́ко, себе́ противоре́чите, — сказа́ла Ли́да. — Вы говори́те — нау́ка, нау́ка, а са́ми отрица́ете гра́мотность.

— Гра́мотность, когда́ челове́к име́ет возмо́жность чита́ть то́лько вы́вески на кабака́х да и́зредка кни́жки, кото́рых не понима́ет, — така́я гра́мотность де́ржится у нас со времён Рю́рика; го́голевский Петру́шка давно́ уже́ чита́ет, ме́жду тем дере́вня, кака́я была́ при Рю́рике, така́я и оста́лась до сих пор. Не гра́мотность нужна́, а свобо́да для широ́кого проявле́ния духо́вных спосо́бностей. Нужны́ не шко́лы, а университе́ты.

— Вы и медици́ну отрица́ете.

— Да. Она́ была́ бы нужна́ то́лько для изуче́ния боле́зней, как явле́ний приро́ды, а не для лече́ния их. Е́сли уж лечи́ть, то не боле́зни, а причи́ны их. Устрани́те гла́вную причи́ну — физи́ческий труд, и тогда́ не бу́дет боле́зней. Не признаю́ я нау́ки, кото́рая ле́чит, — продолжа́л я возбуждённо. — Нау́ки и иску́сства, когда́ они́ настоя́щие, стремя́тся не к вре́менным, не к ча́стным це́лям, а к ве́чному и о́бщему, — они́ и́щут пра́вды и смы́сла жи́зни, и́щут Бо́га, ду́шу, а когда́ их пристёгивают к ну́ждам и зло́бам дня, к апте́чкам и библиоте́чкам, то они́ то́лько осложня́ют, загроможда́ют жизнь. У нас мно́го ме́диков, фармаце́втов, юри́стов, ста́ло мно́го гра́мотных, но совсе́м нет био́логов, матема́тиков, фило́софов, поэ́тов. Весь ум, вся душе́вная эне́ргия ушли́ на удовлетворе́ние вре́менных, преходя́щих нужд. . . . У учёных, писа́телей и худо́жников кипи́т рабо́та, по их ми́лости удо́бства жи́зни расту́т с ка́ждым днём, потре́бности те́ла мно́жатся, ме́жду тем до пра́вды ещё далеко́, и челове́к попре́жнему остаётся са́мым хи́щным и са́мым нечистопло́тным живо́тным, и всё кло́нится к тому́, что́бы челове́чество в своём большинстве́ вы́родилось и утеря́ло навсегда́ вся́кую жизнеспосо́бность. При таки́х усло́виях жизнь худо́жника не име́ет смы́сла, и чем он тала́нтливее, тем страннée и непоня́тнее его́ роль, так как на пове́рку выхо́дит, что рабо́тает он для заба́вы хи́щного нечистопло́тного живо́тного, подде́рживая существу́ющий поря́док. И я не хочу́ рабо́тать и не бу́ду. . . . Ничего́ не ну́жно, пусть земля́ прова́лится в тартарары́!

— Мисю́ська, вы́йди, — сказа́ла Ли́да сестре́, очеви́дно находя́ мои́ слова́ вре́дными для тако́й молодо́й де́вушки.

Же́ня гру́стно посмотре́ла на сестру́ и на мать и вы́шла.

— Подо́бные ми́лые ве́щи говоря́т обыкнове́нно, когда́ хотя́т оправда́ть своё равноду́шие, — сказа́ла Ли́да. — Отрица́ть больни́цы и шко́лы ле́гче, чем лечи́ть и учи́ть.

— Пра́вда, Ли́да, пра́вда, — согласи́лась мать.

— Вы угрожа́ете, что не ста́нете рабо́тать, — продолжа́ла Ли́да. — Очеви́дно, вы высоко́ це́ните ва́ши рабо́ты. Переста́нем же спо́рить, мы никогда́ не споёмся, так как са́мую несоверше́нную из всех библиоте́чек и апте́чек, о кото́рых вы то́лько-что отзыва́лись так презри́тельно, я ста́влю вы́ше всех пейза́жей в све́те. — И то́тчас же, обратя́сь к ма́тери, она заговори́ла совсе́м други́м то́ном:

— Князь о́чень похуде́л и си́льно измени́лся с тех пор, как был у нас. Его́ посыла́ют в Виши́.

Она́ расска́зывала ма́тери про кня́зя, что́бы не говори́ть со мной. Лицо́ у неё горе́ло, и, что́бы скрыть своё волне́ние, она́ ни́зко, то́чно близору́кая, нагну́лась к столу́ и де́лала вид, что чита́ет газе́ту. Моё прису́тствие бы́ло неприя́тно. Я прости́лся и пошёл домо́й.

IV

На дворе́ бы́ло ти́хо; дере́вня по ту сто́рону пруда́ уже́ спала́, нѐ было ви́дно ни одного́ огонька́, и то́лько на пруде́ едва́ свети́лись бле́дные отраже́ния звёзд. У воро́т со льва́ми стоя́ла Же́ня неподви́жно, поджида́я меня́, что́бы проводи́ть.

— В дере́вне все спят, — сказа́л я ей, стара́ясь разгляде́ть в темноте́ её лицо́, и уви́дел устремлённые на меня́ тёмные, печа́льные глаза́. — И каба́тчик, и конокра́ды поко́йно спят, а мы, поря́дочные лю́ди, раздража́ем друг дру́га и спо́рим.

Была́ гру́стная а́вгустовская ночь, — гру́стная, потому́ что уже́ па́хло о́сенью; покры́тая багро́вым о́блаком, восходи́ла луна́ и е́ле-е́ле освеща́ла доро́гу и по сторона́м её тёмные ози́мые поля́. Ча́сто па́дали звёзды. Же́ня шла со мной ря́дом по доро́ге и стара́лась не гляде́ть на не́бо, что́бы не ви́деть па́дающих звёзд, кото́рые почему́-то пуга́ли её.

— Мне ка́жется, вы пра́вы, — сказа́ла она́, дрожа́ от ночно́й сы́рости. — Е́сли бы лю́ди, все сообща́, могли́ отда́ться духо́вной де́ятельности, то они́ ско́ро узна́ли бы всё.

— Коне́чно. Мы вы́сшие существа́, и е́сли бы в са́мом де́ле мы созна́ли всю си́лу челове́ческого ге́ния и жи́ли бы то́лько для вы́сших це́лей, то в конце́-концо́в мы ста́ли бы как бо́ги. Но э́того никогда́ не бу́дет, — челове́чество вы́родится, и от ге́ния не оста́нется и следа́.

Когда́ не ста́ло ви́дно воро́т, Же́ня останови́лась и торопли́во пожа́ла мне ру́ку.

— Споко́йной но́чи, — проговори́ла она́, дрожа́; пле́чи её бы́ли покры́ты то́лько одно́ю руба́шечкой, и она́ сжа́лась от хо́лода. — Приходи́те за́втра.

Мне ста́ло жу́тко от мы́сли, что я оста́нусь оди́н, раздражённый, недово́льный собо́й и людьми́; и я сам уже́ стара́лся не гляде́ть на па́дающие звёзды.

— Побу́дьте со мной ещё мину́ту, — сказа́л я. — Прошу́ вас.

Я люби́л Же́ню. Должно́-быть, я люби́л её за то, что она́ встреча́ла и провожа́ла меня́, за то, что смотре́ла на меня́ не́жно и с восхище́нием. Как тро́гательно прекра́сны бы́ли её бле́дное лицо́, то́нкая ше́я, то́нкие ру́ки, её сла́бость, пра́здность, её кни́ги. А ум? Я подозрева́л у неё недю́жинный ум, меня́ восхища́ла широта́ её воззре́ний, быть-мо́жет потому́, что она́ мы́слила ина́че, чем стро́гая, краси́вая Ли́да, кото́рая не люби́ла меня́. Я нра́вился Же́не, как худо́жник, я победи́л её се́рдце свои́м тала́нтом, и мне стра́стно хоте́лось писа́ть то́лько для неё, и я мечта́л о ней, как о свое́й ма́ленькой короле́ве, кото́рая вме́сте со мно́ю бу́дет владе́ть э́тими дере́вьями, поля́ми, тума́ном, зарёю, э́тою приро́дой, чуде́сной, очарова́тельной, но среди́ кото́рой я, до сих пор, чу́вствовал себя́ безнадёжно одино́ким и нену́жным.

— Оста́ньтесь ещё мину́ту, — попроси́л я. — Умоля́ю вас.

Я снял с себя́ пальто́ и прикры́л её озя́бшие пле́чи; она́, боя́сь показа́ться в мужско́м пальто́ смешно́й и некраси́вой, засмея́лась и сбро́сила его́, и в э́то вре́мя я о́бнял её и стал осыпа́ть поцелу́ями её лицо́, пле́чи, ру́ки.

— До за́втра! — прошепта́ла она́ и осторо́жно, то́чно боя́сь нару́шить ночну́ю тишину́, обняла́ меня́. — Мы не име́ем тайн друг от дру́га, я должна́ сейча́с рассказа́ть всё ма́ме и сестре́. . . . Э́то так стра́шно. Ма́ма ничего́, ма́ма лю́бит вас, но Ли́да!

Она́ побежа́ла к воро́там.

— Проща́йте! — кри́кнула она́.

И пото́м мину́ты две я слы́шал, как она́ бежа́ла. Мне не хоте́лось домо́й, да и не́зачем бы́ло итти́ туда́. Я постоя́л немно́го в разду́мьи и ти́хо поплёлся наза́д, что́бы ещё взгляну́ть на дом, в кото́ром она́ жила́, ми́лый, наи́вный, ста́рый дом, кото́рый, каза́лось, о́кнами своего́ мезони́на гляде́л на меня́, как глаза́ми, и понима́л всё. Я прошёл ми́мо терра́сы, сел на скамье́ о́коло площа́дки для лоун-те́нниса, в темноте́ под ста́рым вя́зом, и отсю́да смотре́л на дом. В о́кнах мезони́на, в кото́ром жила́ Мисю́сь, блесну́л я́ркий свет, пото́м поко́йный зелёный — э́то ла́мпу накры́ли абажу́ром. Задви́гались те́ни. . . . Я был по́лон не́жности, тишины́ и дово́льства собо́ю, дово́льства, что суме́л увле́чься и полюби́ть, и в то же вре́мя я чу́вствовал неудо́бство от мы́сли, что в э́то же са́мое вре́мя, в не́скольких шага́х от меня́, в одно́й из ко́мнат э́того до́ма живёт Ли́да, кото́рая не лю́бит, быть-мо́жет ненави́дит меня́. Я сиде́л и всё ждал, не вы́йдет ли Же́ня, прислу́шивался, и мне каза́лось, бу́дто в мезони́не говоря́т.

Прошло́ о́коло ча́са. Зелёный ого́нь пога́с, и не ста́ло ви́дно тене́й. Луна́ уже́ стоя́ла высо́ко над до́мом и освеща́ла спя́щий сад, доро́жки: георги́ны и ро́зы в цветнике́ пе́ред до́мом бы́ли отчётливо видны́ и каза́лись все одного́ цве́та. Станови́лось о́чень хо́лодно. Я вы́шел из са́да, подобра́л на доро́ге своё пальто́ и не спеша́ побрёл домо́й.

Когда́ на друго́й день, по́сле обе́да, я пришёл к Волчани́новым, стекля́нная дверь в сад была́ откры́та на́стежь. Я посиде́л на терра́се, поджида́я, что вот-вот за цветнико́м на площа́дке и́ли на одно́й из алле́й пока́жется Же́ня, и́ли донесётся её го́лос из ко́мнат; пото́м я прошёл в гости́ную, в столо́вую. Не было ни души́. Из столо́вой я прошёл дли́нным коридо́ром в пере́днюю, пото́м наза́д. Тут в коридо́ре бы́ло не́сколько двере́й, и за одно́й из них раздава́лся го́лос Ли́ды.

— Воро́не где́-то . . . Бог . . . — говори́ла она гро́мко и протя́жно, вероя́тно, дикту́я. — Бог посла́л кусо́чек сы́ру. . . . Воро́не . . . где́-то. . . . Кто там? — окли́кнула она́ вдруг, услы́шав мои́ шаги́.

— Э́то я.

— А! Прости́те, я не могу́ сейча́с вы́йти к вам, я занима́юсь с Да́шей.

— Екатери́на Па́вловна в саду́?

— Нет, она́ с сестро́й уе́хала сего́дня у́тром к тёте, в Пе́нзенскую губе́рнию. А зимо́й, вероя́тно, они́ пое́дут заграни́цу . . . — доба́вила она́, помолча́в. — Воро́не где́-то. . . . Бо-ог посла́л ку-усо́чек сы́ру. . . . Написа́ла?

Я вы́шел в пере́днюю и, ни о чём не ду́мая, стоя́л и смотре́л отту́да на пруд и на дере́вню, а до меня́ доноси́лось:

— Кусо́чек сы́ру. . . . Воро́не где́-то Бог посла́л кусо́чек сы́ру.

И я ушёл из уса́дьбы то́ю же доро́гой, како́й пришёл сюда́ в пе́рвый раз, то́лько в обра́тном поря́дке: снача́ла со двора́ в сад, ми́мо до́ма, пото́м по ли́повой алле́е. . . . Тут догна́л меня́ мальчи́шка и по́дал запи́ску. «Я рассказа́ла всё сестре́, и она́ тре́бует, что́бы я расста́лась с ва́ми, — прочёл я. — Я была́ не в си́лах огорчи́ть её свои́м неповинове́нием. Бог даст вам сча́стья, прости́те меня́. Е́сли бы вы зна́ли, как я и ма́ма го́рько пла́чем!»

Пото́м тёмная ело́вая алле́я, обвали́вшаяся и́згородь. . . . На том по́ле, где тогда́ цвела́ рожь и крича́ли перепела́, тепе́рь броди́ли коро́вы и спу́танные ло́шади. Кое-где́ на холма́х я́рко зелене́ла о́зимь. Тре́звое, бу́дничное настрое́ние овладе́ло мной, и мне ста́ло сты́дно всего́, что я говори́л у Волчани́новых, и попре́жнему ста́ло ску́чно жить. При́дя домо́й, я уложи́лся и ве́чером уе́хал в Петербу́рг.

Бо́льше я уже́ не ви́дел Волчани́новых. Ка́к-то неда́вно, е́дучи в Крым, я встре́тил в ваго́не Белоку́рова. Он попре́жнему был в поддёвке и в вы́шитой соро́чке и, когда́ я спроси́л его́ о здоро́вьи, отве́тил: «Ва́шими моли́твами». Мы разговори́лись. Име́ние своё он про́дал и купи́л друго́е, поме́ньше, на и́мя Любо́ви Ива́новны. Про Волчани́новых сообщи́л он немно́го. Ли́да, по его́ слова́м, жила́ попре́жнему в Шелко́вке и учи́ла в шко́ле детéй; мало-по-ма́лу ей удало́сь собра́ть о́коло себя́ кружо́к симпати́чных ей людéй, кото́рые соста́вили из себя́ си́льную па́ртию и на после́дних зе́мских вы́борах «прокати́ли» Бала́гина, держа́вшего до того́ вре́мени в свои́х рука́х весь уе́зд. Про Же́ню же Белоку́ров сообщи́л то́лько, что она́ не жила́ до́ма и была́ неизве́стно где.

Я уже́ начина́ю забыва́ть про дом с мезони́ном, и лишь и́зредка, когда́ пишу́ и́ли чита́ю, вдруг ни с того́, ни с сего́ припо́мнится мне то зелёный ого́нь в окне́, то звук мои́х шаго́в, раздава́вшихся в по́ле но́чью, когда́ я, влюблённый, возвраща́лся домо́й и потира́л ру́ки от хо́лода. А ещё ре́же, в мину́ты, когда́ меня́ томи́т одино́чество и мне гру́стно, я вспомина́ю сму́тно и мало-по-ма́лу мне почему́-то начина́ет каза́ться, что обо мне то́же вспомина́ют, меня́ ждут, и что мы встре́тимся. . . .

Мисю́сь, где ты?

NOTES

References are to page and line.

ТО́ЛСТЫЙ И ТО́НКИЙ

Written in 1883, this is one of Chekhov's best early comic stories. It differs from the majority of his stories of this period by its distinctly satirical note. Bureaucracy in its various aspects was one of the favourite targets for satire in Russian literature; compare the story «Экза́мен на чин» below. But «То́лстый и то́нкий» has also general human significance.

13.1. Никола́евская желе́зная доро́га, 'Nicholas Railway': the railway between St. Petersburg (Leningrad) and Moscow, so called after the Emperor Nicholas I in whose reign it was built; now renamed Октя́брьская after the October Revolution of 1917.

13.5. флёр-д'ора́нж, 'fleurs d'orange': here used as the name of a scent or lotion.

13.9. гимнази́ст, 'schoolboy': derived from гимна́зия (*Gymnasium*), a secondary school of the standard type, where Latin (and, until the end of the nineteenth century, also Greek) formed an important part of the syllabus; hence the expressions класси́ческая гимна́зия and класси́ческое образова́ние. In this respect гимна́зия differed from реа́льное учи́лище (*Realschule*), where classical languages were not taught and stress was laid more on modern subjects. As may be seen, both terms were derived from German, the Russian educational system in the nineteenth century being modelled largely on the German.

13.12. голу́бчик: a diminutive of го́лубь, 'pigeon', commonly used both as a term of endearment ('darling'), and as a somewhat condescending or ironical form of address (something like 'old chap'). Feminine form—голу́бушка.

13.13. Ми́ша: diminutive of Миха́ил, 'Michael'.

13.15. троекра́тно облобыза́лись, 'kissed each other three times': this was not uncommon in Russia, especially before or after long separation. The threefold kiss is more particularly associated with the traditional Easter greeting. Лобыза́ть(-ся) is more or less archaic, and in modern usage can have a facetious flavour; its modern equivalent is целова́ть(-ся).

13.21. Что̀ же ты?, 'And how are *you* getting on?'

13.23. лютера́нка, 'a Lutheran'.

13.24. Нафанаи́л, 'Nathaniel'; Нафа́ня, diminutive form.

13.24. учени́к III кла́сса, 'pupil of the third form'. In Russian secondary schools of the standard type there were usually eight forms, numbered from below.

13.25. гимна́зия: see above, note 13.9.

13.28. Герострáт, 'Herostratus' (or 'Eratostratus'): an Ephesian who burnt down the famous temple of Diana in Ephesus with the sole object of acquiring immortal fame.

13.29. казённая кни́жка, 'a book which was the property of the State'. The word казённый is derived from казна́ ('Treasury') and is used to denote anything pertaining to the State or officialdom; thus, по казённому де́лу, 'on official business'; казённая со́бственность, 'Crown, or State, property'. By analogy, the term was used in other than State institutions to indicate something belonging to the institution.

14.1. Эфиа́льт, 'Ephialtes': he betrayed the Spartans at Thermopylae by showing the Persians a secret path and enabling them to attack Leonidas. His name has become synonymous with 'traitor'. These nicknames illustrate the classical bent which prevailed in Russian secondary schools at the end of the nineteenth century.

14.9. колле́жский ас(с)е́ссор, 'collegiate assessor': the eighth grade of the Civil Service hierarchy set up by Peter the Great, the so-called Та́бель о ра́нгах, which remained in force up to the Revolution. There were fourteen grades, the fourteenth being the lowest. The titles of the grades were borrowed from Sweden. Peter copied also much of the organization of the Civil Service itself from Sweden, including the system of 'Colleges', under which responsibility for a given branch of State business was vested in a 'Collegium' or Commission, not in a single Minister. Ministries of the usual type were introduced into Russia under Alexander I in 1802.

14.10. Станисла́в, 'the Order of St. Stanislas': awarded to civil servants. Originally a Polish Order, it was later incorporated into the Orders of the Russian Empire.

14.16. столонача́льник, 'head of a section': Ministries and other Government departments were divided into sections known as столы́ ('tables' or 'desks').

14.18. ста́тский: abbreviation for ста́тский сове́тник, 'State Councillor', the lowest of the four higher grades in the Civil Service, the next three being действи́тельный ста́тский сове́тник, та́йный сове́тник ('Privy Councillor'), and действи́тельный та́йный сове́тник. See also above, note 14.9.

14.20. та́йного (*sc.* сове́тника): see above, note 14.18.

14.21. звезда́, 'star': one of the higher decorations.

14.27. вы́тянулся во фрунт: фрунт archaic for фронт.

14.29. ва́ше превосходи́тельство, 'Your Excellency': the accepted form of address for officials of the second and third rank at the top of the Civil Service ladder, as well as for Major-General and Lieutenant-General in the Army and Rear-Admiral and Vice-Admiral in the Navy; for the highest rank in both civil and military service the proper form of address was ва́ше высокопревосходи́тельство.

14.29. прия́тно-с: с is an abbreviation of су́дарь, 'sir', and was often added in the old days by persons of low social standing, especially of the official class, in addressing their superiors; also by servants speaking to their masters. In modern times it fell into disuse and came to be looked upon as a sign of servility. Though often a mere conventional sign of politeness, it could sometimes have a note of exaggerated self-humiliation, of facetiousness, and even of anger and irritation. Note the change in the 'thin man's' tone, his use of the official form of address, and of the polite plural instead of the singular which he had been using till now in speaking to his former schoolfellow: all this because he has just learned to what heights the latter has risen. (Cf. Chekhov's use of -с in «Экза́мен на чин» and «Неуда́ча», below.)

МА́ЛЬЧИКИ

Written in 1887. Chekhov has several stories about children all of which show great insight into child psychology, and sympathy with children. Some of them are known to portray children of his friends.

16.1. Воло́дя: diminutive of Влади́мир.

16.2. Воло́дичка: affectionate form of Воло́дя.

16.2. прие́хали: servants and other persons of low social standing often used the plural when speaking of their masters or superiors.

16.6. ро́звальни: a wide peasant sleigh, with sides higher at the front than at the back, and without seats, used for conveying fuel-logs, sacks of grain, &c.

16.6. тро́йка: three horses harnessed abreast to a carriage or sledge.

16.9. башлы́к: a kind of hood often worn by Russians, especially children. It has long ends which either hang loosely or, for greater protection against cold, are crossed under the chin and thrown back over the shoulders.

16.9. гимнази́ческое пальто́, 'school uniform overcoat': see note on гимна́зия («То́лстый и то́нкий», 13.9).

16.15. **ва́ленки, 'felt boots'**: knee-boots blocked from felt, worn by the majority of peasants and of workers in towns instead of the more expensive leather boots. They were also often worn by children.

16.21. **Мило́рд, 'Milord'**: a dog's name. French and English names were often given to dogs in Russia.

17.4. **Чечеви́цын** (from чечеви́ца, lentils): Chekhov's use of proper names would deserve a special study. In the earlier stories he showed a predilection for frankly amusing, facetious, often improbable, but never impossible, surnames, whether Russian or foreign, e.g. Трамбля́н (Fr. 'Tremblant') in «О́рден», Шампу́нь ('Shampoo') in «Францу́з», &c. At the same time, many names indicate characteristics or foibles he wishes to imply or stress in his characters, e.g. Змиежа́лов (from 'serpent' and 'sting') and Пивомёдов (from 'beer' and 'mead') in «Экза́мен на чин» below. In later stories and in plays the choice of names becomes more subtle, while remaining equally inventive. The same care was bestowed by Chekhov on the choice of Christian names and patronymics. In «Ма́льчики» the name Чечеви́цын is used as a pun, while in a well-known early comic story («Лошади́ная фами́лия») the whole point of the story is in the name.

17.4. **учени́к второ́го кла́сса**: see note to «То́лстый и то́нкий», 13.24.

17.15. **самова́р, 'samovar'**: a copper, brass, or plated urn used for boiling water. The name means 'self-boiler' (from сам, 'self', and вари́ть, 'to boil'). The samovar is heated by charcoal placed in a central tube or chimney passing right through it. The water is kept boiling for a long time, and is run off by a tap.

17.21. **провожа́ючи**: colloquial form of the present indeclinable participle (gerund) of провожа́ть, instead of провожа́я.

18.2. **куха́ркин сын, 'cook's son'**. The expression came to be widely used to denote children of plebeian stock, when, in 1887, it appeared in an official circular of the reactionary Minister of Education Delyanov instructing school authorities to put a brake on the democratization of secondary schools, a process which was going on rapidly at the time.

18.30. **Ива́н Никола́ич (Никола́евич), 'Ivan, Nicholas's son'**. The usual form of address in Russian is by name (и́мя) and patronymic (о́тчество), that is, a modified form of the father's name. Among people of certain classes this form of address was used even between husband and wife, as here, although the Christian name alone, or its diminutive form, was more usual in such a relationship. The surname was seldom used in Russia in addressing people, except by schoolmasters addressing children in school, or in military service. Nowadays the use of the surname preceded by това́рищ, 'comrade', has become fairly common; and граждани́н ('citizen') with the surname is also frequently heard. But the name-*cum*-patronymic is still the usual form of address.

19.7. снеговáя горá: artificially built snow hill used for tobogganing, a very popular form of winter sport in Russian towns and villages. Such snow hills are a feature of most public gardens and parks in Russia. Cf. 33.4 below.

19.13. Пермь: a large provincial town in north-eastern Russia, west of the Urals, capital of the Perm Province, and now known as Molotov.

19.14. Тюмéнь, Томск: towns in Siberia.

19.15. Камчáтка: the peninsula at the north-eastern tip of Siberia.

19.16. Бéрингов проли́в: the Bering Straits, which divide Asia from America.

19.27. Майн-Рид: Captain Thomas Mayne Reid (1818–83), Anglo-Irish author of popular adventure stories. His books, especially *The Headless Horseman* and *The Scalp Hunters*, enjoyed great popularity among Russian boys.

20.13. Монтигóмо Ястреби́ный Кóготь, 'Montigomo Hawk's Claw': Chechevitsyn gives himself a typical Red Indian name.

20.29. четы́ре рубля́: a pre-revolutionary rouble was worth about two shillings.

20.31. верстá, 'verst': a pre-revolutionary measure of distance, equal to two-thirds of the statute mile. Since the Revolution the metric system of measurement has been adopted in the Soviet Union.

21.16. икóна, 'ikon': a holy picture (of Christ, the Virgin Mary, or one of the Saints). They were usually painted on wood, and some were encased in silver or gold and adorned with jewels.

21.25. пост, 'period of fasting'. Apart from the seven weeks of Lent (called Вели́кий Пост, 'Great Fast'), there are several other fixed periods, of shorter duration, when the Orthodox Church prescribes fasting.

23.2. людскáя, 'servants' quarters'. The word лю́ди, 'people', was often used in the sense of 'servants', e.g. пойти́ в лю́ди, 'to go as a servant'; жить в лю́дях, 'to live as a servant'. On the other hand the expression вы́йти в лю́ди means 'to work up one's way socially', 'to get on in the world'.

23.2. фли́гель, German *Flügel*: a wing of a large house, or a separate smaller house. It might be occupied by part of the family, by guests, or by the owner who had let the main part of the house (cf. «Дом с мезони́ном» below); or it could be used, as in «Мáльчики», to accommodate employees (прикáзчики).

23.2. прикáзчик: the word indicated in pre-revolutionary Russia various types of employee entrusted with supervisory duties over others, 'steward', 'overseer', 'foreman'; or with responsibility for conducting an employer's affairs, 'agent'; it was also used for 'shop-assistant'.

23.17. Гости́ный Двор: the main shop arcade in a town. The expression is derived from the old meaning of the word гость, 'merchant'.

ЭКЗА́МЕН НА ЧИН

Written in 1884. The title refers to the practice of subjecting to a special examination in the ordinary school curriculum candidates for a grade in the Civil Service, even when these candidates, like the one in this story, were old men with considerable service and practical experience to their credit. Chekhov mildly satirizes this practice in his story, showing us an old postal clerk who, after twenty-one years of service, has to pass an elementary test in arithmetic, geography, geometry, Russian spelling, &c., in order to become entitled to the lowest Civil Service grade.

25.1. Гáлкин: from гáлка, 'jackdaw'; see note to «Мáльчики», 17.4.

25.2. вéрьте-с: see note to «Тóлстый и тóнкий», 14.29.

25.2. экзáмента: semi-literate usage, instead of экзáмена.

25.4. Ефи́м Захáрыч (for Захáрович): see note to «Мáльчики», 18.30.

25.13. ми́лостивый госудáрь, 'Dear Sir': the usual polite form of addressing strangers, especially in letters.

25.14. восстаёт на меня́ áки Сáул, 'rails at me like Saul': a biblical reference in appropriate biblical language. áки, Slavonic for как.

25.15. Егóрушка: diminutive of Егóр, 'George'.

25.15. едини́цы вывóдит: едини́ца, 'unit', 'one'—the lowest mark in schools under the pre-revolutionary five-mark system, recently restored in the Soviet Union. Translate: 'gives him bad marks'.

25.21. Пивомёдов: see note to «Мáльчики», 17.4. Note also in «Экзáмен на чин» the names of Ахáхов (from ах-ах, 'ah! ah!'), Хáмов (from хам, 'cad'), Фéндриков (from фéндрик, a distortion of German *Fähnrich*, 'ensign'). The name of Змиежáлов has a distinct ecclesiastical flavour: see note on «Студéнт» below, 57.9.

25.22. уéздное учи́лище, 'district school'. Уéзд, 'district', an old administrative subdivision of губéрния, 'province'. Now replaced by райóн, as губéрния is by óбластъ.

26.1. фрак, 'tail-coat': a blue tail-coat was part of the uniform worn by the personnel of State schools. They were regarded as civil servants.

26.6. шта́тный смотри́тель, 'superintendent', 'inspector'. Шта́тный (from штат) means 'on the staff'.

26.8. законоучи́тель: the master in charge of religious instruction, always a clergyman. Зако́н Бо́жий (catechism) was an obligatory subject in all Russian schools before the Revolution, non-Orthodox pupils alone being exempt from it.

26.9. камила́вка: from Greek *καμηλαύκιον*, a violet velvet skull-cap worn by priests.

26.9. напе́рсный крест, 'pectoral cross', which priests wear on a chain round their neck; from Slavonic персь=грудь ('breast', 'chest').

26.17. вольноопределя́ющийся тре́тьего разря́да, '3rd class volunteer': вольноопределя́ющийся was a person who, on the strength of having had a secondary or higher education, could enter military service of his own accord and enjoyed certain privileges, including shorter duration of service. This differed according to the extent of education received, all 'volunteers' being divided into three classes (разря́ды). From 1906 (that is, after this story was written) the number of classes was reduced to two, involving one and two years of service respectively, instead of the three years which ordinary recruits had to serve.

26.21. ва́ше высокоро́дие: something like 'Your Honour', the usual form of addressing civil servants holding the rank of State Councillor (see notes to «То́лстый и то́нкий», 14.9, 14.18, and 14.29).

26.25. для представле́ния меня́ к чи́ну колле́жского регистра́тора, 'to recommend me for promotion to the rank of collegiate registrar' (the lowest, i.e. the fourteenth, grade in the Civil Service). See note on «То́лстый и то́нкий», 14.9.

26.27. пе́рвый кла́ссный чин: see above, note 26.25.

27.1. «хараша́... пить», i.e. хороша́ холо́дная вода́, когда́ хо́чется пить, spelt phonetically.

27.15. из кни́ги Давы́дова: Davydov's text-book of geometry.

27.16. Варсоно́фий: Christian name.

27.17. Тро́ице-Се́ргиевской, Вифа́нской тож, семина́рии: 'from the Trinity-Sergius, alias Bethanian, Seminary', a well-known ecclesiastical seminary attached to the Bethanian monastery, which was situated close to the famous Trinity-Sergius monastery, near Moscow, founded by St. Sergius of Radonezh in the fourteenth century. The seminary trained the ordinary clergy; a higher ecclesiastical education was given in the Ecclesiastical Academies (see note on «Студе́нт» below, 57.9).

27.18. планиме́трия and стереоме́трия: the two main divisions of geometry as taught in Russian schools.

27.28. прика́зы по о́кругу: orders and regulations issued by the Curator of the Educational District.

27.29. То́чно так: the equivalent of да, 'yes', in military parlance. Its negative counterpart is ника́к нет.

28.5. Ганг: the river Ganges.

28.6. Геогра́фия Смирно́ва: Smirnov's text-book of geography.

28.8. текёт: ungrammatical for течёт.

28.10. Ара́кс: the river Aras, which rises in Turkey and for the greater part of its course forms the boundary between Transcaucasia and Persia.

28.11. губе́рния, 'province', see note 25.22 above.

28.11. Жито́мир: principal town in the Volyn province, in south-western Russia.

28.12. тракт 18, ме́сто 121, 'Route No. 18, locality No. 121': Fendrikov refers to Zhitomir by its official postal designation.

28.17 оте́ц протоиере́й, 'the Very Reverend Father'. Протоиере́й, 'archpriest'.

28.17. мо́гут подтверди́ть: for the use of the plural verb see note on «Ма́льчики», 16.2.

28.18. тепе́рь э́то са́мое, кото́рое: from nervousness Fendrikov begins to speak incoherently.

28.24. Покро́в (Пресвято́й Богоро́дицы), 'the Feast of the Intercession of the Holy Virgin', 1 October (Old Style), commemorating an event which occurred in Constantinople in the tenth century, when, during a war between Byzantium and the Saracens, a vision was seen of the Holy Virgin, attended by Saints, spreading a cover over the Byzantine troops to protect them. The word покро́в means 'cover, protection'. The day of Покро́в was regarded in Russia as the beginning of winter, and there are many proverbs and popular sayings indicating this.

28.24. ничего́ то́лку: for никако́го то́лку = 'no use', 'no sense'.

28.28. гове́ю ежего́дно: гове́ть means 'to keep a period of fasting' at the end of which one goes to confession and receives the Holy Communion. This was usually (but not necessarily) done during Lent. Before the Revolution this practice was more or less obligatory for all civil servants (as well as for pupils in State schools), and a certain amount of control was exercised by civil and ecclesiastical authorities to see that it was kept. Failure to observe it was apt to incur displeasure and suspicion of free-thinking, not only in religious, but also in political matters.

29.4. ша́пку с кока́рдой: a peaked cap with the official badge of the Department of Posts.

НЕУДА́ЧА

Written in 1886. A good example of an early story of Chekhov's which is a sheer unadulterated anecdote.

30.1. Илья́ Серге́ич (for Серге́евич), Клеопа́тра Петро́вна: see note to «Ма́льчики», 18.30.

30.4. Ната́шенька: affectionate form of Ната́ша, which is a diminutive of Ната́лья, 'Natalie'.

30.5. уе́здное учи́лище: see note to «Экза́мен на чин», 25.22.

30.7. Петро́вна: see note to «Ма́льчики», 18.30. Among a certain class of people, especially in the country, the patronymic was often used alone, that is without the first name, as a form of familiar address.

30.8. о́браз: the same as ико́на (see note to «Ма́льчики», 21.16). According to Russian custom the newly betrothed couple had to receive a blessing with a holy ikon from the parents, and this gave the betrothal force and validity.

30.18. каки́е вы стра́нные: for како́й вы стра́нный. This represents an affectedly polite way of speaking favoured by semi-educated people from the lower and lower-middle classes.

30.21. э́то ничего́ не зна́чит-с: see note on the use of -c, «То́лстый и то́нкий», 14.29.

30.24. Некра́сов, 1821–77: a well-known Russian poet.

31.9. яи́чное мы́ло: a toilet soap of which egg was an ingredient; regarded as particularly good for the complexion, it was often used by young girls.

32.5. ба́тюшки-све́ты: intensified form of ба́тюшки, 'goodness gracious'.

32.9. Лаже́чников, 1792–1869: a Russian historical novelist, one of the followers of Sir Walter Scott.

ШУ́ТОЧКА

Written in 1886. One of the earliest stories in which the characteristic Chekhovian motif of frustration comes to the fore.

33.2. На́денька: affectionate form of На́дя, which is a diminutive of Наде́жда, 'Hope'.

33.4. горá: see note to «Мáльчики», 19.7. Here probably refers to an artificial structure. Such 'ice hills' were often to be found in Russian parks and public gardens.

33.12. калóши, 'overshoes': an indispensable part of a Russian's winter outfit, and worn also through the muddy seasons of spring and autumn.

35.9. башлы́к: see note to «Мáльчики», 16.9.

35.28. катóк, 'skating rink'. The word is also used to denote the whole of the winter-sports arrangements in a public park or sports club.

37.5. ледянáя горá: see above, 33.4.

38.1. дворя́нская опéка: the Court of Wards of the Gentry. In pre-revolutionary Russia the system of wardship was organized on a class basis.

БЕЛОЛÓБЫЙ

Written in 1895. Next to 'Kashtanka', the famous story about a dog, Chekhov's best animal story. A great favourite with Russian children. Title Белолóбый, 'Whitebrow'.

39.23. в верстáх четырёх, 'about four versts': the usual form would be верстáх в четырёх. This is a slight licence on the part of Chekhov. For верстá see note on «Мáльчики», 20.31.

39.24. зимóвье, 'winter station', 'winter quarters': the place where workmen live while engaged on a piece of winter work near by. Here probably the winter lodge of a forest keeper.

39.24. Игнáт: popular form of Игнáтий, 'Ignatius'.

41.3. пошёл к свисткý, 'off at the whistle'.

42.27. мня, мня... нга-нга-нга!: an attempt on the part of Chekhov to render the sounds uttered by the puppy.

43.2. наст: frozen crust of snow.

44.26. фюйть!: a rendering of the sound of whistling.

45.4. стрáнник, 'wanderer', 'pilgrim'. It was customary among Russian people to afford shelter and hospitality to such pilgrims, large numbers of whom were to be met on the roads, most of them going to visit various shrines or monasteries.

45.14. Бóжий человéк, 'man of God': a common designation of pilgrims.

КРАСÁВИЦЫ

Written in 1888. One of the comparatively few stories of Chekhov which evoke the country where he spent his childhood, the Don Cossack region around Taganrog and Rostov. Like «Степь», the best and the most famous of these stories, it is clearly based on childhood recollections, and has a peculiarly nostalgic quality. The sense of sadness inspired by things beautiful is characteristic of the mature Chekhov. Note the symmetrical composition of the story as a diptych, to be found now and again in Chekhov's mature stories (cf. «На свя́тках» below). The same compositional device was skilfully exploited by some of Chekhov's successors and followers, e.g. Ivan Bunin (in 'The Village' and some short stories). «Краса́вицы» is a very good example of a purely static story where nothing really happens and everything is based on the evocation of an 'atmosphere'.

46.1. гимнази́ст: see note to «То́лстый и то́нкий», 13.9.

46.2. Больша́я Кре́пкая: the name of a стани́ца, the term applied to Cossack settlements in the Don region.

46.2. Донска́я о́бласть, 'the Don region': officially known then as О́бласть Во́йска Донско́го, the region inhabited by the Don Cossacks.

46.3. Росто́в-на-Дону́: Rostov-on-Don, the capital of the Don region.

46.7. хохо́л, 'tuft', 'top-knot': a word used by the Great Russians, often ironically, to denote the Little Russians, or Ukrainians; derived from the long tuft of hair worn, with the rest of the head shaven, by the Cossacks in the seventeenth century.

46.7. Карпо́: the Ukrainian form of the name Карп.

46.12. армя́нское село́: a considerable part of the population of the big commercial towns in the Don region, like Rostov, Taganrog, and Nakhichevan', was Armenian. Much of the trade of the region was in the hands of the Armenians, and there were also villages around Rostov inhabited mainly by Armenians.

46.12. Бахчи́-Салы́, 'Bakhchi-Saly': the name of a village.

46.18. чубу́к, 'chibouk': the long mouthpiece of a Turkish pipe.

46.21. шарова́ры: long, loose trousers of the Oriental type, tied over the ankle. Also used of wide breeches, tucked into top-boots and hanging over the top of the boots.

47.7. самова́р: see note to «Ма́льчики», 17.15. Ста́вить самова́р means to fill the samovar with charcoal and water and heat it.

47.17. хохлу́шка: the feminine of хохо́л; see above, note 46.7.

47.19. Ма́шя: the Armenian's mispronunciation of Ма́ша, the diminutive of Мари́я.

47.22. Мо́я посу́ду: it was customary to rinse the cups and spoons in hot water from the samovar before pouring out the tea.

47.25. панталóны: being an Armenian, Masha was wearing long, loose trousers, tied at the ankles, as worn by women in many parts of the East (referred to at 46.21 above as шаровáры).

48.11. госпóдский дом, 'master's house', the 'big house'.

48.22. Авéт Назáрыч (for Назáрович): see note to «Мáльчики», 18.30. Авéт is an Armenian name.

51.17. арбá: a high-sided cart used in the Caucasus, the Crimea, and the south of Russia in general, as distinct from the ordinary Russian low-sided cart, телéга. The word is of Turkish origin.

52.16. дрóги: a kind of dray, a vehicle consisting of two pairs of wheels, joined by a plank platform, without seats or cover. The singular дрогá means 'perch', or 'crane', of a cart. The word дрóжки, in form a diminutive of дрóги, is also used to denote an ordinary hackney carriage.

52.19. Нахичевáнь: a trading town close to Rostov-on-Don. The name is Armenian, the town having a considerable Armenian population.

52.21. армя́шка: derogatory form of армяни́н. Here used rather humorously than contemptuously.

52.27. Бéлгород: a town between Kursk and Kharkov.

52.27. Хáрьков: the second largest town in the Ukraine, now the industrial capital of the Ukrainian Soviet Republic.

53.15. ру́сский костю́м: this usually consisted of a white puff-sleeved embroidered blouse, worn with a full gathered skirt on a yoke (сарафáн), and a white pinafore. With it went several rows of multicoloured beribboned beads and a red, or other bright-coloured, kerchief.

54.31. тэк-с: a pronunciation of так-с sometimes affected by Russians, with varying significance according to the character of the speaker.

55.1. вторóй звонóк: the departure of trains was announced in Russia by three successive ringings of a bell. See below, 56.4.

56.13. óзими: rye, the grain from which black bread is made, is sown in the autumn. It comes up before the snow and is a vivid green directly the snow melts. These fields of autumn-sown grain are a distinctive feature of the Russian countryside in autumn and spring.

СТУДÉНТ

Published in 1894. One of Chekhov's best stories, showing his mastery in evoking an atmosphere and subtly conveying changes of mood. Though not himself a churchman, Chekhov was capable—as in this story and in another, called «Архиерéй» ('The Bishop')—of showing sympathetically the religious approach to life. This story has sometimes been adduced in refutation of the widespread notion that Chekhov was essentially a pessimist.

57.9. Великопо́льский: a typically clerical name. Candidates for the priesthood often had their surnames changed in ecclesiastical seminaries to better-sounding ones. Hence the frequency of surnames derived from names of religious feasts, such as Благове́щенский, Крестовоздви́женский, Покро́вский, Воскресе́нский, Вознесе́нский. Such double surnames as Змиежа́лов (see above «Экза́мен на чин»), or surnames of Latin or floral origin (Бенево́ленский, Туберо́зов, Гиаци́нтов, &c.) were sometimes invented by writers of fiction.

57.9. духо́вная акаде́мия: a higher ecclesiastical educational establishment. The ecclesiastical academies had a very high standard of teaching and produced many outstanding Russian lay scholars in various fields, especially history and law.

57.10. дьячёк: a Church servant, not belonging to the clergy, with a variety of duties, including those of clerk and chorister.

57.10. тя́га: the mating season of snipe in spring, beginning soon after their return from migration and lasting till June. **Ходи́ть на тя́гу**—to go shooting in the evening during this period.

57.11. заливны́м лу́гом, 'through the water-meadow', i.e. meadow subject to flooding in spring, the best for hay and pasture.

57.18. верста́: see note to «Ма́льчики», 20.31.

57.21. самова́р: see note to «Ма́льчики», 17.15.

57.21. лежа́л на печи́: Russian peasants (and the дьячёк, socially speaking, was little more than a simple peasant) often slept on the low flat oven, the warmest spot in the изба́ (peasant's log house).

57.22. страстна́я пя́тница, 'Good Friday'. It was customary in Russia to observe a complete fast on Good Friday.

57.25. Рю́рик: a ninth-century Varangian prince, the supposed founder of the first Russian dynasty.

57.25. Иоа́нн Гро́зный: Ivan the Terrible, Tsar of Muscovy (1533–84).

57.26. Пётр: Peter the Great, the first Russian emperor (1682–1725).

58.6. Васили́са: Christian name.

58.8. Луке́рья: Christian name (derived from Глике́рия).

58.16. бога́тым быть, 'You will grow rich': according to a Russian superstition, if you do not recognize a person, it means that that person is to become rich.

58.28. ба́бушка, 'grandmother': popularly used as a familiar form of address in speaking to an old woman.

59.1. двена́дцать ева́нгелий, 'the Twelve Gospels': a special service in the Orthodox Church on the evening of Maundy Thursday when twelve passages from the Gospels, telling the whole story of the Passion, are read, sometimes not only in Church Slavonic, but in Greek, Latin, and other languages.

59.4. Иису́с: Jesus.

59.10. Иу́да: Judas.

60.6. И исше́д вон, пла́кася го́рько, 'And he went out, and wept bitterly' (St. Matthew, xxvi. 75). This is in Church Slavonic, the language of the Russian Bible and Church ritual.

60.7. ти́хий-ти́хий, тёмный-тёмный: a repetition of an adjective or adverb in this way has an intensifying force. Cf. ско́ро-ско́ро in «А́нна на ше́е», 87.1, and дли́нного-дли́нного in «Дом с мезони́ном», 112.2.

61.11. паро́м, 'ferry': probably quite primitive, a floating platform taking two or three carts and pulled across on a rope or cable by the passengers.

НА СВЯ́ТКАХ

Written in 1900, this story is an excellent example of Chekhov's technique of understatement, of his capacity for suggesting dramatic situations and effects by the most economical means, and of his 'inconclusive' endings. Underlying it, one can also note a motif common to much of Russian literature, especially since the emancipation of the peasants in 1861—the motif of opposition between the country and the town, their life, their interests, their attitude to the world. Efimya belongs wholly to the country, is rooted in its life, while her husband has become completely uprooted and urbanized. This is one of Chekhov's last stories.

62.12. со слу́жбы, 'from military service'.

62.16. пятиалты́нный, '15 copecks'. Алты́н, an old three-copeck copper piece. Рубль (see note to «Ма́льчики», 20.29) = 100 copecks.

63.3. Любе́зному на́шему зя́тю..., 'To our beloved son-in-law...': the traditional, rather high-sounding, formula with which uneducated people often began their letters.

63.18. си́роты, 'orphans'. The word is often used in Russian in the wider sense of 'bereaved', or, in commiseration, 'poor things'.

63.23. гра́дусов 70: the temperature of the air was usually measured in Russia in terms of the Réaumur scale, though sometimes also by the centigrade (Celsius, Це́льсий). For the human body the latter was always used. 70° Réaumur would be equivalent to 190° F.; 70° C. to 158° F.

63.27. он из солда́т, 'he has done his military service', 'he is an ex-soldier'.

63.30. водоцеле́бное заведе́ние: the old man's mistake for водолече́бное заведе́ние, 'hydropathic establishment'. Целе́бный, 'curative', 'healing'.

63.31. в швейца́рах, 'as a hall-porter'; cf. note to «Ма́льчики», 23.2 for в лю́дях.

64.5–10, 19–22, 28–30. Egor's letter is full of mistakes of grammar and spelling, and at the same time of grandiloquent expressions which he himself does not understand, like «цывилиза́ция Чино́в Вое́ного Ве́домства». The following spelling mistakes in this letter are to be noted: судба́ for судьба́, себе́ for себя́, Вое́ное for вое́нное, По́прыще for по́прище, Дисцыплина́рных for дисциплина́рных, цывилиза́цию for цивилиза́цию, внема́ние for внима́ние, Вое́ных for вое́нных, о́бшчее for о́бщее, Перьве́йший for перве́йший, пое́тому for поэ́тому, Вну́треный for вну́тренний.

64.7. Уста́в дисциплина́рных взыска́ний и уголо́вных зако́нов вое́нного ве́домства, 'Disciplinary and penal regulations of the War Ministry'.

64.30. Ба́хус: Bacchus, god of wine.

65.31. верста́: see note to «Ма́льчики», 20.31.

66.5. с но́вым го́дом, с но́вым сча́стьем: the traditional form of the New Year greeting. Поздравля́ю is understood.

66.10. шине́ль, 'great-coat' of military type; sometimes, in the case of officers, 'cloak' with sleeves.

66.11. ва́ше превосходи́тельство: see note to «То́лстый и то́нкий», 14.29.

67.10. Цари́ца Небе́сная: one of the usual ways of referring to the Virgin Mary.

67.10. святи́тели уго́дники, 'the holy Saints'.

67.12. ребя́тки, ма́хонькие са́ночки, лы́сенький, соба́чка жёлтенькая: into these diminutives Efimya puts all her pent-up emotion, all her affection for her parents, and her longing for her native village. See also below: за́йчики (67.19), церко́вочка (67.22), мужички́ (67.23).

67.24. Засту́пница: feminine of засту́пник, 'intercessor', here also refers to the Virgin Mary.

68.8. душ Шарко́, 'Charcot shower-bath': so called after Dr. Jean-Martin Charcot (1825–93), the famous French specialist on nervous diseases.

СЛУ́ЧАЙ ИЗ ПРА́КТИКИ

Written in 1898. Although he did not practise much, Chekhov was himself a doctor of medicine, and more than one story of his has a 'medical' background, the most important of these being 'Ward No. 6'. Some of the views put by Chekhov into the mouth of his doctor in «Слу́чай из пра́ктики» are echoed in his letters and are obviously his own. The 'anti-industrial' bias of this story can be connected with the Tolstoyan views which Chekhov held for a short time. This short-lived Tolstoyism of Chekhov is directly reflected in some of his stories. In a more detached and slightly ironical manner it is portrayed in one of his best works, «Моя́ жизнь» ('My Life'). The present story is interesting for its social background. It is also a very good example of a Chekhov story in which nothing happens, and which is held together by subtly created 'atmosphere', настрое́ние.

69.1. фа́брика Ля́ликовых, 'the Lyalikov mill (factory)'. Numerous family factories and textile mills grew up, in rural surroundings, on the country estates of the gentry, largely out of peasant handicraft industries. In the later nineteenth century they passed increasingly from the gentry into the hands of wealthier members of the merchant class (купе́чество, see note 74.23, below), to which, presumably, the Lyalikov family belonged.

69.9. верста́: see note to «Ма́льчики», 20.31.

69.10. тро́йка: see note to «Ма́льчики», 16.6.

69.10. в шля́пе с павли́ньим перо́м: a peacock feather in the cap, as part of the livery of a coachman, was often a sign of ostentation.

69.11. ника́к нет, то́чно так: see note to «Экза́мен на чин», 27.29.

69.15. да́ча, 'summer villa (or bungalow)'. The custom of renting a да́ча for the whole of the summer was quite common among Russians of the upper middle class and the intelligentsia who had no country place of their own. да́чи (usually spacious wooden houses) were often built on private estates and their letting was a source of additional revenue to the impoverished landowner. (Cf. Chekhov's play *The Cherry Orchard*.)

69.17. пра́здник: in addition to Sundays, there were many official holidays in Russia. Most of these were Church feasts, like Ascension Day, Assumption Day, the Elevation of the Cross, &c. Birthdays and name-days of members of the Imperial family were also kept as official holidays.

70.8. бара́ки: workers, even with families, were often housed in barracks provided by the employer, especially in such 'country' factories as the one described in this story.

70.16. господи́н до́ктор: cf. French 'Monsieur le docteur'.

70.24. *pince-nez* (Fr.), 'eye-glasses'.

70.26. Христи́на Дми́триевна: see note to «Ма́льчики», 18.30. The name Христи́на (Christine) suggests non-Russian origin.

71.3. Ли́за: diminutive of Елизаве́та, 'Elizabeth'.

72.26. Ли́занька: affectionate form of Ли́за (from Елизаве́та).

72.27. голу́бушка: see note to «То́лстый и то́нкий», 13.12.

73.6. фабри́чный до́ктор: the law demanded that all factories should have their own medical officer.

73.6. ка́ли-брома́ти, 'potassium bromide', commonly used in medicine as a cardiac and cerebral sedative.

73.9. ла́ндышевые ка́пли, 'lily-of-the-valley drops': *Convallaria majalis,* another remedy for heart trouble. Widely used in most European countries, it is replaced in Great Britain by *digitalis,* prepared from the foxglove.

74.14. Крым: the Crimea.

74.18. мунди́р, 'uniform'. The social significance attached to uniforms titles, or rank, and decorations was so high in Tsarist Russia that the unofficial part of the population tended to imitate the official world, and invented uniforms for themselves in such organizations as they were permitted to set up. The uniform of Lyalikov-*père* was probably that of a member of a 'merchant guild', while the 'Red Cross badge' indicated that he had engaged in charitable activities, for which the 'medal' may have been a reward.

74.23. расска́з про купца́, ходи́вшего в ба́ню с меда́лью: an allusion to a popular story about a merchant who went to the public baths without taking off his medal, in order to show it off (cf. 74.18 above). The word купе́ц has a much wider significance than the English 'merchant'. Russian society, up to the Revolution, was officially divided into groups called сосло́вия, for which the least inadequate rendering is 'estates'. The rights, privileges, and obligations of each сосло́вие were hereditary, though in modern times this feature of the system had weakened considerably. Each had its own organization (cf. the reference, in «А́нна на шее́» below, to the 'Gentry Assembly Hall', where the corporation of the gentry, дворя́нство, met), and developed its own way of life. The купе́чество included not only traders, but also manufacturers, and was organized in 'guilds', according to the amount of the member's capital. The купцы́ were always noted for their conservatism of outlook, and especially their patriarchal ideas on family life. They had also their own code of etiquette. Some insight into the cultural standards of the wealthier section of the class is given in this story.

75.9. ча́йная, 'tea-room': the modern equivalent would be a canteen.

75.12. моле́бен, '(special) prayers': prayers distinct from those forming part of the regular liturgy, offered for some specific purpose, e.g. thanksgiving (благода́рственный моле́бен), intercession for the sick or those in danger (as in this story), invoking a blessing on some enterprise (e.g. the beginning of a school term or inauguration of a new building, railway, &c.). Заказа́ли моле́бен, 'ordered prayers to be said'.

75.15. Пётр Никано́рыч (for Никано́рович): see note to «Ма́льчики» 18.30. This refers to Lyalikov-*père*.

75.17. Поля́нка: a street in the south of Moscow, a quarter much favoured by the merchant class.

76.4. крича́ли лягу́шки и пел солове́й: see note 69.1 above.

76.25. запи́сывание штра́фов: the practice of fining workers for missing work, turning out defective articles, &c., was very widely developed, and led to many abuses.

77.1. на восто́чных ры́нках: a large proportion of Russian textile goods, especially of the cheaper sort, was sold in Eastern markets (Persia, Central Asia, &c.).

77.13. сторожа́ би́ли 11 часо́в: night watchmen announced the time by striking the hours on a metal plate.

79.14. шлёпанье . . . босы́х ног: peasants, and servants in country houses, usually walked barefoot in summer.

80.29. Тама́ра: the heroine of *The Demon*, a poem by Lermontov (1814–41.)

82.10. хоро́шая бу́дет жизнь лет че́рез пятьдеся́т: this faith in the future is one of Chekhov's recurrent motifs. In *Three Sisters* Vershinin speaks of the fine life which awaits mankind in 200 or 300 years. This belief in progress has often been adduced as a proof of Chekhov's fundamental optimism. Dr. Korolev's forecast of future happiness ('in about fifty years' time') is somewhat more optimistic and tangible than Vershinin's.

А́ННА НА ШЕ́Е

Written in 1895. D. S. Mirsky says of Chekhov: 'No writer excels him in conveying the mutual unsurpassable isolation of human beings and the impossibility of understanding each other.' 'An Anna round the Neck' is an illustration of this. It is also a study of a character, immature and undeveloped, open to all influences, gradually succumbing to the vulgarity of life around, and becoming one with it. Anna's husband is the type of the pedantic bureaucrat, who meets with poetic justice.

84.1. венча́ние, 'the wedding ceremony': from the word вене́ц, 'crown'. Throughout the greater part of the ceremony crowns are held over the heads of the bride and the groom by their attendants (шафера́), the 'groomsman' and 'bridesman'.

84.4. богомо́лье, 'pilgrimage': in this case a visit to a monastery. All Russian monasteries had 'guest-houses' for visitors.

84.4. вёрст: see note to «Ма́льчики», 20.31.

84.5. Моде́ст Алексе́ич (for Алексе́евич): see note to «Ма́льчики», 18.30.

84.16. Пётр Лео́нтьич (for Лео́нтьевич): see note to «Ма́льчики», 18.30.

84.17. в учи́тельском фра́ке: see note to «Экза́мен на чин», 26.1.

84.19. Аню́та, А́ня: diminutives of А́нна, 'Anne'.

84.22. крести́л ей лицо́, грудь, ру́ки, 'made the sign of the cross over her face, breast, and hands'. A blessing was often a part of the Russian ritual of parting.

84.24. Пе́тя: diminutive of Пётр, 'Peter'.

84.24. Андрю́ша: diminutive of Андре́й, 'Andrew'.

84.24. гимнази́сты: see note to «То́лстый и то́нкий», 13.9.

85.17. о́рден святы́е А́нны второ́й сте́пени, 'the Order of St. Anne, second class'; святы́е is the archaic feminine genitive (instead of свято́й).

85.18. его́ сия́тельство, 'his Highness': the form of address used to a prince or a count. Here the governor of the province is meant; he must have been a titled person, otherwise he would be referred to as его́ превосходи́тельство, 'his Excellency', cf. 14.29.

85.19. одна́ в петли́це, две на ше́е: the Order of St. Anne, third class, was worn in the buttonhole, that of the second class on a ribbon round the neck. The governor's joke is based on the Russian expression быть у кого́-нибудь на ше́е, 'to be a burden to someone'.

85.31. фрак: it was customary for the bridegroom to wear an evening tail-coat for the wedding.

86.2. венча́ние: see note 84.1 above.

86.25. кало́ш: see note to «Шу́точка», 33.12.

87.10. попечи́тель (уче́бного о́круга), 'curator': the official of the Ministry of Public Instruction in charge of an educational district.

87.17. да́чи: see note to «Слу́чай из пра́ктики», 69. 15.

87.19. на платфо́рме гуля́ли: see note 94.24 below.

87.22. да́чное ме́сто, 'summer colony'.

88.2. площа́дка, 'platform': the open platform at both ends of a railway carriage, a common feature of Russian rolling-stock.

88.6. разъе́зд, 'loop': a station on a single-track railway line, where two trains could pass each other (разъе́хаться).

88.9. заговори́ла . . . по-францу́зски: Anya was showing off.

88.13. дон-Жуа́н, 'Don Juan'.

88.23. на казённой кварти́ре, 'in official quarters': many official appointments carried with them the use of free apartments. Казённый: see note to «То́лстый и то́нкий», 13.29.

88.28. о назначе́ниях, перево́дах и награ́дах, 'about appointments, transfers and awards'.

88.30. копе́йка рубль бережёт: a proverb, the equivalent of 'Take care of the pence, the pounds will take care of themselves'.

89.15. щи, 'cabbage soup', one of the Russian national dishes.

89.15. ка́ша, 'gruel, porridge'; usually made of buckwheat (гре́чневая ка́ша). One of the commonest Russian dishes, especially among the peasants and in the army; it can be eaten with soup or with meat, or as a course in itself. Cf. the saying щи да ка́ша — пи́ща на́ша.

89.17. налива́л из графи́нчика: refers to vodka, which was usually served at dinner in little decanters.

89.26. мальчи́шки, девчо́нка: pejorative diminutives of ма́льчики, де́вочка.

90.14. чино́вницы, 'officials' wives'. Women holding certain titles are designated either by the same nouns as men, e.g. до́ктор, профе́ссор, комисса́р, or by feminines derived from them, e.g. учи́тельница (from учи́тель), делега́тка (from делега́т). There are similar feminine nouns which merely indicate the wives of those described by the masculine forms, such as полко́вница 'the colonel's wife' (from полко́вник), до́кторша, 'the doctor's wife' (it can also however, mean 'a woman doctor'), чинóвница (now obsolete, like чинóвник, which is replaced by слу́жащий and отвéтственный рабóтник).

90.17. ходи́л . . . по фойé: the parade in the foyer during the intervals of a play was an important social function; see note on гуля́нье, 94.24 below.

90.18. стáтский совéтник: see note to «Тóлстый и тóикий», 14.18.

90.26. 25 копéек: 6*d.* in the period to which the story refers (see note to «Мáльчики», 20.29).

91.12. двугри́венный, 'twenty-copeck (silver) piece': one-fifth of a rouble. From гри́венный, which, with the commoner form гри́венник, is derived from the old гри́вна.

91.13. ни грошá, 'not a farthing'. Грош, 'half a copeck', the smallest coin.

91.21. егó сия́тельство: see note 85.18 above.

92.12. по мéре тогó; исходя́ из тогó положéния; в виду́ тóлько что скáзанного, 'inasmuch as', 'on the assumption that', 'in view of what has just been said': Modest Alekseich uses in his conversation the stilted terms of official jargon so familiar to him.

92.27. дворя́нское собрáние, 'the Gentry Assembly Hall'. It existed in every provincial town for the meetings of the gentry and was also used as their principal club, for balls, charity bazaars, &c.

92.27. «имéет быть», 'is to take place': the expression has a distinctly official flavour, hence the quotation marks.

93.5. Мáрья Григóрьевна: see note to «Мáльчики», 18.30.

93.6. Натáлья Кузьми́нишна: see note to «Мáльчики», 18.30.

93.7. сто рублéй: about £10.

93.13. мазу́рка: although originally Polish, the mazurka became one of the favourite Russian ballroom dances.

93.14. в гувернáнтках, 'as a governess': see notes to «Мáльчики», 23.2, and «На свя́тках», 63.31.

93.16. *bijoux* (Fr.), 'jewels'.

93.27. Аню́та: see note 84.19 above.

93.30. супру́ге: the words супру́г and супру́га have a very formal and over-polite flavour, and have become almost obsolete in present-day Russian.

93.31. получи́ть стáршего доклáдчика, 'to obtain (the post of) senior reporting secretary'.

94.19. казённая кварти́ра: see note 88.23 above.

94.24. гуля́нье: a favourite Russian pastime, especially in provincial towns, but also in the capitals. It took various forms, according to the social status and financial circumstances of the people; it could mean driving in state, in one's own carriage, along the main street of the town, or merely walking to and fro with friends. For schoolboys and schoolgirls it often meant an occasion for mild flirtation. In winter it was frequently associated with the popular winter sports, skating and tobogganing. Sometimes it was linked up with special occasions, like fairs, local festivals, &c. In very small places, especially those inhabited by summer residents, гуля́нье usually took the form of forgathering on the station platform to meet and see off the trains (cf. 87.19 above).

94.28. избу́шки и павильо́ны: bazaar stalls in the shape of Russian peasant houses and pavilions.

94.31. Ста́ро-Ки́евская: name of a street.

95.1. гимнази́стка, 'a schoolgirl': see note to «То́лстый и то́нкий», 13.9.

96.18. посади́ть на гауптва́хту, 'to place under arrest'. Гауптва́хта, a military (or police) guard-room, from the German *Hauptwache.*

97.1. самова́р: see note to «Ма́льчики», 17.15.

97.2. не ме́ньше рубля́: see note to «Ма́льчики», 20.29.

97.27. *grand rond* (Fr.): a figure in the quadrille.

99.26. Влади́мира IV сте́пени, 'Order of St. Vladimir, fourth class'. This Order was one degree higher than that of St. Anne, second class.

99.31. ката́лась на тро́йках: see above, 94.24. For тро́йка see note to «Ма́льчики», 16.6.

100.6. ката́нье, 'pleasure driving': see above, 94.24.

100.7. с пристяжно́й на отлёте: with a side horse loosely harnessed and trained to canter along with its head turned outwards, a pretentious style of driving.

ДОМ С МЕЗОНИ́НОМ

Written in 1896. This is one of Chekhov's longest short stories. It evokes the mellow atmosphere of leisured country life in Russia at the end of the last century, and is full of delicate poetry, but at the same time pervaded with the typically Chekhovian sense of futility and frustration. It is almost plotless and the ending is, as often with Chekhov, inconclusive. In drawing the portrait of the elder sister, practical and unpoetical, who offers such a contrast to Zhenya, Chekhov cannot conceal his instinctive hostility to practical efficiency. The conversation between Lida and the story-teller is typical of conversations among the Russian pre-revolutionary intelligentsia. At the same time Chekhov puts into the mouth of his artist many of his own innermost thoughts (see especially 116.30 ff. and 118.4 ff.). The story throws an interesting light on Russian country life at the turn of the century, the role of the zemstvo, &c. It is, among Chekhov's stories, the nearest parallel to his famous play, *The Cherry Orchard*.

Title мезони́н, 'mezzanine': a low story between two higher ones, but here the superstructure over the top floor, an attic. The correct spelling is мезани́н (from Italian *mezzanino* = medium, middle), the other spelling being due to the wrong assumption that the word is derived from the French *maison*.

101.2. уе́зд, губе́рния: see note to «Экза́мен на чин», 25.22.

101.2. поме́щик, 'squire': from поме́стье, 'estate'.

101.4. поддёвка: a sleeveless long-skirted undercoat, worn especially by merchants and peasants, and affected by some squires as a national dress.

101.6. фли́гель: see note to «Ма́льчики», 23.2. Here a small house standing apart from the manor-house.

101.7. ба́рский дом, see note 48.11.

101.11. амо́совские пе́чи: pneumatic stoves, invented (*ca.* 1835) by Major-General Nicholas Amosov (1787–1868). For installing his system of pneumatic heating in the Emperor's Winter Palace, Amosov received a grant of some 750 acres of land. He was the author of two pamphlets on pneumatic heating and of a book on lightning conductors.

101.18. всё, что привози́ли мне с по́чты: many Russian villages had no post offices, and country visitors had to send for their mail to the nearest post office (often many miles away) or to the railway station.

102.4. хвой, 'needles of coniferous trees': the usual form is feminine, хво́я.

103.2. рессо́рная katя́ска, 'carriage on springs': something of a rarity in the Russian country-side (from French *ressort*).

103.4. погоре́льцы, 'victims of a fire': every year many Russian villages, with their log houses, were laid waste by fires. Collections of money were made among local landowners for the relief of the victims.

103.6. Сия́ново: name of a village.

103.8. погоре́льческий комите́т, 'Fire Relief Committee'.

103.23. та́йного сове́тника: see note to «То́лстый и то́нкий», 14.18.

103.26. зе́мская шко́ла, 'school run by the zemstvo', i.e. the local self-government authority. The zemstvos, or local elected councils, were first introduced in the greater part of European Russia in 1864 as one of Alexander II's reforms. They were in charge of education, medical aid, roads, and public welfare in general. Under them, medical aid in particular attained a high standard of efficiency in Russia. At the end of the last century the zemstvos played a prominent part in the struggle for constitutional reform which culminated in the Constitution of 17 (30) October 1905.

103.27. 25 рубле́й в ме́сяц: i.e. about £2. 10*s*.

104.1. оди́н из пра́здников: see note to «Слу́чай из пра́ктики», 69.17.

104.3. Екатери́на Па́вловна: see note to «Ма́льчики», 18.30. Екатери́на, 'Catherine'.

104.11. Ли́да: diminutive of Ли́дия, 'Lydia'.

104.13. зе́мство: see note 103.26 above.

104.14. зе́мское собра́ние: the annual session of the district or provincial zemstvo council.

104.21. упра́ва, i.e. зе́мская упра́ва: the executive board of the district or provincial zemstvo.

104.26. Же́ня: diminutive of Евге́ния, 'Eugenie'.

104.30. мисс, 'miss': the word was commonly used to denote English governesses.

105.10. прислу́ге говори́ли вы: It was usual in Russia to address servants as 'thou'. The 'you' in Catherine Pavlovna's household was a sign both of refinement and of respect for democratic equality. Compare what Petya Trofimov says in Chekhov's *The Cherry Orchard* of the intelligentsia: 'They call themselves intellectual, but they "thou" their servants.'

106.20. принима́ла больны́х, раздава́ла кни́жки: Lida, who worked as a school teacher, engaged also in voluntary medical work and acted as a local librarian.

106.21. с непокры́той голово́й, 'bareheaded': rather unusual in those days.

106.28. Она́ не люби́ла меня́ за то, что я пейзажи́ст и в свои́х карти́нах не изобража́ю наро́дных нужд: this remark epitomizes the argument between the champions of 'civic art' and those of 'art for art's sake', which runs through the whole of the second half of the nineteenth century in Russia.

107.3. Байка́л: Lake Baikal, the biggest lake in Siberia.

107.4. бурятка, 'a Buryat girl': Buryats are an aboriginal Siberian tribe of Mongolian race. There is in this reference an autobiographical touch: in 1890 Chekhov visited the convict settlements on the island of Sakhalin, travelling via Siberia.

107.6. свою трубку: Buryat women smoke pipes.

107.15. десятина: a land measure equivalent to 2·7 acres.

107.29. в людской: see note to «Мальчики», 23.2.

108.9. белые грибы: *Boletus edulis*, the best variety of edible fungi, all of which are very popular in Russia as food, while the gathering of them is a favourite pastime in the country.

109.4. Пелагея, 'Pelagia': a Christian name.

109.5. старуха пошептала: 'the old woman whispered' (a charm to drive away the illness).

111.28. в вышитой сорочке, 'wearing an embroidered smock': Belokurov affected national costume.

112.21. Любовь Ивановна: see note to «Мальчики», 18.30. Любовь, 'Amy'.

112.24. в русском костюме: see note to «Красавицы», 53.15.

113.7. земца: земец — member of the zemstvo; see note 103.26 above.

113.10. ради такой девушки можно ... даже истаскать, как в сказке, железные башмаки, 'for such a girl one could even wear out iron shoes, as in the story'. In some Russian folk-tales the arduous nature of the hero's quest for his vanished beloved or for some other purpose is indicated by relating that he wears out three pairs of iron shoes, sometimes also three iron staffs.

113.14. вёрст: see note to «Мальчики», 20.31.

113.22. Малозёмово: name of a village. The name (something like 'Lackland') is indicative of the shortage of land from which the peasants were suffering.

113.25. в губернском собрании: see note 104.14 above.

113.25. вопрос о медицинском пункте в Малозёмове, 'the question of setting up a medical aid post in Malozemovo'.

114.31. Анны, Мавры, Пелагеи: these are typically common peasant women's names.

116.4. грамотность, 'literacy', that is the ability to read and write. The task of getting rid of peasant illiteracy (безграмотность) was one of the acutest problems facing the zemstvos.

117.17. миром: мир — the village community, the village as a whole.

117.29. Рю́рик: see note to «Студе́нт», 57.25.

117.29. го́голевский Петру́шка: a character in Gogol's *Dead Souls*, Chichikov's servant, who read anything that came his way, without understanding much.

118.3. вы и медици́ну отрица́ете: the whole of the following tirade reflects Tolstoy's influence on Chekhov.

119.1. Мисю́ська: affectionate form of Мисю́сь.

119.17. Виши́: Vichy, the French spa, frequented by the well-to-do from all parts of Europe.

120.2. поря́дочные лю́ди, 'people of quality and breeding'. But поря́дочный челове́к also means 'a gentleman' (in the moral sense).

123.1. Воро́не где́-то Бог посла́л кусо́чек сы́ру: the first line of Krylov's famous fable, an adaptation of La Fontaine's *Le Corbeau et le Renard*.

123.7. Да́ша: diminutive of Да́рья.

123.10. Пе́нзенская губе́рния: 'the province of Penza', in south-eastern Russia.

124.6. ва́шими моли́твами, 'thanks to your prayers': an old-fashioned formula of politeness, in answer to 'How do you do?'

124.14. прокати́ли Бала́гина, 'Balagin was blackballed': an expression used in club and electoral slang, its full form being прокати́ть на вороны́х, 'to take for a drive in a carriage drawn by black horses'.

SELECTED IDIOMS AND DIFFICULT CONSTRUCTIONS

13.12.	Ско́лько зим, ско́лько лет! Also: Ско́лько лет, ско́лько зим!	What a time (*sc.* since we met)!
13.14.	Отку́да ты взя́лся?	Where have you sprung from?
	Отку́да ни возьми́сь.	Out of the blue; goodness knows where from.
13.15.	Устреми́ли глаза́ друг на дру́га.	Stared at each other.
	Они́ говори́ли друг с дру́гом.	They talked to each other.
	Они́ друг дру́гу не доверя́ли.	They did not trust each other.
	Мы ду́мали друг о дру́ге.	We thought about each other.
13.28.	Тебя́ дразни́ли Геростра́том... а меня́ Эфиа́льтом.	They nicknamed you (*lit.* they teased you by calling you) Herostratus . . . and me, Ephialtes.
14.7.	Дослужи́лся?	Have you got on?
	Cf. Наконе́ц я до вас дозвони́лся.	At last I succeeded in getting through to you (on the telephone).
	Я не мог дожда́ться по́езда.	I couldn't wait for the train to arrive.
14.19.	Поднима́й повы́ше.	Bid higher.
14.30.	Вы́шли в таки́е вельмо́жи.	You've become such a grandee (one of the great).
	Он вы́шел в люди. Cf. 21.2. below.	He has got on.
15.2.	Мы с тобо́й.	You and I.
	Мы с ним бы́ли в теа́тре.	He and I went to the theatre.
	Мы с ним не знако́мы.	We don't know each other.
15.4.	Поми́луйте... Что̀ вы-с...	But surely . . . How can you . . .
	Поми́луйте... Да ведь это же не так!	Good gracious! Why that's all wrong!
15.8.	Не́которым о́бразом.	In a manner of speaking; so to speak.
15.10.	Хоте́л-бы́ло возрази́ть.	Was about to rejoin.
	Он написа́л было письмо́, но пото́м разорва́л его́.	He wrote a letter, but afterwards tore it up.
	Я бы́ло и не заме́тил э́того.	I almost failed to notice it.

16.16.	В однóй жилéтке.	Wearing only a waistcoat (i.e. in shirt-sleeves).
	В однóм пиджакé.	Wearing only a coat (i.e. without an overcoat).
17.6.	Ми́лости прóсим!	Welcome! Come in! Come and see us, &c.
17.10.	Э́то наказáние!	It's a regular torment (nuisance)!
	Наказáние с тобóй!	You're a terrible nuisance (pest)!
17.22.	А́хнуть не успéешь, как стáрость придёт.	Before you can say 'Ah!', old age is upon you.
	«Он áхнуть не успéл, как на негó медвéдь насéл» (Крылóв).	Before he could say 'Ah!', the bear was upon him.
	Я успéл всё сдéлать.	I had time (managed) to do everything.
17.24.	У нас пóпросту.	We don't stand on ceremony.
	Пóпросту говоря́.	Speaking plainly.
19.29.	Катáться на конькáх.	To skate.
	Катáться верхóм.	To ride (on horseback).
	Катáться на сáнках.	To toboggan.
	Катáться на лóдке.	To go for a row (boating).
21.2.	Поступáть в морски́е разбóйники.	To join the pirates.
	Поступи́ть (пойти́) в солдáты.	To enrol as a soldier.
	Записáться в члéны.	To join as a member.
21.2.	В концé концóв.	At the end of it all.
21.3.	Жени́ться на красáвицах.	To marry beauties.
	Он женáт на ру́сской.	He is married to a Russian lady.
	Он жени́лся на ней в прóшлом году́.	He married her last year.
21.21.	Кáтя и Сóня понимáли, в чём тут дéло.	K. and S. realized what was the matter.
	В чём дéло?	What is the matter?
	Дéло в том, что я зáнят.	The point is that I am busy.
22.4.	А как éхать, так вот и стру́сил.	And now when it comes to going, you are in a funk.
22.11.	А ещё тóже хотéл охóтиться на ти́гров.	And what's more, you wanted to hunt tigers.
25.6.	Э́то как Бог свят.	As true as God is holy.
25.26.	Ваш брат.	Folk like you; people of your kidney; the likes of you.
	Наш брат офицéры.	We officers.
27.19.	Стереомéтрия по прогрáмме не полагáется.	Solid geometry isn't in the syllabus.

	Ему́ не полага́ется (пить) вина́.	He isn't supposed to drink wine.
	Вам полага́ется ещё фунт.	Another pound is due to you.
	Ему́ не полага́лось об э́том знать.	He was not supposed to know about it.
28.16.	Как пе́ред и́стинным Бо́гом.	As God is my witness (*lit.* As before true God).
28.19.	Век бу́ду Бо́га моли́ть.	I shall pray (for you) all my life.
28.26.	Заста́вьте ве́чно Бо́га моли́ть.	May I pray (for you) for the rest of my life.
29.1.	Ско́ро шестьдеся́т сту́кнет.	I shall soon be sixty.
	Ему́ сту́кнуло се́мьдесят.	He's past seventy.
29.3.	Сде́лайте ми́лость!	Do me the favour! Be so kind!
29.12.	Скажи́ на ми́лость.	Just fancy!
30.6.	Клюёт.	He's biting.
	Сего́дня ры́ба не клюёт.	The fish aren't biting to-day.
	Он клю́нул на моё предложе́ние.	He fell for my offer.
31.7.	Велика́ ва́жность! / Невелика́ ва́жность.	That's not much; there's nothing in that.
31.26.	Кры́шка тепе́рь тебе́.	Your end has come; you're done for.
	Ту́т-то ему́ и вы́шла кры́шка.	That was his undoing.
34.13.	И́ли же они́ то́лько послы́шались ей . . . ?	Or had she only imagined them?
	Вам э́то послы́шалось.	You must have imagined you heard it.
35.11.	И́ли мне то́лько послы́шалось.	Or did I only seem to hear it?
	Ей послы́шалось (40.10).	She had thought she heard.
35.16.	Не пойти́ ли нам домо́й?	Hadn't we better go home?
	Не купи́ть ли мне шля́пу?	Should I not buy a hat?
	Не сде́лать ли мне э́то сего́дня?	Hadn't I better do it to-day?
35.18.	Не прое́хаться ли нам ещё раз?	Shall we have another ride?
37.7.	Бе́дной На́деньке бо́льше уже́ не́где слы́шать тех слов, да и не́кому произноси́ть их.	There is nowhere now for poor N. to hear those words, nor is there anyone to utter them.
	Ему́ не́куда пойти́.	He has nowhere to go.
	Ему́ не́чего де́лать.	He has nothing to do.
	Мне́ не с кем бы́ло говори́ть.	I had no one to talk to.

	Нѐ к чему бы́ло де́лать э́то. Не́зачем бы́ло де́лать э́то.	It was no use doing it.
	Нам нѐ о чем бы́ло говори́ть.	We had nothing to talk about.
	Не́кого бы́ло позва́ть.	There was no one to call.
	Мне не́когда.	I have no time.
	Мне нѐ к кому бы́ло пойти́.	I had no one to go to.
	Не́зачем бы́ло итти́ туда́ (121.29).	There was no point in going there.
37.31.	Её вы́дали за́муж, и́ли она́ сама́ вы́шла — э́то всё равно́.	Whether they married her off, or whether she married of her own accord, doesn't matter.
	Заче́м она́ . . . выхо́дит за э́того...господи́на? (86.4).	Why is she . . . marrying . . . this man?
	Вы́шла за бога́того (86.9).	She married a rich man.
39.2.	Сби́вшись в ку́чу.	Huddled into a heap.
	Сби́ться с пу́ти (с доро́ги).	To go astray; to lose one's way.
	Он ни ра́зу не сби́лся.	He didn't make a single slip.
	Иногда́ . . . сбива́лась с доро́ги (39.15).	Sometimes . . . lost her way.
39.8.	Всё ду́мала о том, как бы до́ма без неё кто не оби́дел волча́т.	Kept thinking that in her absence someone might harm her cubs.
	Я бою́сь, как бы вы не упа́ли.	I am afraid you may fall (lest you fall).
	Боя́лись, как бы не умерла́ (71.7). Cf. 44.11 below.	They were afraid she would die.
39.18.	Далеко́ обходи́ла.	Gave a wide berth to.
39.19.	Све́жее мя́со ей приходи́лось ку́шать о́чень ре́дко.	She very seldom had a chance to eat fresh flesh.
	Ему́ прихо́дится рабо́тать но́чью.	He has to work at night.
	Ему́ пришло́сь пое́хать по́ездом.	He had to go by train.
	Мне придётся пое́хать в Ло́ндон.	I shall have to go to London.
39.28.	Служи́л в меха́никах.	(See 58.18 below.)
40.10.	Ей послы́шалось.	(See 34.13 above.)
40.22.	Пахну́ло тёплым па́ром.	A whiff of warm steam came up.
	Пахну́в на меня́ ве́тром. (51.6).	Stirring up quite a breeze.
40.29.	Что̀ пе́рвое попа́лось в зу́бы.	The first thing that came to (her) teeth.

	Пе́рвый попа́вшийся челове́к.	The first comer.
	Мы се́ли в пе́рвый попа́вшийся ваго́н.	We got into the first carriage we chanced upon.
41.15.	Во весь лоб.	Right across his forehead.
	Во весь го́лос.	At the top of one's voice.
	Во всю (мочь).	With all one's might.
	Окно́ бы́ло во всю сте́ну.	The window stretched right across the wall.
41.18.	Как ни в чём не быва́ло.	As though nothing were the matter.
41.20.	Он за ней.	He went off after her.
	Мы за ва́ми пришли́.	We have come to fetch you.
	Он пошёл за до́ктором.	He went for the doctor.
	За кем о́чередь?	Whose turn is it?
42.2.	Вы́вернуло с ко́рнем высо́кую ста́рую сосну́.	A tall old pine-tree had been uprooted.
43.18.	Как па́хло ове́чьим молоко́м.	What a smell of sheep's milk there was.
43.26.	От щенка́ па́хло пси́ной.	The puppy had a doggy smell.
	От кото́рого па́хло све́чкой (89.16).	Which smelt of candle-grease.
44.11.	Как бы он опя́ть мне не помеша́л. Cf. 39.8 above.	If only he doesn't hinder me again.
44.31.	Ему́ си́льно о́тдало в плечо́.	His shoulder felt a strong rebound.
45.7.	То́лько нет того́ поня́тия, что́бы в дверь, а норови́т всё как бы в кры́шу.	He hasn't the sense to go in by the door, but always tries to get in through the roof.
45.12.	Смерть не люблю́ глу́пых.	I can't stand silly (stupid) people.
	Мне смерть не хо́чется туда́.	I am loath to go there.
46.6.	Со́хло во рту.	One's mouth became parched.
	У меня́ шуми́т в голове́.	I am feeling dizzy.
	У него́ перши́т в го́рле.	He has a sore throat.
47.4.	Куда́ ни взгля́нешь.	Wherever you looked.
49.5.	Бро́ви так же иду́т к не́жному, бе́лому цве́ту лба . . ., как . . .	The eyebrows are as well suited to the tender whiteness of the forehead . . ., as . . .
	Э́та шля́па вам идёт.	This hat suits you.
	Э́то вам не пойдёт.	This will not suit you.
50.17.	Не́ту на вас холе́ры!	A plague on you!
51.6.	Пахну́в на меня́ ве́тром.	(See 40.22 above.)

54.3.	У́зки не по лета́м.	Too narrow for her age.
	Он не по лета́м серьёзен. Cf. 104.5 below.	He is too serious for his age.
54.25.	Не вя́жется с...	Is unsuited to. . .
	Э́то не вя́жется с тем, что вы говори́те.	This contradicts what you are saying.
55.19.	Кото́рая на вас ноль внима́ния...	Who doesn't pay you the slightest attention.
58.18.	Служи́вшая... в ма́мках, а пото́м в ня́ньках.	Who used to be employed . . . as a wet-nurse and later as a nanny (children's nurse).
	Он служи́л в солда́тах.	He served as a soldier; he was in in the army.
	Служи́л в меха́никах (39.28).	Had worked as a mechanic (engine-driver).
62.5.	Ни слу́ху, ни ду́ху.	Not a sign, not a word of news (*lit.* No rumour, no breath).
62.7.	Как-то там Ефи́мья?	How was Efimya getting on there?
63.7.	Есть! Стреля́й да́льше!	Right! Fire away!
64.24.	Внуча́т погляде́ть, оно бы ничего́. Cf. 121.24 below.	It wouldn't be a bad thing (would be nice) to have a peep at the grandchildren.
67.23.	Унесла́ бы нас отсю́да Цари́ца Небе́сная.	If only the Holy Virgin would take us away from here.
	Ты бы пошёл (шёл) домой.	You had better go home.
68.6.	Ру́ки по швам.	Standing at attention (*lit.* hands along the seams [of trousers]).
69.9.	На лошадя́х.	By road (with horses).
70.18.	Чи́стое го́ре.	Sheer misery.
	Чи́стое безобра́зие.	A perfect nuisance.
72.4.	Не́рвы подгуля́ли.	Your nerves have given way.
74.3.	Опо́мниться не могу́.	I can't get over it.
	Он не мог опо́мниться от испу́га.	He couldn't recover from his fear.
75.10.	Чего́ уж!	What more could they want?
75.23.	Жить в своё удово́льствие.	Live in clover; have a good time; get pleasure out of life.
82.22.	Спи́те себе́ во здра́вие.	Just sleep and get better.
86.4.	Заче́м она́... выхо́дит за э́того... господи́на?	(See 37.31 above.)
86.9.	Вы́шла за бога́того.	(See 37.31 above.)
87.8.	На хоро́шем счету́ у его́ сия́тельства.	In his Highness's good books.
89.16.	От кото́рого па́хло све́чкой.	(See 43.18 above).

91.10.	Как после́днюю ду́рочку.	Like the veriest of fools.
95.17.	Ты поспеши́ла за́муж.	You married in a hurry.
96.4.	Офице́ра прорва́ло.	The officer was carried away.
99.24.	Осме́люсь проси́ть ва́ше сия́тельство в восприе́мники.	May I be so bold as to ask your Highness to be his godfather?
101.16.	По це́лым часа́м.	For hours on end.
	По це́лым неде́лям (106.8).	For weeks on end.
102.3.	До духоты́.	To the point of suffocation.
	Ему́ ста́ло до у́жаса я́сно.	It became terrifyingly clear to him.
	Мне бы́ло до бо́ли жаль её.	I felt painfully sorry for her.
104.5.	Не по лета́м.	(See 54.3 above).
105.8.	Мне бы́ло ка́к-то по себе́.	I felt somehow at home (at ease).
	Ему́ бы́ло у них не по себе́.	He felt uneasy at their house.
105.12.	Всё дыша́ло поря́дочностью.	Everything had an air of respectability.
105.18.	Со студе́нчества.	Since his student days.
	С ма́лых лет.	Since early childhood (one's early years).
	С де́тства.	Since childhood.
	Со шко́льной скамьи́.	Since one's schooldays.
105.29.	Отста́л я от хоро́ших люде́й.	I have lost touch with decent people.
106.8.	По це́лым неде́лям.	(See 101.16 above).
111.17.	Таки́х днём с огнём поиска́ть.	Such people are rarely to be met (*lit.* for such you must look with a light in daylight).
112.8.	Мне захоте́лось писа́ть.	I felt an urge to paint.
	Мне хо́чется в теа́тр.	I feel like going to a theatre.
	Е́сли захо́чется, приходи́те.	Come, if you feel like it.
115.5.	Начина́ют ту же му́зыку.	(They) begin the same story all over again.
	Мне не нра́вится вся э́та му́зыка.	I don't like all this business.
	Ну, э́то друга́я му́зыка.	Well, that's a different story.
115.9.	Не́когда вспо́мнить о своём о́бразе и подо́бии.	No time to think of one's human dignity.
	Cf. Бог со́здал челове́ка по своему́ о́бразу и подо́бию.	God created man in his own image.
115.28.	Ведь, на всех не угоди́шь.	After all, you can't please (suit) everybody.
	Ему́ тру́дно угоди́ть.	He is difficult to please.
	Что вам уго́дно?	What do you want (desire)?

118.31.	Пусть земля́ прова́лится в тартарары́.	Let the world go to perdition.
119.11.	Мы никогда́ не споёмся.	We shall never agree.
121.24.	Ма́ма ничего́.	Mummy is all right (i.e. she doesn't mind).
	Ничего́.	Never mind, it doesn't matter.
	«Как вы пожива́ете?» — «Ничего́.»	'How are you?'—'Not bad.'
121.29.	Не́зачем бы́ло итти́ туда́.	(See 37.7 above).
124.18.	Ни с того́, ни с сего́.	For no earthly reason.

INTRODUCTION TO THE VOCABULARY

It is the aim of the Vocabularies in this series of Readers to provide not only an appropriate translation of the words in the texts, but also such information as will enable the student to adopt those words into his own vocabulary and use them correctly and idiomatically. All words, even the simplest, occurring in the text are given in the Vocabulary, but the reader is expected to know already such elements of grammar as, for example, the past tense of common verbs like идти́, the oblique forms of pronouns, or the rule that н- is prefixed to oblique cases of certain pronouns governed by a preposition. Parts of speech are not indicated unless there is some possibility of confusion.

Nouns

Gender. As the gender of most Russian nouns is obvious from their form, the only genders given are those of masculine nouns ending in -ь, -а, or -я, and of neuters ending in -мя.

Plurals. Irregular plurals are given, and words occurring only or mainly in the plural are marked *pl.* Nouns with plurals in English which are not used in the plural in Russian are marked '*sing.* only'.

Fugitive vowels. The occurrence of fugitive vowels or 'fill-vowels' in the *nom. sing.* of masculine nouns and the *gen. pl.* of feminine and neuter nouns, and the form found in other cases, are indicated thus:

о/- (e.g. сон, *gen.* сна)
е/- (e.g. день, *gen.* дня)
е/ь (e.g. лев, *gen.* льва; солове́й, *gen.* соловья́)
е/й (e.g. бое́ц, *gen.* бойца́)
ё/- (e.g. пёс, *gen.* пса)
ё/ь (e.g. лёд, *gen.* льда)
ё/й (e.g. заём, *gen.* за́йма)
or: *gen. pl.* -/о (e.g. окно́, *gen. pl.* о́кон)
gen. pl. -/е (e.g. кре́сло, *gen. pl.* кре́сел), &c.

For the *Accentuation* of nouns, see below.

Pronouns

Oblique cases of the commoner pronouns, and forms with prefixed н- after a governing preposition, are not usually given unless an idiomatic use occurs in the text.

Adjectives

Adjectives are usually given in the *masc. sing. nom.* of the attributive form.

VERBS

Aspects. In this series the perfective or imperfective form corresponding to each verb used in the texts is indicated. When a perfective form differs from an imperfective only by the addition of a prefix, this is shown by a line separating prefix from verb (thus на/писа́ть *perf.* means that the imperfective aspect of the perfective написа́ть is писа́ть); in all other instances, the corresponding perfective or imperfective will be found at the end of the entry. In making use of the information thus given it should be remembered that a change of aspect often necessarily entails a difference in shade of meaning.

Construction. Many verbs which are transitive in English govern a case other than the accusative in Russian; thus 'to threaten' (somebody) is translated into Russian by грози́ть with the dative case, 'to wave' (a handkerchief) or 'wag' (the tail) by маха́ть with the instrumental. Similarly, Russian idiom frequently demands the use of a different preposition after a verb from that in the comparable English expression; thus English 'to shoot *at*' is Russian стреля́ть в. All such differences of verbal construction are indicated.

ADVERBS

Adverbs obviously and regularly derived from adjectives occurring in the text are not as a rule given separately.

PREPOSITIONS

The case governed by a preposition is shown by the use of the sign + followed by the abbreviated name of the case.

ACCENTUATION OF NOUNS

Russian nouns can almost all be classified into definite groups according to their stress-type in declension. The groups here distinguished and the symbols used for each group are as follows:

Symbol *Stress-type*

[C] 1. The stress is CONSTANT (i.e. on the same syllable as in the *nom. sing.*)—throughout singular and plural.

	Nom.	*Gen.*	*Dat.*	*Acc.*	*Instr.*	*Loc.*
e.g. *sing.*	кни́га	кни́ги	кни́ге	кни́гу	кни́гою	о кни́ге
pl.	кни́ги	кни́г	кни́гам	кни́ги	кни́гами	о кни́гах

[E] 2. The stress is on the ENDING (i.e. on the declensional ending or, when this is absent, on the stem end-syllable)—throughout singular and plural.

e.g. *sing.*	стол	стола́	столу́	стол	столо́м	о столе́
pl.	столы́	столо́в	стола́м	столы́	стола́ми	о стола́х

[C : E] 3. In the singular the stress is CONSTANT; in the plural it falls on the ENDING.

e.g. *sing.*	сад	са́да	са́ду	сад	са́дом	о са́де
pl.	сады́	садо́в	сада́м	сады́	сада́ми	о сада́х

[C : E exc. *nom.*] 4. In the singular the stress is CONSTANT; in the plural it falls on the ENDING, except in *nom. pl.* (and *acc. pl.* when *acc.* = *nom.*) where it is CONSTANT as in singular.

e.g. *sing.*	гусь	гу́ся	гу́сю	гу́ся	гу́сем	о гу́се
pl.	гу́си	гусе́й	гуся́м	гусе́й	гуся́ми	о гуся́х

[E exc. *nom. pl.*] 5. The stress is on the ENDING, except in *nom. pl.* (and *acc. pl.* when *acc.* = *nom.*) where it shifts to the preceding syllable.

e.g. *sing.*	гвоздь	гвоздя́	гвоздю́	гвоздь	гвоздём	о гвозде́
pl.	гво́зди	гвозде́й	гвоздя́м	гво́зди	гвоздя́ми	о гвоздя́х

[E: ← (1)] 6. In the singular the stress is on the ENDING; in the plural it shifts to the preceding syllable.

e.g. *sing.*	окно́	окна́	окну́	окно́	окно́м	об окне́
pl.	о́кна	о́кон	о́кнам	о́кна	о́кнами	об о́кнах

The above classification does not include a small group of feminine nouns like рука́, зи́ма (which deviate from stress-type 5 by changing the accent in the *acc. sing.*—ру́ку, зи́му) or голова́ (*acc. sing.*—го́лову, and *nom. pl.*—го́ловы), nor a few nouns like сестра́ (stress-type 6, except that the *gen. pl.* is сестёр), or о́зеро (*pl.* озёра, озёр, озёрам, &c.), or граждани́н (*pl.* гра́ждане, гра́ждан, гра́жданам, &c.).

It should be noted that some nouns have a second, end-stressed *loc. sing.* after the prepositions в and на (e.g. в саду́, в пыли́, на берегу́, на краю́, на цепи́ beside о са́де, о пы́ли, о бе́реге, о кра́е, о це́пи).

In some instances alternative accentuations are possible, but in order not to confuse the student these have not been indicated by any symbol.

LIST OF ABBREVIATIONS

acc. accusative
adj. adjective
adv. adverb
arch. archaic or Church Slavonic
aug. augmentative
cf. compare
coll. colloquial or popular
collect. collective
comp. comparative
conj. conjunction
dat. dative
dial. dialectal
dim. diminutive
d. imp. double imperfective
e.g. for example
exc. except
f. feminine
gen. genitive
imp. imperfective
imper. imperative
impers. impersonal
indecl. indeclinable
inf. infinitive
instr. instrumental
intr. intransitive
iter. iterative
l. line
lit. literally
loc. locative
m. masculine
n. neuter
nom. nominative
p. page
part. particle
perf. perfective
pl. plural
poet. poetical
predic. predicative
pref. prefix
prep. preposition
pron. pronoun
refl. reflexive
sb. substantive
sel. id. selected idiom
sing. singular
superl. superlative
trans. transitive
usu. usually
voc. vocative

+ = with, followed by.
~ stands for the complete word appearing at the head of an entry.

VOCABULARY

А

а but, and; while (14.1, &c.); eh? (14.18); а то or, or else
абажу́р (lamp-)shade [C]
а́вгуст August [C]
а́вгустовский *adj.* August
ад hades, hell [C]
адвока́т advocate, lawyer [C]
администра́ция (administrative) staff [C]
адмира́л admiral [C]
аза́рт: войти́ в ~ let oneself go, get warmed up (96.6) [C]
акаде́мия academy; духо́вная ~ (see *note* 57.9) [C]
а́ки (*arch.*) = как as, like (see *note* 25.14)
акко́рд accord, agreement, harmonious whole [C]
алле́я avenue [C]
альбо́м album [C]
америка́нец е/- American [C]
амо́совская печь: see *note* 101.11
ан (*coll.*) and lo! lo and behold!
антра́кт entr'acte, interval [C]
апо́стол apostle [C]
аппара́т apparatus [C]
аппети́т appetite [C]
апте́ка pharmacy, chemist's [C]
апте́чка *gen. pl.* -/е medicine-chest [C]
арба́ cart (see *note* 51.17) [E exc. *nom. pl.*]
аре́нда lease; отда́ть в аре́нду let on lease [C]
арифме́тика arithmetic [C]
армяни́н (*pl.* армя́не) Armenian [C]
армя́нка, *gen. pl.* -/о Armenian woman [C]
армя́ночка, *gen. pl.* -/е *dim.* of армя́нка Armenian woman (girl) [C]
армя́нский *adj.* Armenian
армя́шка *dim.* of армяни́н, Armenian (see *note* 52.21) [C]
артиллери́йский *adj.* artillery
артилле́рия artillery [C]
асе́ссор, ассе́ссор assessor (see *note* 14.9) [C]
а́стма asthma [C]
а́тлас atlas [C]
ах! ah!
а́хнуть *perf.* gasp, say 'ah!' (see *sel. id.* 17.22); *imp.* а́хать

Б

б: see бы
ба́ба (peasant) woman [C]
ба́бушка, *gen. pl.* -/е grandmother (see *note* 58.28) [C]
багро́вый blood-red
багря́ный purple
база́р bazaar, arcade, market [C]
ба́кены *pl.* side-whiskers [C]
бал ball, dance [C : E]
баловни́к scapegrace, scamp, rake (88.13) [C : E]
ба́льный *adj.* ball
банк bank [C]
бант bow, knot [C]
ба́ня steam-bath [C]
бара́к barrack, living quarters (see *note* 70.8) [C]
бара́н ram [C]
бара́ний *adj.* sheep's, mutton
бара́нина mutton
ба́рин, (*pl.* ба́ре or господа́) master, gentleman [C]
ба́рский master's
барсу́к badger [E]

ба́рхатный *adj.* velvet, velvety
ба́рышня, *gen. pl.* ба́рышень young lady, miss [C]
бас bass, bass voice [C : E]
ба́совый *adj.* bass
ба́тюшка, *gen. pl.* -/е father, sir, priest [C]
ба́тюшки! heavens! good gracious!
бахрома́ (*sing.* only) fringe, fringed paper [E]
башлы́к hood (see *note* 16.9) [E]
башма́к shoe (see *note* 113.10) [E]
бе́дность poverty [C]
бе́дный poor, unhappy, wretched
бежа́ть, бе́гать *d. imp.* run, run about (away), escape; *perf.* побежа́ть
без+*gen.* without, -less; ~ па́мяти to distraction (59.16)
безвку́сный tasteless, without any taste, insipid
безвы́ездный permanent, never leaving
безда́рный without talent
бе́здна abyss, bottomless pit [C]
беззабо́тный unconcerned, carefree
безнадёжный hopeless
безобра́зный ugly
безотчётный unaccountable, involuntary
белоку́рый fair, light-haired, blond
белоло́бый *adj.* with white forehead (see *note* 39, title)
бе́лый white, white-skinned
бельё linen, laundry, washing [E]
бензи́н benzine, petrol [C]
бе́рег, *pl.* ~а́ bank, shore [C : E]
береги́сь! look out! beware!
берёза birch(-tree) [C]
бере́чь *imp.* look after, cherish; *perf.* по~
бери́те, *imper.* of брать take
бесконе́чный endless, infinite
беспоко́ить *imp.* disturb, trouble; *perf.* по~, о~; ~ся worry, trouble oneself
беспоко́йный restless, uneasy, troublesome
беспоро́чный faultless, pure, immaculate
беспоря́док о/-, disorder [C]
бессме́ртный immortal
бессозна́тельный unconscious, unreasoning
бессо́нница insomnia [C]
бессо́нный sleepless
бесстра́стный impartial, dispassionate
бестолко́вый obscure, disorderly, senseless
библиоте́ка library [C]; *dim.* библиоте́чка, *gen. pl.* -/е
бизо́н bison [C]
билья́рдный *adj.* billiard
био́лог biologist [C]
бить *imp.* beat, strike; *perf.* по~
бич whip, lash, scourge [E]
благогове́ние veneration, awe, respect [C]
благогове́ть *imp.*+перед+*instr.* be devoted to, regard with awe (respect); no *perf.*
благодари́ть *imp.* thank, express thanks; *perf.* по~
благода́рный grateful
благодарю́ thanks! thank you!
благоде́тель *m.* benefactor [C]
благополу́чный well, all right, safe and sound; всё обстои́т благополу́чно, all is well
благослове́ние blessing [C]
благослови́ть *perf.* bless, give a blessing; *imp.* благословля́ть
благотвори́тельница charitable lady, philanthropist [C]
благотвори́тельный *adj.* charity, charitable
бледне́ть *imp.* go pale; *perf.* по~

бледноли́цый *adj.* white-faced; *sb.* pale-face
бле́дный pale
блёкнуть *imp.* fade, wither; *perf.* по∼
блеск brilliance, splendour, sheen [C]
блесну́ть *perf.* flash, gleam, glisten; *imp.* блесте́ть
блестя́щий brilliant
бле́ять *imp.* bleat; *perf.* за∼, по∼
бли́жний *adj.* near, close; *sb.* fellow man
близ+*gen.* near
бли́зкий near, close, intimate
близору́кий near-sighted
близору́кость near-sightedness [C]
бли́зость nearness, proximity [C]
блю́дечко, *gen. pl.* -/е saucer, dish [C]
бог god [C : E exc. *nom.*]
Бог God; не дай Бог God forbid; Бог даст God grant; Бог весть God (only) knows; Бог с ним never mind him; Бог с тобо́й God be with you [C]
бога́тство wealth, riches [C]
бога́тый wealthy, rich; бога́тым быть! see *note* **58.16**
бога́ч rich man [E]
богомо́лье pilgrimage (see *note* **84.4**) [C]
бо́дрый bold, cheerful, brisk
Бо́же! Бо́же мой! О God! heavens!
Бо́жий *adj.* God's, of God
бо́йкий brisk, smart, lively
бока́л (champagne) glass [C]
бо́ком sideways
болва́н idiot, blockhead [C]
бо́лее more
боле́знь illness, disease [C]
боле́ть *imp.* ache, hurt, be ill (ailing); *perf.* за∼
боло́то marsh, bog [C]
болтли́вость loquacity, freeness of speech [C]
боль pain, ache [C]
больни́ца hospital [C]
бо́льно *adv.* painfully; *impers.* it hurts (aches)
больно́й *adj.* ill, ailing, suffering; *sb.* sick person, patient
бо́льше more, greater
большинство́ majority [E]
большо́й large, great, big
борза́я *sb.* borzoi (dog), wolf-(deer-)hound
бормота́нье muttering, mumbling [C]
бормота́ть *imp.* mutter, mumble; *perf.* по∼, за∼
борода́ beard; *dim.* боро́дка, *gen. pl.* -/о [C]
борода́тый bearded
боро́ться *imp.* struggle, wrestle, fight; *perf.* по∼
борьба́ (*sing.* only) struggle, wrestling [E]
босо́й barefoot (see *note* **79.14**)
боти́нок о/- shoe [C]
боя́ться *imp.*+*gen.* fear, be afraid of; *perf.* по∼
бра́во bravo
брак marriage, married state [C]
брани́ть *imp.* abuse, scold; ∼ся rail, upbraid, be abusive; *perf.* по∼
брань abuse [C]
брасле́т bracelet [C]
брат, *pl.* ∼ья brother, friend, my lad; ваш ∼: see *sel. id.* **25.26** [C]
брать *imp.* take; *perf.* взять; ∼ на прока́т (take on) hire; ∼ся +*inf.* undertake to; ∼ся+за +*acc.* start upon, take up
бре́зжить *imp.* dawn, break through; *perf.* за∼

брести́, броди́ть *d. imp.* wander, roam, saunter; *perf.* побрести́ wander off
бригади́р brigadier [C]
бри́тый (clean-)shaven
брить *imp.* shave [*trans.*]; *perf.* вы́~, по~
бритьё shaving [E]
бри́чка, *gen. pl.* -/е (light) carriage, chaise [C]
бровь (eye-)brow [C : E exc. *nom.*]
броди́ть: see брести́
бродя́га *m.* tramp [C]
бро́сить *perf.* throw, throw over, abandon, cease; *imp.* броса́ть; ~ся rush, dash
брошь brooch [C]
брыка́ться *imp.* kick, buck; *perf.* брыкну́ть
брю́ки *pl.* trousers [C]
брюне́т dark(-haired) man [C]
буго́р о/- hillock, mound, lump [E]
бу́день *m.* е/- work-day, week-day [C]
бу́дет! stop! that will do! that's enough!
бу́дничный workaday, everyday
бу́дто: как ~ as if, as though
бу́дучи being, while
бу́дущее *sb.* the future [C]
бу́дущий future, coming
бу́дьте *imper.* of быть, be
бу́ква letter, character [C]
бума́га paper, document [C]
бу́рный stormy
бу́ря storm [C]
буря́тка, *gen. pl.* -/о Buryat woman (girl) (see *note* 107.4) [C]
бу́сы *pl.* beads [C]
буты́лка, *gen. pl.* -/о bottle [C]
буфе́т buffet, restaurant, refreshment-room [C]
бы, б *part. forming conditional and subjunctive*; как ~, as if
быва́ло used to, in the habit of; как ни в чём не ~ as though nothing were the matter, unconcernedly
быва́лый experienced, worldly-wise
быва́ть *imp.* be (frequently), happen; visit, frequent
бы́вший former, ex-, which (who) has been
бы́ло about to, on the point of (see *sel. id.* 15.10)
было́й past, bygone, former, of old
бы́стрый quick, swift; не ~ deliberate
быть *imp.* be, exist, happen
быть-мо́жет, мо́жет-бы́ть perhaps, maybe
бы́чий *adj.* ox

В

в, во+*acc.* to, in (40.12 *etc.*), at (20.4 *etc.*, 90.9), per (103.27 *etc.*), as (24.5), during (43.31 *etc.*), through (101.16 *etc.*), for (94.12 *etc.*), with (112.18); +*loc.* in, on (53.10), at (66.23 *etc.*), at a distance of (39.23 *etc.*), as (39.28 *etc.*), dressed in (47.17 *etc.*), covered with (49.18)
ваго́н (railway-)carriage [C]
ваго́нный *adj.* of (railway-)carriage
ва́жность importance; велика́ ~: see *sel. id.* 31.7 [C]
ва́жный important, serious, grave, haughty
ва́ленка, *gen. pl.* -/о felt boot (see *note* 16.15) [C]
вали́ть *imp.* pour; *perf.* по~
вальдшне́п snipe [C]
вальс waltz [C]
валя́ться *imp.* lie around; *perf.* за~ be left lying around
ва́нна bath [C]
варе́нье preserve [C]

варить *imp.* boil, cook; *perf.* с~, по~
ваш, ваше, ваша, *pl.* ваши your, yours
вбежать *perf.*+в+*acc.* run in; *imp.* вбегать
вбить *perf.* drive, knock; *imp.* вбивать
вблизи near by, at close quarters
вверх (of direction), up, upwards
ввести *perf.* lead in, introduce; *imp.* вводить
вдали in the distance
вдаль into the distance
вдова widow [E:←(1)]
вдовий *adj.* widow's
вдогонку after, following (with the purpose of overtaking)
вдруг suddenly
ведомство (government) department, ministry [C]
ведь why, after all
веер, *pl.* ~а fan [C:E]
век, *pl.* ~а century, age, lifetime (see *sel. id.* 28.19) [C:E]
веко, *pl.* веки eyelid [C]
великий great, large; велика важность, see *sel. id.* 31.7
великодушный magnanimous
великолепный splendid, magnificent
вельможа magnate, grandee, person of high rank; выйти в вельможи become one of the great [C]
венчальный *adj.* wedding
венчание wedding (ceremony) (see *note* 84.1) [C]
верить *imp.*+*dat.* believe; +в+*acc.* believe in; ~ся be believed; не верилось one could not believe; *perf.* по~
вернуться *perf.* return, get back; *imp.* возвращаться
верный right, correct, true; trusty, faithful
вероятный probable
верста (*pl.* вёрсты) verst ($\frac{2}{3}$ mile; see *note* 20.31) [E:←(1)]
верхний upper, highest, top
верхом mounted, riding
вершина summit, top [C]
вершок о/-, vershok ($1\frac{3}{4}$ inches) [E]
весёлый jolly, merry, cheerful
веселье jollity, merriment [C]
весенний *adj.* spring
весло, *gen. pl.* -/е oar [E:←(1)]
весна spring; весной in spring [E:←(1)]
веснушка, *gen. pl.* -/е freckle [C]
вести, водить *d. imp.* lead, carry on; *perf.* повести
весть: Бог ~ God (only) knows
весь, всё, вся, *pl.* все all, the whole; весь в пыли covered with dust
весьма extremely, very much, greatly
ветер е/- wind [C]
ветчина ham [E]
вечер, *pl.* ~а evening; вечером in the evening [C:E]
вечерний *adj.* evening
вечеря (*arch.*) evening meal, supper; тайная ~ the Last Supper
вечный eternal, everlasting (see *sel. id.* 28.26)
вешалка, *gen. pl.* -/о coat-hanger [C]
вещь thing; вещи luggage [C:E exc. *nom.*]
взаимный mutual
взаймы on loan, as a loan
взбираться *imp.* climb (scramble) up; *perf.* взобраться
взвизгивать *imp.* scream, shriek, squeal; *perf.* взвизгнуть

взволнóванный excited, agitated
взгляд look, glance, (*fig.*) eyes; окúнуть **~ом** cast **a** glance round [C]
взглянýть *perf.* glance, look; *imp.* взглядывать
вздёрнуть *perf.* **turn up,** tilt; *imp.* вздёргивать
вздох sigh [C]
вздохнýть *perf.* sigh; *imp.* вздыхáть
вздрóгнуть *perf.* start, shudder; *imp.* вздрáгивать
вздыхáть *imp.* sigh; *perf.* вздохнýть
взмахнýть *perf.+instr.* flourish, swing, wave; *imp.* взмáхивать
взобрáться *perf.* climb (scramble) up; *imp.* взбирáться
взойтú *perf.* rise (of **sun**); *imp.* восходúть, всходúть
взор look, (*fig.*) eyes [C]
взрóслый *adj.* grown-**up, adult;** *sb.* adult
взыскáние penalty [C]
взять *perf.* take, get; *imp.* брать; ~ся turn up (see *sel. id.* 13.14); ~ся+*inf.* undertake to; ~ся+за+*acc.* start upon, take up
вид appearance, look, form, state, view; дéлать ~, что (or бýдто) pretend to; в ~ý+*gen.* in view of [C:E]
вúдеть, видáть *imp.* see; *perf.* у~ catch sight of, notice; ~ся see each other, meet
вúдимый apparent, evident
вúдный visible, clear; eminent, high
визг squeal, creaking [C]
визглúвый squeaky, creaky
визúт visit, formal call; идтú с ~ом pay a call [C]
вúнный *adj.* wine, spirit(uous)
винó wine, spirits, vodka [E:←(1)]
виновáтый guilty, culpable, to blame
винокýренный завóд distillery
висóк о/- temple [E]
вихрь *m.* whirlwind [C]
вúшня, *gen. pl.* вúшен cherry [C]
вкус taste [C]
вкýсный tasty, appetizing
влáга moisture; живúтельная ~ elixir [C]
владéлец *m.* е/ь, владéлица *f.* owner [C]
владéть *imp.+instr.* own, possess, be master of; *perf.* за~ seize, take possession of
влáжный moist, damp
власть power, authority [C:E exc. *nom.*]
влюбúться *perf.* fall in love (with = в+*acc.*); *imp.* влюбля́ться
влюблённый in love
вмéсте *adv.* together
вмéсто+*gen.* instead of, in place of
вмешáтельство interference, intervention
вне+*gen.* outside, apart from
внезáпный sudden, unexpected
внестú *perf.* bring (take, carry) in, introduce; *imp.* вносúть
внéшний external
вниз (of direction) down, downstairs
внизý (of place) below, downstairs
внимáние attention; обратúть ~ на (+*acc.*) pay (draw) attention to, take note of [C]
внимáтельный attentive
вновь again, freshly
вносúть *imp.* bring (take, carry) in, introduce; *perf.* внестú
внук grandson [C]
внýтренний internal, interior
внутрú *prep.+gen.* inside, within; *adv.* (of place) inside

внутрь (of direction) in, inside, inwards
внуча́та *pl.* grandchildren [C]
внуши́тельный imposing
во́все не not at all
вогна́ть *perf.* drive in(wards); *imp.* вгоня́ть
вода́ water
води́ть *see* вести́; ~ па́льцем point, trace with the finger
во́дка *gen. pl.* -/о vodka [C]
водолече́бница hydropathic establishment [C]
водолече́бный hydropathic
водоцеле́бный: see *note* 63.30
вое́нный military, of war
вождь *m.* leader [E]
возбужда́ть *imp.* stir, excite, animate; ~ся, be excited; *perf.* возбуди́ть
возвраща́ться *imp.* return, come (go, get) back; *perf.* верну́ться, возврати́ться
воздева́ть *imp.* raise, lift up; *perf.* возде́ть
воздержа́ние abstinence, continence [C]
во́здух (*sing.* only) air, atmosphere [C]
возду́шный air, ethereal
воззре́ние view, opinion [C]
вози́ться *imp.* take trouble, make a fuss; *perf.* по~
во́зле *prep.*+*gen.* beside, by, near; *adv.* alongside, close by
возмо́жность possibility, opportunity [C]
возмо́жный possible
возни́ца *m.* driver [C]
возрази́ть *perf.*, возража́ть *imp.* reply, retort
во́зраст age [C]
возьми́те *imper.* of взять take
во́йско army, troops [C:E]
войти́ *perf.*+в+*acc.* go (come) in, enter; ~ в аза́рт let oneself go, get warmed up (96.6); *imp.* входи́ть
вокза́л station [C]
вокру́г+*gen.* round, around, about
волк wolf [C:E exc. *nom.*]
волне́ние excitement, emotion, agitation [C]
волни́стый wavy, waving
волнова́ть *imp.* stir, excite, agitate; *perf.* вз~; ~ся worry, get excited
во́лос a hair; ~ы the hair [C:E exc. *nom.*]
воло́чь *imp.* (*coll.*) drag; *perf.* по~
волчёнок о/-, *pl.* волча́та wolf-cub [C]
волчи́ха, волчи́ца she-wolf [C]
волше́бный *adj.* magic
волшебство́ magic
вольноопределя́ющийся *sb.* volunteer (see *note* 26.17)
во́ля will, liberty [C]
вон! clear off! (get) away! (see *note* 60.6); also (*coll.*) = вот there, over there, yonder
вонь (*sing.* only) smell, stench [C]
воображе́ние imagination, mind [C]
вообрази́ть *perf.* imagine; *imp.* вообража́ть
вообще́ in general, generally speaking
вопро́с question [C]
вопроси́тельный questioning, inquiring, inquisitive
ворва́ться *perf.* burst (break) in, penetrate; *imp.* врыва́ться
воро́на crow (see *note* 123.1) [C]
воро́та gate(s) [C]
ворча́ть *imp.* grumble, growl, mutter; *perf.* по~
восемна́дцать eighteen

во́семь eight
во́семьдесят eighty
воскли́кнуть *perf.* exclaim; *imp.* восклица́ть
воскресе́нье Sunday [C]
воскре́сный *adj.* Sunday
воспита́ние education, breeding [C]
вос/по́льзоваться *perf.*+*instr.* take advantage of, use
воспомина́ние recollection, a memory [C]
восприе́мник godfather [C]
восстава́ть *imp.*+на+*acc.* rebel against, rail at (see *note* 25.14); *perf.* восста́ть
восто́к east [C]
восто́рг rapture, ecstasy; прийти́ в ~ fly into raptures; с ~ом, в ~е delightedly, ecstatically [C]
восто́рженный ecstatic, rapturous
восто́чный eastern
восхити́тельный delightful
восхища́ть *imp.* delight; *perf.* восхити́ть; ~ся be delighted (in raptures), admire
восхище́ние rapture, delight, admiration [C]
восходи́ть, всходи́ть *imp.* rise (of sun, moon); *perf.* взойти́
восьмидесятиле́тний eighty-year-old
вот here (there) is (are); now, then; ~ так so, like that, that's right; вот-вот at any moment (59.14)
во́ют 3*rd pl. pres.* of выть howl
впада́ть *imp.*+в+*acc.* fall into; *perf.* впасть
впервы́е first, for the first time
вперёд (of direction) forward, ahead
впереди́ (of place) in front, ahead
впечатле́ние impression [C]
вполго́лоса in an undertone, in a low voice
впопыха́х hurriedly, in haste
впро́голодь *adv.* half-starved, on the verge of starvation
враг enemy [E]
врач doctor, physician [E]
вре́дный harmful, bad
вре́менный temporary
вре́мя *n.* (*pl.* времена́) time, season; во вре́мя+*gen.* during; во́время in time, betimes; со вре́менем in (course of) time; с того вре́мени, как *conj.* since; тем вре́менем meanwhile [C:E]
вро́де, в ро́де+*gen.* a kind of
всё all, everything; *adv.* all the time, constantly, always; ~ же, still, all the same
всевозмо́жный every (the greatest) possible, all sorts of
всегда́ always
всего́: ху́же ~ worst of all, the (very) worst thing
вселя́ть *imp.* implant, inspire; *perf.* всели́ть
всё-таки still, all the same
вско́ре soon, presently
вскорми́ть *perf.* bring up, rear; *imp.* вска́рмливать
вскочи́ть *perf.* jump up; *imp.* вска́кивать
вскри́кивать *imp.* cry (shout) out; *perf.* вскри́кнуть
вслед *adv.* after, following
вслух *adv.* aloud
вслу́шиваться *imp.* listen closely (attentively); *perf.* вслу́шаться
всма́триваться *imp.* look closely, peer; *perf.* всмотре́ться
вспа́рхивать *imp.* fly (flutter) up; *perf.* вспорхну́ть
вспаха́ть *perf.* till, plough; *imp.* вспа́хивать
вспо́мнить *perf.* recall, remember; ~ся be remembered, come to memory; *imp.* вспомина́ть

вспы́хнуть *perf.* flare up, fly into a temper; *imp.* вспы́хивать
встать *perf.* rise, get up; *imp.* встава́ть
встре́тить *perf.* meet, welcome; ~ся be met (encountered), meet each other; *imp.* встреча́ть
встре́ча meeting, welcome, reception [C]
встряхну́ть *perf.*+*instr.* shake, jerk; *imp.* встря́хивать
всхли́пнуть *perf.* sob; *imp.* всхли́пывать
всходи́ть: see **восходи́ть**
всю́ду everywhere
вся́кий any, all kinds of
второ́й *adj.* second
втроём *adv.* three together
вчера́ yesterday
вчера́шний *adj.* yesterday's, of the day before
въе́хать *perf.*+в+*acc.* enter, drive in; *imp.* въезжа́ть
вы́бор choice; ~ы elections [C]
вы́/брить *perf.* shave
вы́бросить *perf.* throw out; *imp.* выбра́сывать
вы́вернуть *perf.* turn out (inside out), pull out (see *sel. id.* 42.2); *imp.* вывора́чивать
вы́веска, *gen.pl.* -/о sign(-board) [C]
выводи́ть *imp.* lead out, depict, award (see *note* 25.15); ~ из терпе́ния try one's patience; *perf.* вы́вести
выгля́дывать *imp.* look (peep) out; *perf.* вы́глянуть
вы́гнать *perf.* drive (turn) out; *imp.* выгоня́ть
вы́говорить *perf.* utter, pronounce; ~ся have one's say; *imp.* вьгова́ривать
вы́года benefit, advantage [C]
вы́гореть *perf.* burn up (out); *imp.* выгора́ть
вы́давить *perf.* squeeze out; *imp.* выда́вливать
вы́дать *perf.* give (hand) out; *imp.* выдава́ть; ~ за́муж marry off, give in marriage
выде́лывать *imp.* make, produce, execute; *perf.* вы́делать
вы́держать *perf.* hold out, pass (examination); *imp.* выде́рживать
вы́ехать *perf.* ride (drive) out, leave; *imp.* выезжа́ть
вы́звать *perf.* call out (forth); *imp.* вызыва́ть
вы́йти *perf.* come (go) out; ~ за́муж marry (of a woman); ~ в вельмо́жи (see *sel. id.* 14.30); *imp.* выходи́ть
вы́кат: глаза́ на ~е protruding (goggling) eyes (87.23)
вы́/красить *perf.* paint, dye
выкри́кивать *imp.* shout out, call; *perf.* вы́крикнуть
вы́/купать *perf.* bath, bathe
вылета́ть *imp.* fly out; *perf.* вы́лететь
вы́мереть *perf.* die out; *imp.* вымира́ть
вы́/молвить *perf.* say, utter
вы́нуть *perf.* take out, remove; *imp.* вынима́ть
вы́пить *perf.* drink (up); *imp.* выпива́ть
выпрямля́ться *imp.* straighten (oneself) up; *perf.* вы́прямиться
вы́пуклый prominent, protruding
вы́пучить *perf.* protrude, goggle (of eyes); *imp.* выпу́чивать
выраже́ние expression, look [C]
вы́разить *perf.* express; *imp.* выража́ть; ~ся be expressed, express oneself, speak
вы́рвать *perf.* tear out; *imp.* вырыва́ть

вы́родиться *perf.* degenerate; *imp.* вырожда́ться
вы́расти *perf.* grow up; *imp.* выраста́ть
вы́растить *perf.* bring up, raise, rear; *imp.* выра́щивать
вы́ручка takings [C]
вы́скочить *perf.* jump out; *imp.* выска́кивать
вы́слать *perf.* send out, dispatch; *imp.* высыла́ть
вы́слушать *perf.* listen out, sound; *imp.* выслу́шивать
вы́/сморкаться *perf.* blow one's nose
высо́кий high, tall, lofty
высокопоста́вленный highly-placed, eminent
высокоро́дие: ва́ше ~ your honour (see *note* 26.21)
вы́спаться *perf.* sleep enough; *imp.* высыпа́ться
вы́ставка, *gen. pl.* -/о exhibition [C]
вы́стрел shot [C]
вы́ступить *perf.* come (ooze) out, issue; *imp.* выступа́ть
вы́сунуть *perf.* stick (push) out; *imp.* высо́вывать; ~ся lean out, protrude
вы́сший higher, highest, supreme
вы́тащить *perf.* pull (drag) out; *imp.* вытаскивать
вытека́ть *imp.*+из+*gen.* result (follow) from; *perf.* вы́течь
вы́тереть *perf.* wipe; *imp.* вытира́ть
вы́/терпеть *perf.* endure, hold out
выть *imp.* howl; *perf.* за~, по~
вы́тянуть *perf.* stretch out, crane; *imp.* вытя́гивать; ~ся stretch (oneself) out, draw (oneself) up
вы́учить *perf.* learn off; *imp.* выу́чивать
выходи́ть *imp.* come (go) out, turn out, leave; ~ за́муж, marry (of a woman); *perf.* вы́йти
вы́ше *comp. predic. adj.* and *adv.* higher
вы́шить *perf.* embroider; *imp.* вышива́ть
вяз elm(-tree) [C]
вяза́ться *imp.*+с+*instr.* go (be compatible) with (see *sel. id.* 54.25); no *perf.* in this sense
вя́лый slow, languid, listless

Г

га́дкий nasty, odious, disgusting
газ gas [C]
газе́та newspaper [C]
газе́тный *adj.* newspaper
га́лстух neck-tie [C]
галу́н braid [C]
гармо́ника accordion [C]
гармони́чный, гармони́ческий harmonious
гауптва́хта guard-room, (military) lock-up (see *note* 96.18) [C]
гвоздь *m.* nail [E exc. *nom. pl.*]
где where; ~ уж? how? (29.2)
где́-нибудь anywhere, somewhere
где́-то somewhere
генера́л general [C]
ге́ний genius [C]
географи́ческий geographical
геогра́фия geography [C]
геоме́трия geometry [C]
георги́на dahlia [C]
геро́й hero [C]
ги́кнуть *perf.* whoop; *imp.* ги́кать
гимнази́ст schoolboy (see *note* 13.9) [C]
гимнази́стка, *gen. pl.* -/о schoolgirl [C]
гимнази́ческий *adj.* high (secondary) school
гимна́зия high (secondary) school [C]

гла́вный chief, principal, main; гла́вное *sb.* the main thing
гла́дкий smooth; гла́дко it sounds all right (65.20)
глаз, *nom. pl.* глаза́, *gen. pl.* глаз eye [C:E]; *dim.* глазо́к о/- [E]
глота́тельный *adj.* (of) swallowing
глубо́кий deep, profound
глубоча́йший deepest, most profound
глупова́тый rather stupid
глу́пость stupidity, stupid thing [C]
глу́пый stupid, silly, foolish; *dim.* глу́пенький
глухо́й deaf; dull, muffled; remote, isolated
глухонемо́й *sb.* deaf-mute
гляде́ть *imp.* look, gaze, watch, see; *perf.* по~; ~ся look at oneself
гнать, гоня́ть *d. imp.* chase, drive; *perf.* погна́ть; ~ся+за+*instr.* chase after
гнев wrath [C]
гнедо́й bay, sorrel
гнёт (*sing.* only) pressure, worry, oppression [C]
гнило́й rotten
гнуть *imp.* bend; *perf.* со~
гове́ть *imp.* fast, keep a fast (see *note* 28.28); *perf.* по~
го́вор talk, talking; dialect [C]
говори́ть talk, speak, say, tell; *perf.* по~ talk a little; *perf.* сказа́ть say, tell
го́голевский *adj.* Gogol's (see *note* 117.29)
год (*pl.* ~á), year [C:E]
годи́ться *imp.* do, suit, be suitable (good); *perf.* при~
голова́ head [see p. 161]; *dim.* голо́вка, *gen. pl.* -/о [C]
го́лод hunger, famine [C]
голо́дный hungry
го́лос о/- voice [C:E]; *dim.* голосо́к о/- [E]
голубо́й light blue
голу́бушка, *gen. pl.* -/е (my) dear (see *note* 13.12) [C]
голу́бчик my dear fellow, my friend (see *note* 13.12) [C]
го́лый bare, naked
гони́ *imper.* of гнать chase, drive, urge
гоня́ться, *see* гна́ться
гора́ hill, mountain; снегова́я ~, see *note* 19.7; не за ~ми not far away, near at hand [E:←(1)]
горба́тый hump-backed, bent, stooping
горби́нка, *gen. pl.* -/о hump, convex curve; нос с горби́нкой, aquiline nose (49.3) [C]
горди́ться *imp.* be proud; +*instr.* be proud of, take pride in; *perf.* воз~
го́рдый proud, haughty
го́ре grief, sorrow, woe, misfortune; чи́стое ~ see *sel. id.* 70.18 [C:E]
горе́ть *imp.* burn, be burning, glow; *perf.* с~
горизо́нт horizon [C]
го́рничная *sb.* maid, servant
го́род, *pl.* ~á town, city [C:E]
городско́й *adj.* urban, town
горожа́нин townsman; *pl.* горожа́не townsfolk [C]
горо́х peas [C]
го́рький bitter (see *note* 60.6)
горя́чий hot, fervent
Го́споди *voc.* Lord! Good Lord!
господи́н Mr., sir, gentleman, man (see *note* 70.16); *pl.* господа́ gentry, masters, gentlemen [C:E]
госпо́дский *adj.* master's
Госпо́дь the Lord; ~ вас благослови́т may the Lord bless you

госпожа́ Mrs., mistress, lady, madam [E]
гости́ная *sb.* drawing-room
гости́ный двор bazaar, arcade (see *note* 23.17)
гости́ть *imp.* stay, be on a visit; *perf.* по~
гость *m.* guest, visitor; прийти́ в го́сти come on a visit; быва́ть в гостя́х be in the habit of visiting [C:E exc. *nom.*]
госуда́рственный *adj.* state, national, government
госуда́рь *m.* ruler, tsar; sir, sire [C]
гото́вить *imp.* prepare, cook; *perf.* при~
гото́вый ready, prepared, on the point of
грабёж robbery [E]
гра́бли *pl.* (garden-)rake [C]
гра́дус degree (of temperature) (see *note* 63.23) [C]
граждани́н (*pl.* гра́ждане) citizen
грамма́тика grammar [C]
гра́мотность literacy (see *note* 116.4) [C]
гра́мотный literate
графи́нчик, *dim.* of графи́н decanter [C]
гра́ция grace, gracefulness [C]
грач rook [E]
греме́ть *imp.* thunder, roar, play loudly; *perf.* за~
греть *imp.* warm; *perf.* со~; ~ся warm oneself, bask
гре́шный *adj.* sinful; *sb.* sinner
гриб mushroom, fungus (see *note* 108.9) [E]
гроза́ thunderstorm, threat [E:←(1)]
гроздь cluster
грози́ть *imp.* threaten; *perf.* по~
гро́зный threatening, menacing
грома́дный huge, immense
гро́мкий loud
гро́мче *comp. predic. adj.* and *adv.* louder
грош farthing (*see note* 91.13) [E]
гру́бый coarse, harsh, rough, crude; гру́бая оши́бка bad mistake
грудь breast, chest [C:E exc. *nom.*]
гру́стный sad, sorrowful, melancholy
грусть melancholy, feeling of sadness [C]
гру́ша pear [C]
грызть gnaw; *perf.* за~, с~
гря́зный dirty, muddy
грязь dirt, mud [C]
губа́ lip [E exc. *nom. pl.*]
губе́рния province (see *note* 25.22) [C]
губе́рнский provincial
гуверна́нтка, *gen. pl.* -/о governess [C]
гуде́ть *imp.* hum, drone; *perf.* за~
гуля́нье parade, promenade, pleasure walk (see *note* 94.24) [C]
гуля́ть *imp.* walk, promenade, parade; stay away from work, take a day off, be idle; *perf.* по~
гумно́ threshing-floor, rick-yard, stack-yard [E:←(1)]
густо́й thick, dense, deep
гусы́ня *f.* goose [C]
гусь *m.* goose [C:E exc. *nom. pl.*]
гу́ща dregs, (coffee) grounds; thicket [C]

Д

да yes; and, and even (17.9); but (13.19, 16.19 *etc.*); why! (31.7, 32.4); besides, moreover (37.7 *etc.*); ну, да! really! indeed! (30.16)
даба́ (coarse Chinese) cotton cloth

дава́й, дава́йте+*inf.* or *1st pl. future perf.* let us, let's
дава́ть *imp.* give, let; *perf.* дать
да́веча *coll.* just now, lately
давни́шний old, long-standing, of long ago
давно́ long ago, a long time past
да́же even
далёкий distant, far-off
да́льше *comp. predic. adj.* and *adv.* further
да́ма lady [C]
да́мский *adj.* lady's
дари́ть *imp.* present; *perf.* по~
дать *perf.* give, let; ~ поня́ть make understand; ~ себе́ отчёт grasp, realize; Бог даст God grant; не дай Бог God forbid; *imp.* дава́ть
да́ча summer villa, bungalow, country house (see *note* 69.15) [C]
да́чник summer resident (visitor) [C]
да́чное ме́сто summer colony (see *note* 87.22)
два, *fem.* две two
два́дцать twenty
две, *fem.* of два two
двена́дцать twelve
дверь door [C:E exc. *nom.*]
дви́гатель *m.* motor, engine [C]
дви́гаться *imp.* move; *perf.* дви́нуться
движе́ние movement, motion [C]
дво́е two, pair, couple
двор yard, courtyard; на ~е́ out of doors, in the open; гости́ный ~ bazaar, arcade (see *note* 23.17) [E]
дворня́жка, *gen. pl.* -/е mongrel, yard-dog [C]
дворя́нский *adj.* gentry; дворя́нская опе́ка, see *note* 38.1; дворя́нское собра́ние, see *note* 92.27
двугри́венный *sb.* twenty-copeck piece (see *note* 91.12)
деви́ца girl, maiden, spinster [C]
де́вка, *gen. pl.* -/о wench, lass [C]; *dim.* девчо́нка, *gen. pl.* -/о (see *note* 89.26) [C]
де́вочка, *gen. pl.* -/е (little) girl [C]
де́вушка, *gen. pl.* -/е girl, maid [C]
девяно́сто ninety
девятна́дцать nineteen
де́вять nine
де́душка, *gen. pl.* -/е grandfather [C]
действи́тельный actual, real, effective
дека́брь *m.* December [C]
декольти́рованный décolleté, with low neck
де́лать *imp.* do, make; ~ся be done, made, take place, happen; *perf.* с~
делика́тный refined, polite, delicate
де́ло affair, matter, occupation, business; то и ~ every now and then; в са́мом де́ле really, indeed; see also *sel. id.* 21.21 [C:E]
делови́тость practical capacity, business-like manner [C]
делови́тый practical, business-like
делово́й *adj.* practical, business
день *m.* е/- day [E]
де́ньги *pl.*, *gen.* ь/е money
департа́мент government department (office) [C]
дёргать *imp.* tug, pull; *perf.* с~, дёрнуть
дереве́нский country, rural
дере́вня, *gen. pl.* дереве́нь village, countryside
де́рево, *pl.* дере́вья wood, tree [C]
деревя́нный wooden, of wood
держа́ть *imp.* hold, keep; ~ себя́ behave; ~ пари́ lay a bet; ~ся last, continue, hold oneself

десяти́на desyatina (2·7 acres) [C]
десятичасово́й *adj.* ten-o'clock
деся́ток ten, half a score [C]
де́сять ten
де́ти *pl.* children
де́точка, *gen. pl.* -/е (little) child [C]
де́тская *sb.* nursery
де́тский *adj.* child's, children's
де́тство childhood
дешёвый cheap
де́ятельность activity [C]
джин gin [C]
дива́н divan, ottoman, sofa [C]
дика́рь *m.* savage [E]
ди́кий wild, savage
дикта́нт dictation [C]
диктова́ть *imp.* dictate; *perf.* про~
дире́ктор, *pl.* ~а́ director [C:E]
дисциплина́рный disciplinary
дли́нно at length, protractedly, tediously
дли́нный long
для+*gen.* for, to (33.21); ~ чего́ why? for what (which purpose)? (26.26); ~ того, что́бы *conj.* in order to
дневно́й *adj.* day
днём by day, in the daytime
дно bottom, *pl.* до́нья [C]
до+*gen.* to, up to, as far as, to the point of (see *sel. id.* 102.3); before, until
доба́вить *perf.* add; *imp.* добавля́ть
доброта́ kindness, goodness [E]
до́брый kind(-hearted), good-natured
добыва́ние getting, making [C]
добыва́ть *imp.* seek, get, obtain; *perf.* добы́ть
добы́ча booty, loot [C]
дове́рие trust, confidence [C]
дове́рчивый trusting, confiding
довести́ *perf.* lead, bring; *imp.* доводи́ть; ~ до све́дения notify, inform
дово́льно fairly, enough
дово́льный pleased, content
дово́льство sufficiency, satisfaction [C]
догада́ться *perf.* guess, judge, conclude; *imp.* дога́дываться
догна́ть *perf.* overtake; *imp.* догоня́ть
дое́хать *perf.* arrive, reach; хорошо́ дое́хал? have you had a good journey? (16.18); *imp.* доезжа́ть
дожда́ться *perf.* wait for; *imp.* дожида́ться
дождь *m.* rain [E]
дои́ть *imp.* milk (a cow, *etc.*); *perf.* по~
доказа́тельство proof [C]
доказа́ть *perf.* prove; *imp.* дока́зывать
докла́д report, lecture [C]
докла́дчик reporting secretary, 'rapporteur' (see *note* 93.31) [C]
до́ктор, *pl.* ~а́ doctor [C:E]
долг debt, duty; в ~ on credit [C:E]
до́лго (for) a long time
долгове́чный lasting, long-lived
должно́ быть, *coll.* до́лжно probably, evidently, must be
до́лжность office, post, job [C]
до́лжный due, proper, fitting; я до́лжен I ought to (should)
доложи́ть *perf.* report, announce; *imp.* докла́дывать
до́ля share, part [C]
дом, *pl.* ~а́ house, building [C:E]; *dim.* до́мик [C]
до́ма (of place) at home
дома́шние *sb. pl.* household, family
дома́шний *adj.* domestic
домо́й (of direction) home(wards)

донести́ *perf.* carry up to, reach, deliver, report; *imp.* доноси́ть; ~ся be borne, carry
допра́шивать *imp.* interrogate, examine; *perf.* допроси́ть
допро́с interrogation [C]
допуска́ть *imp.* admit, accept, tolerate; *perf.* допусти́ть
доро́га road, journey, way, (railway) line; желе́зная ~ railway; в доро́ге on a journey, when travelling [C]
дорого́й dear, expensive
доро́жка, *gen. pl.* -/е path [C]
доса́да vexation, annoyance [C]
доска́, *gen. pl.* -/о board, plank, sheet [E exc. *acc.*:←(1)]
дослужи́ться *perf.*+до+*gen.* reach the position of; дослужи́лся? have you got on? (see *sel. id.* 14.7); *imp.* дослу́живаться
доставля́ть *imp.* deliver, supply, afford; *perf.* доста́вить
доста́точно sufficiently, enough, fairly
доста́ть *perf.* reach, obtain; *imp.* достава́ть
достига́ть *imp.* reach, achieve, attain; *perf.* дости́чь and дости́гнуть
досто́инство dignity, quality [C]
досу́г leisure [C]
дотро́нуться *perf.*+до+*gen.* touch; *imp.* дотро́гиваться
дотяну́ть *perf.* stretch (last) out; *imp.* дотя́гивать
дочь (*gen.* до́чери, *pl.* до́чери) daughter [C:E exc. *nom.*]; *dim.* до́чка, *gen. pl.* -/е [C]
доща́тый made of boards (planks)
дразни́ть *imp.* tease, provoke, call teasingly (see *sel. id.* 13.28); *perf.* по~
древе́сный *adj.* wood; ~клей resin
дрема́ть *imp.* doze, be half asleep; *perf.* вздремну́ть
дрова́ *pl.* (fuel) logs [E]
дро́ги *pl.* cart (see *note* 52.16) [C]
дро́гнуть *perf.*, дрожа́ть *imp.* tremble, shake, shiver, shudder, flicker
дрожа́ние trembling, shaking, quivering [C]
дрозд thrush [E]
друг (*pl.* друзья́) friend; ~дру́га, *etc.* each other (see *sel. id.* 13.15) [C:E]
друго́й other; на друго́й день next day
дря́зги *pl.* squabbling
ду́мать *imp.* think; мне ду́мается, I have an idea; *perf.* по~
ду́ра fool, idiot [C]; *dim.* ду́рочка, *gen. pl.* -/е [C]
дурно́й bad, vicious
дуть *imp.* blow; *perf.* по~
дух spirit, breath; перевести́ ~ get one's breath; ни слу́ху, ни ~у see *sel. id.* 62.5 [C]
духи́ *pl.* scent, perfume [E]
духо́вный spiritual, of the spirit; ecclesiastical (see *note* 57.9)
духота́ closeness, suffocation; stiffness [E]
душ douche, shower-bath (see *note* 68.8) [C]
душа́ soul, spirit [E:←(1)]
душе́вный sincere, heart-to-heart
ду́шный close, stuffy
душо́нок о/- swell, toff [C]
дым smoke [C]
дыра́ hole [E:←(1)]; *dim.* ды́рочка, *gen. pl.* -/е [C]
дыря́вый in holes
дыха́ние breath, breathing [C]
дыша́ть *imp.* breathe (see *sel. id.* 105.12); *perf.* по~
дья́вол the devil [C]

дьячёк (church) clerk, chanter (see *note* 57.10) [E]
дю́жина dozen [C]
дя́дя uncle [C]

Е

ева́нгелие gospel (see *note* 59.1) [C]
европе́йский *adj.* European
еда́ть see есть
едва́ hardly, scarcely, just, no sooner; ~ не all but, very nearly
едини́ца unit, one (see *note* 25.15) [C]
еди́нственное *sb.* the only thing
еди́нственный *adj.* only, single, sole
е́дучи *pres. indecl. part.* while travelling
ежего́дный annual
е́жели *arch.* and *coll.* if
ежемину́тный *adj.* every minute, constant
е́здить, see е́хать
е́ле scarcely, hardly; е́ле-е́ле only just, barely
ёлка, *gen. pl.* -/о Christmas tree [C]
ело́вый *adj.* fir
ель fir(-tree) [C]
е́сли if
есть there is (are); right, ready (63.7); всё как ~ all complete
есть, еда́ть *d. imp.* eat; *perf.* пое́сть
е́хать, е́здить *d. imp.* go, come, ride, drive, travel; *perf.* пое́хать
ещё yet, still, again, more, another, further

Ж

жа́воронок о/- lark [C]
жа́дность eagerness, greed; с ~ю greedily [C]
жа́дный eager, keen, greedy
жале́ть *imp.* spare, grudge; regret, pity, care for; *perf.* по~
жа́лкий pitiful, pathetic, poor, wretched; мне жа́лко + *acc.* I'm sorry for
жа́лоба complaint [C]
жа́лобный complaining, plaintive
жа́лованье salary, pay, wages [C]
жа́ловаться *imp.* complain; *perf.* по~
жа́лосливый *coll.* = жа́лостливый kind, kind-hearted
жа́лость pity [C]
жаль *impers.* it's a pity; мне ~ I regret, I'm sorry
жар heat, fever [C]
жара́ hot weather [E]
жа́рить *imp.* roast, fry; ~ся be roasting (frying); *perf.* по~, из~
жа́ркий hot
жа́ться *imp.* press (huddle) together; *perf.* по~
ждать *imp.* wait, await, expect; *perf.* подо~
же, ж but, while, on the other hand (13.5, 16.19 *etc.*); indeed (53.30); then (13.21 *etc.*); just (13.20, 21.8 *etc.*); same, similar (as in так же, тот же, тако́й же, *etc.*)
жева́ть *imp.* chew; *perf.* по~
жела́ние wish, desire [C]
жела́ть *imp.* wish, want, desire; *perf.* по~
желе́ *indecl.* jelly
желе́зная доро́га railway
железнодоро́жный *adj.* railway
желе́зный *adj.* iron
желе́зо iron [C]
жёлтый yellow; *dim.* жёлтенький
жена́ (*pl.* жёны) wife [E:←(1)]
жена́тый married (of a man)
жени́ться *imp.* + на + *loc.* marry (of a man) (see *sel. id.* 21.3); *perf.* по~

же́нский woman's, female, feminine
же́нственный womanly, feminine
же́нщина woman [C]
жеребёнок о/- (*pl.* жеребя́та) foal [C]
же́ртва sacrifice, victim [C]
жестикули́ровать *imp.* gesticulate; *perf.* за~
жесто́кий cruel
живи́тельная вода́ elixir
живо́й alive, living; keen, alert, vivid
жи́вопись (the art of) painting [C]
живо́т stomach, belly, 'corporation' [E]
живо́тное *sb.* animal
живо́тный *adj.* animal, brute
жи́дкий thin, slim, sparse
жизнеспосо́бность vitality, capacity for living [C]
жизнь life [C]
жиле́т waistcoat [C]; *dim.* жиле́тка *gen. pl.* -/о [C]
жи́рный rich, fat, greasy
жи́тель *m.* inhabitant [C]
жить *imp.* live; *perf.* по~
жужжа́ние hum, whirring [C]
жужжа́ть *imp.* hum, whir, buzz; *perf.* за~
журна́л journal, magazine [C]
жу́ткий eery, weird, uncanny, dread, uneasy, disturbing
жуя́ *participle* of жева́ть chewing

З

за+*acc.* for (18.2), at (47.26), by (45.17 *etc.*), outside (51.28), at a distance of (57.18 *etc.*), during (63.19); +*instr.* behind, beyond, after, at (17.13 *etc.*), outside, for (69.9), owing to (111.21); ~ то, on the other hand; ~ то, что because; ни ~ что not for anything; ~ шту́ку each, apiece
заба́ва amusement [C]
забега́ть *imp.* run on ahead; *perf.* забежа́ть
забира́ть *imp.* take; ~ в сто́рону keep to one side; ~ся climb, get into (on to); *perf.* забра́ть
заби́тый oppressed, downtrodden, beaten
забле́ять *perf.* start bleating; *imp.* бле́ять bleat
забо́р fence [C]
за/бормота́ть *perf.* mutter, mumble
забо́та care, worry, anxiety [C]
забра́ть *perf.* take, gather, rake in; *imp.* забира́ть
забрести́ *perf.* stray; *imp.* забреди́ть
забы́ть *perf.* forget; ~ся forget oneself; *imp.* забыва́ть
заваля́ться *perf.* be left around; *imp.* валя́ться, be lying around
заведе́ние establishment [C]
зави́довать *imp.*+*dat.* envy; *perf.* по~
завизжа́ть *perf.* start squealing (shrieking); *imp.* визжа́ть squeal, shriek
зави́сеть *imp.*+от+*gen.* depend on; no *perf.*
за́висть envy (of = к+*dat.*) [C]
завиту́шка, *gen. pl.* -/е curl, flourish, scroll [C]
заво́д works; виноку́ренный ~ distillery [C]
заволнова́ться *perf.* stir, get excited; *imp.* волнова́ться
заволо́чь *perf.* cover, veil; *imp.* заволакивать
за/вопи́ть cry out
за́втра to-morrow
за/вы́ть howl

завя́зывать *imp.* tie, fasten; *perf.* завяза́ть
зага́дка, *gen. pl.* -/о riddle, puzzle [C]
зага́дочный puzzling, enigmatic, mysterious
загляну́ть *perf.* look, peep; *imp.* загля́дывать
заговори́ть *perf.* start talking; *imp.* загова́ривать
загово́рщица *f.* conspirator [C]
загора́живать *imp.* cut off, shut off; *perf.* загороди́ть
загоре́ть *perf.* get sunburned; *imp.* загора́ть; ~ся catch fire
загороди́ть *perf.* close, cut (shut) off; *imp.* загора́живать
загоро́дка, *gen. pl.* -/о fence, rail, partition [C]
загра́ни́цу (of direction) abroad
загромождáть *imp.* encumber, clutter up; *perf.* загромозди́ть
за/дави́ть *perf.* crush
зада́ром *coll.* for да́ром gratis, for nothing; in vain
зада́ча task, duty, problem [C]
задви́гаться *perf.* start moving; *imp.* дви́гаться
заде́лать *perf.* stop up, block; *imp.* заде́лывать
задержа́ть *perf.* stop, check, arrest, damp down; *imp.* заде́рживать
за́дний back, rear; ~ ход! reverse!
задо́лго+до+*gen.* long before
задо́р eagerness, enthusiasm [C]
задра́ть *perf.* tear (scratch) up; ~ вверх но́ги, kick up the feet; *imp.* задира́ть
заду́маться *perf.* begin to muse (ponder); заду́мываться *imp.* muse, ponder
заду́мчивый thoughtful, pensive, pondering
задыха́ться *imp.* get out of breath; *perf.* задохну́ться
заём ё/й loan
зажда́ться *perf.* wait (over long); no *imp.*
заже́чь *perf.* light, set fire to; *imp.* зажига́ть
зазыва́ть *imp.* invite, press; *perf.* зазва́ть
заинтересова́ть *perf.* interest
заи́скивающий ingratiating
за́йчик *dim.* of за́яц hare [C]
зайчи́ха *f.* of за́яц hare [C]
заказа́ть *perf.* order, book; *imp.* зака́зывать
заказно́й registered (letter *etc.*)
закали́ть *perf.* temper, harden; *imp.* закаля́ть, зака́ливать
зака́т sunset [C]
за/кива́ть+*instr.* nod
заключа́ться *imp.* be contained, consist of, lie; *perf.* заключи́ться
зако́н law [C]
законоучи́тель *m.* scripture teacher (see *note* 26.8) [C]
за/копте́ть *perf.* smoke, cover with smoke
за/кочене́ть *perf.* grow numb
закрича́ть *perf.* shout out; *imp.* крича́ть
закру́чивать *imp.* twist; *perf.* закрути́ть
закры́ть *perf.* close; *imp.* закрыва́ть; ~ся close (*intrans.*), hide (protect) oneself
закуда́хтать *perf.* begin clucking (cackling); *imp.* куда́хтать
закури́ть *perf.* start smoking, light up; *imp.* кури́ть smoke
закуси́ть *perf.* have a snack (bite, something to eat); *imp.* заку́сывать
заку́ска, *gen. pl.* -/о snack, bite, hors d'œuvre [C]

за́ла hall, large room, drawing-room [C]
зала́ять *perf.* begin barking; *imp.* ла́ять
зале́чь *perf.* lie down out of sight; ~ спать retire for a sleep (47.8); *imp.* залега́ть
заливно́й flooded, subject to flooding (see *note* 57.11)
зали́вчатый sustained, loud
зали́занный smooth, flat, licked down
зали́ть *perf.* flood, pour over; *imp.* залива́ть; ~ся ла́ем start barking furiously; ~ся то́нким го́лосом set up a shrill howl; ~ся слеза́ми burst into tears
зама́зать *perf.* smear; *imp.* зама́зывать
замаха́ть, замахну́ть *perf.*+*instr.* wag, wave, make a gesture (with hand, stick, whip); *imp.* зама́хивать; ~ся make a threatening gesture, threaten
замедля́ть *imp.* delay, slow down; *perf.* заме́длить
за/мелька́ть *perf.* appear (briefly), flash
заменя́ть *imp.* replace, substitute; *perf.* замени́ть
заме́тить *perf.* notice, remark; *imp.* замеча́ть
заме́тный evident, clear, noticeable
замеча́ние remark, reprimand, observation [C]
замеча́тельный remarkable
замига́ть *perf.* begin twinkling (blinking); *imp.* мига́ть
замира́ть *imp.* die down; замира́ет дух one's heart stands still (breathing stops); *perf.* замере́ть
замолча́ть *perf.* stop talking, fall silent; *imp.* молча́ть
за́муж: вы́йти ~ *perf.*, выходи́ть ~ *imp.* marry (of a woman); ~ бы ей пора́ time she was married; быть ~ем be married
заму́жество marriage, married state [C]
за/му́чить *perf.* weary, wear out, torment
за́ново freshly, afresh
заня́ть *perf.* occupy; *imp.* занима́ть; ~ся+*instr.* take up, begin, tackle; занима́ться work, be employed, study
за́пад west [C]
за́пах smell [C]
запа́хнуть *perf.*+*instr.* begin to smell of; *imp.* па́хнуть
запе́ть *perf.* begin singing; *imp.* запева́ть
запива́ть *imp.* take to drink(ing); *perf.* запи́ть
запи́ска, *gen. pl.* -/о note, memo [C]; *dim.* запи́сочка, *gen. pl.* -/е [C]
запи́сывание noting down, entering, registering [C]
запи́сывать *imp.* note down; *perf.* записа́ть
запи́ть *perf.* take to drinking; *imp.* запива́ть
запла́канный tear-stained
запла́кать *perf.* burst into tears; *imp.* пла́кать cry, weep
за/плати́ть *perf.* pay
запря́чь *perf.* harness; *imp.* запряга́ть
запусте́ние neglected state [C]
запу́таться *perf.* get confused, entangled; *imp.* запу́тываться
за/пыли́ть *perf.* cover with dust
за́рево glow, redness (of sunrise or sunset) [C]
зарыда́ть *perf.* burst out sobbing; *imp.* рыда́ть sob
зарыча́ть *perf.* start growling; *imp.* рыча́ть growl

заря́ (*pl.* зо́ри, зорь, *etc.*) sunrise, dawn; sunset, afterglow [E:←(1)]
засверка́ть *perf.* begin to glitter, flash out; *imp.* сверка́ть glitter, flash
за/свисте́ть *perf.* whistle
за/скули́ть *perf.* bare (the teeth), start whining
заслони́ть *perf.* shield, screen, hide, shelter; *imp.* заслоня́ть
заслу́живать *imp.* earn, deserve; *perf.* заслужи́ть
засмея́ться *perf.* laugh (out); *imp.* смея́ться laugh
за́спанный sleepy, sleep-flushed
заста́вить *perf.* make, compel; *imp.* заставля́ть
застегну́ть *perf.* button, fasten; *imp.* застёгивать; ~ся button oneself up
засте́нчив shy, modest
засту́пник, засту́пница interceder, intercessor (see *note* 67.24)
засуети́ться *perf.* bestir oneself, get busy; *imp.* суети́ться fuss, bustle
зате́м then, later, after that
зате́ять *perf.* plan, plot, contrive; *imp.* затева́ть
зати́хнуть *perf.* grow quiet, die down; *imp.* затика́ть
зато́ but, on the other hand
за то, что because, for having
заторопи́ться *perf.* begin to hurry; *imp.* торопи́ться hurry
затра́чиваться *imp.* be spent (expended); *perf.* затра́титься
заты́лок о/- nape of neck, back of head [C]
захихи́кать *perf.* begin tittering; *imp.* хихи́кать titter
заходи́ть *imp.* call in, set (of the sun); ~ вперёд step in front; *perf.* зайти́
захоте́ть *perf.* fancy, care, wish; мне захоте́лось I wanted (felt like, took a fancy); *imp.* хоте́ть wish
заче́м why, with what object
зачи́нщик ringleader
за/щёлкать *perf.* crack, click
за́яц я/й hare [C]
звать *imp.* call, hail; *perf.* по~
звезда́ (*pl.* звёзды) star [E:←(1)]
звено́, *pl.* зве́нья link [E:←(1)]
зверь *m.* wild animal [C]
звони́ть *imp.* ring; *perf.* по~
зво́нкий ringing, loud
звоно́к о/- bell (see *note* 55.1) [E]
звук sound, noise; ~и strains [C]
звуча́ть *imp.* sound, resound; *perf.* про~
здесь here
здешний local, of this place
здоро́вый well, healthy
здоро́вье health [C]
здра́вствуйте good day, how do you do?
здра́вье *arch.* health; во ~ to your (good) health; see also *sel. id.* 82.22 [C]
зелене́ть *imp.* show (grow) green; *perf.* по~
зелёный green
зе́мец е/- zemstvo deputy (see *note* 113.7) [C]
землеме́р (land-)surveyor [C]
земля́, *gen. pl.* земе́ль ground, land, earth [E exc. *nom. pl.*]
зе́мский *adj.* zemstvo, of the zemstvo (see *note* 103.26)
зе́мство zemstvo, local council (see *note* 103.26) [C]
зе́ркало mirror [C:E]
зима́ winter; зимо́й in winter [see p. 161]
зи́мний *adj.* winter, wintry
зимо́вье winter-lodge (-cabin) (see *note* 39.24) [C]

зли́ться *imp.* rage; +на+*acc.* fume at, bear ill will against; *perf.* разо~

зло́ба spite, malice; иметь зло́бу+на+*acc.* have a spite (grudge) against; ~ дня crying evil, contemporary problem [C]

злость anger, ill will, spite [C]

знак sign, token, badge [C]

знако́миться *imp.* get to know, get acquainted (with = с+*instr.*); *perf.* по~

знако́мый *adj.* familiar, known; *sb.* acquaintance

знамени́тый famous, celebrated

зна́тный distinguished, eminent

знать *imp.* know; *perf.* у~ get to know, learn

зна́чить *imp.* mean, signify; зна́чит so, consequently; no *perf.*

зной (sultry) heat [C]

знойный sultry, oppressive

золоти́стый golden, tinged with gold

зо́лото gold [C]

золото́й gold, golden

золоту́ха scrofula [C]

зо́нтик umbrella, sunshade [C]

зо́ркий vigilant, close

зре́ние (eye-)sight [C]

зуб tooth [C:E exc. *nom.*]

зя́бнуть *imp.* feel cold (chilled); *perf.* из~

зять (*pl.* зятья́) son-in-law, brother-in-law [C:E]

И

и and; also, too (31.1 *etc.*); even (63.16 *etc.*); и..., и... both . . . and . . . (27.17); да и what's more, besides

и́ва willow [C]

и́волга oriole (bird) [C]

игла́ needle [E:←(1)]

игра́ game, play [E:←(1)]

игра́ть *imp.* play; *perf.* по~

идеа́льный *adj.* ideal

идти́, ходи́ть *d. imp.* go, come, walk; rise (16.6); идти́+к+*dat.* suit, match, be in keeping with; *perf.* пойти́

из+*gen.* from, out of, made of (107.4); ~ солда́т an ex-soldier

изба́ (peasant) hut, cabin, house [E:←(1)]; *dim.* избу́шка, *gen. pl.* -/е (see *note* 94.28) [C]

изба́вить *perf.*+от+*gen.* rid of, free from; *imp.* избавля́ть; ~ся get rid of (free from)

из/ва́ять *perf.* carve (in stone)

изве́стный (well-)known

извини́ть *perf.* excuse; *imp.* извиня́ть; ~ся apologize

изгиба́ться *imp.* bend; *perf.* изогну́ться

и́згородь hedge [C]

издава́ть *imp.* give off, exhale, emit; utter, produce, publish; *perf.* изда́ть

и́здали *adv.* from a distance

издёргать *perf.* wear out, worry to death; *imp.* издёргивать

и́з-за+*gen.* from behind, from, owing to, on account of

излага́ть *imp.* state, set out; *perf.* изложи́ть

измени́ться *perf.* change; *imp.* изменя́ться

из/мори́ть *perf.* weary, starve

изнеможённый exhausted

изоби́льный abundant

изобража́ть *imp.* portray, depict, imitate; *perf.* изобрази́ть

изобрета́ть *imp.* invent, devise; *perf.* изобрести́

изощря́ться *imp.* be sharp (inventive), exercise inventiveness; *perf.* изощри́ться

и́з-под+*gen.* from under
и́зредка occasionally
изуми́тельный amazing, astonishing
изуми́ть *perf.* amaze, astonish; *imp.* изумля́ть; ~ся be amazed
изумле́ние amazement, astonishment [C]
изумру́дный *adj.* emerald
изуче́ние study, studying [C]
изя́щный elegant, exquisite, dainty
ико́на ikon, sacred picture (see *note* 21.16) [C]
и́ли or; и́ли... и́ли either . . . or
име́ние estate, (landed) property [C]
и́менно precisely, just
име́ть *imp.* have, possess, own; ~ быть see *note* 92.27
и́мя *n.*, *nom. pl.* имена́, *gen. pl.* имён name, noun; ~ о́бщее common noun [C:E]
ина́че, и́наче differently, otherwise
инде́ец е/й Red Indian [C]
и́ней (*sing.* only) (hoar-)frost [C]
иногда́ sometimes
инозе́мный foreign
инспе́ктор, *pl.* ~а́ inspector [C:E]
инсти́нкт instinct [C]
инструме́нт instrument, tool [C]
интеллиге́нтный cultured
интере́сный interesting
интересова́ть *imp.* interest; ~ся +*instr.* take an interest in
иска́ние seeking, search [C]
иска́ть *imp.* seek, search for; *perf.* по~
исключе́ние exception, exclusion [C]
исключи́тельный exceptional, exclusive
исключи́ть *perf.* exclude, expel; *imp.* исключа́ть
и́скоса *adv.* askance, out of the corner of one's eye
и́скра spark [C]
и́скренний sincere, frank
искриви́ться *perf.* become twisted (distorted); *imp.* искривля́ться
иску́сство art [C]
испито́й lean, hollow-cheeked
исподло́бья *adv.* askance, frowningly
ис/по́ртить *perf.* spoil
испра́вить *perf.* put right, correct; *imp.* исправля́ть
испу́г fright, alarm [C]
ис/пуга́ть *perf.* frighten, alarm; ~ся be frightened, take fright
испыта́ние test, examination [C]
испыта́ть *perf.* test, undergo, experience, feel; *imp.* испы́тывать
истаска́ть *perf.* wear out; *imp.* иста́скивать
и́стинный true, real, genuine
истоми́ться *perf.* get wearied; *imp.* томи́ться be wearied (depressed)
исходи́ть *imp.*+из+*gen.* arise from, follow upon; *perf.* изойти́
исче́знуть *perf.* disappear; *imp.* исчеза́ть
исше́д *arch.* having gone out (see *note* 60.6)
итти́ see идти́
и́щущий *participle* of иска́ть seeking
ию́ль *m.* July [C]

К

к, ко+*dat.* to, towards, by, for
-ка just, well; скажи́те-ка well, now, just tell me
каба́к inn, tavern, pub [E]
каба́тчик innkeeper [C]
кабине́т private room, study [C]
кавале́р gentleman, partner [C]
кадри́ль quadrille [C]

ка́ждый each, every, any
ка́жется it seems, apparently, I think
каза́ться *imp.* seem, appear; +*instr.* seem to be; *perf.* по~
казённый *adj.* official, belonging to an institution (see *note* 13.29); казённая пала́та treasury office
казнь execution [C]
как how, as, like, when, since (62.12), before (17.23)
как бу́дто as though
как бы as if, if only; как бы не+ *past* lest (see *sel. id.* 39.8, 44.11)
как ни how(so)ever
как-нибу́дь somehow, anyhow, some time
как-ра́з exactly, just then, just right
ка́к-то how, somehow; once
как то́лько as soon as, no sooner
како́й what (kind of), which, such (as)
како́й ни whichever, whatever kind of
како́й-нибудь some, any
како́й-то some, some kind of, a certain
каламбу́р pun, play on words, joke [C]
кала́чик (dwarf) mallow [C]
ка́ли-брома́ти *indecl.* potassium bromide
кало́ша galosh, overshoe (see *note* 33.12) [C]
ка́менный *adj.* stone
ка́мень *m.* e/- stone [C:E exc. *nom.*]
камила́вка, *gen. pl.* -/o priest's cap (see *note* 26.9) [C]
камы́ш reed(s) [C]
кани́кулы *pl.* holidays, vacation [C]
ка́нуть *perf.* drop, sink, disappear; ~ в во́ду vanish (into thin air); no *imp.*
ка́пля, *gen. pl.* ка́пель drop; ла́ндышевые ка́пли see *note* 73.9 [C]
капо́т (woman's) dressing-gown, house-gown [C]
капри́зный capricious, wanton, fickle, fleeting (54.29)
карикату́рный *adj.* caricature, grotesque
карма́н pocket [C]
ка́рта map, card [C]
карта́вить *imp.* lisp, pronounce 'r' as 'l'; no *perf.*
карти́на picture [C]
карто́нка, *gen. pl.* -/o hat-box, band-box [C]
карто́шка, *gen. pl.* -/e *coll.* potato, potatoes [C]
карту́з (peaked) cap [E]
каса́ться *imp.* touch, concern; *perf.* косну́ться
кастрю́ля pan [C]
ката́ние driving, riding, tobogganing [C] (see *note* 100.6)
ката́ться *imp.* drive (ride) about (see *sel. id.* 19.29); *perf.* по~
кати́ть *imp.* roll, go, run, speed: *perf.* по~
като́к о/- (skating-)rink (see *note* 35.28) [E]
католи́ческий *adj.* Catholic
ка́чка, *gen. pl.* -/e swaying, rocking [C]
ка́ша porridge, gruel (see *note* 89.15); mess, muddle, welter [C]
ка́шлянуть give a cough; *imp.* ка́шлять cough, have a cough
кашта́новый *adj.* chestnut
каю́та cabin (on ship) [C]
ка́яться *imp.* repent, regret; *perf* по~
кварти́ра flat, quarters (see *note* 88.23) [C]

кивну́ть *perf.+instr.* nod; *imp.* кива́ть
кий (billiard-)cue [E]
кипе́ть *imp.* boil, seethe; у него́ кипи́т рабо́та he is a quick (hard) worker; *perf.* вс~, за~
кислота́ acid [E:←(1)]
кита́ец е/й Chinaman [C]
кла́няться *imp.* bow, greet, send greetings; *perf.* поклони́ться
класс class (see *note* 26.27) [C]
класси́ческий classic(al)
кла́ссный *adj.* class
класть *imp.* lay, put, set; ~ печа́ть stamp (invest) with; *perf.* положи́ть
клева́ть *imp.* bite, nibble, peck (see *sel. id.* 30.6); *perf.* клю́нуть
клей glue, gum; древе́сный ~ resin [C]
кле́тчатый checked
кли́рос choir (part of church) [C]
клони́ться *imp.* incline, slope, tend; *perf.* на~, с~
клуб puff (of smoke); club [C]
кля́сться *imp.* swear, vow; *perf.* по~
кни́га book [C]; *dim.* кни́жка, *gen. pl.* -/е [C]
кнут whip [E]
князь *m.*, *pl.* князья́ prince [C:E]
когда́ when, if (22.12)
когда́-либо ever, at any time
когда́-нибудь sometime, ever
когда́-то once, at one (some) time
ко́готь *m.* о/- claw [C:E exc. *nom.*]
кое-где́ here and there, somewhere
кое-ка́к somehow, anyhow
ко́злы *pl.*, *gen.* -/е (coachman's) box [C]
козырёк ё/ь peak; сде́лать под ~ salute [E]
козя́вка, *gen. pl.* -/о (small) beetle [C]
кока́рда cockade, badge [C]
коке́тливый coquettish, coy
коке́тничать *imp.* flirt, be coy, play off one's charms; *perf.* по~
коле́но, *pl.* коле́ни knee; поста́вить на коле́ни make kneel down [C]
колле́жский collegiate (see *notes* 14.9, 26.25)
коло́дец well е/- [C]
колоко́льня, *gen. pl.* колоко́лен bell-tower [C]
коло́нна column, pillar [C]
колори́тный bright, vivid; не ~ dull, dreary, uninspiring
кольцо́, *gen. pl.* ь/е ring [E:←(1)]
коля́ска, *gen. pl.* -/о carriage; рессо́рная ~, see *note* 103.2 [C]
комите́т committee [C]
ко́мната room [C]; *dim.* ко́мнатка, *gen. pl.* -/о [C]
комо́д chest of drawers [C]
ко́мпас compass [C]
компо́т compote, stewed fruit [C]
конду́ктор, *pl.* ~а́ guard, (train-) conductor [C:E]
коне́ц е/- end; в конце́+*gen.* towards the end of; в конце́ концо́в finally, at last, in the long run [E]
коне́чно certainly, of course
конокра́д horse-thief [C]
конституцио́нный constitutional
конфу́з confusion, embarrassment [C]
конфу́зиться *imp.* be embarrassed; *perf.* с~
ко́нчить *perf.* end, finish; ~ся (come to an) end, finish; *imp.* конча́ть
коньки́ *pl.* skates; ката́ться на конька́х skate [E]
конья́к cognac, brandy [E]
коню́шня, *gen. pl.* коню́шен stable [C]

копéйка, *gen. pl.* й/е copeck (see *notes* 20.29, 90.26) [C]
копнá, *gen. pl.* -/е stook, shock [E exc. *nom. pl.*]
копошúться *imp.* stir, bustle, swarm; *perf.* за~
копы́то hoof [C]
корáбль *m.* ship [E]; *dim.* корáблик [C]
коренно́й root, radical, fundamental
кóрень *m.* е/- root [C]
корзúна basket [C]
коридóр corridor [C]
корúчневый brown
кормúть *imp.* feed, suckle; *perf.* по~
корóва cow [C]
королéва queen [C]
корóль *m.* king [E]
корóткий short
кóрпус, *pl.* ~á block (of buildings) [C:E]
коры́то trough, (wash-)tub [C]
косá plait (of hair); scythe [E:←(1)]
костёр ё/- (bon)fire [E]
кость bone; слонóвая ~ ivory [C:E exc. *nom.*]
костю́м costume, dress, suit, garb; рýсский ~, see *note* 53.15 [C]
котёл е/- pot, boiler, kettle [E]
котлéта cutlet, rissole [C]
котóрый which, who
кóфе *m. indecl.* coffee
кофéйный *adj.* coffee
кóфточка, *gen. pl.* -/е blouse, jacket [C]
кошмáр nightmare [C]
край, *pl.* краá edge [C:E]
крáйний extreme, last
крайность extreme [C]
красáвец е/- handsome man [C]
красáвица beautiful woman (girl), a beauty [C]
красúвый beautiful, handsome, graceful, good-looking
крáсить *imp.* paint, tint; *perf.* по~, вы́~
крáска, *gen. pl.* -/о colour, paint [C]
краснéть *imp.* redden, blush; *perf.* по~
крáсный red
красотá beauty [E:←(1)]
крéпкий firm, strong, stout, sound
крéсло, *gen. pl.* -/е arm-chair [C]
крест cross; напéрсный ~, see *note* 26.9 [E]
крестúть *imp.* cross; ~ся cross oneself
крёстный отéц, пáпа godfather
крик shout, cry, call [C]
крúкнуть *perf.* shout, call out, crow, croak; *imp.* кричáть
кров roof, shelter [C]
кровáть bed, bedstead [C]
крокéт croquet [C]
кроме+*gen.* besides, except
крóткий mild, meek
круг circle [C:E]
крýглый round, circular
кругóм *adv.* around, about
кружúть *imp.* circle; *perf.* по~
кружóк о/- circle, group [E]
крýпный large, coarse(-grained)
крутúть *imp.* twist, roll; *perf.* по~
крутóй gruff, stern, abrupt, steep
крылó, *pl.* кры́лья wing [E:←(1)]
крыльцó, *gen. pl.* ь/е porch, entrance-steps; *dim.* крылéчко, *gen. pl.* -/е [C]
кры́ша roof [C]
кры́шка, *gen. pl.* -/е lid (see *sel. id.* 31.26) [C]
крючóк о/- hook [E]
кстáти *adv.* to the point, appropriate(ly); by the way
кто who, anyone

кто..., кто... one (some) . . ., another (others) . . .
кто́-нибудь anyone
кто́-то someone
куда́ where, whither
куда́ ни wherever, wheresoever
куда́-нибудь anywhere
куда́-то somewhere
куда́хтать *imp.* cluck, cackle; *perf.* за~
ку́дри *pl.* curls
кудря́вый curly(-headed)
ку́кла, *gen. pl.* -/о doll [C]
кула́к fist [E]; *dim.* кулачёк ё/- [E]
культу́ра culture, civilization [C]
культу́рный civilized
купа́льня, *gen. pl.* купа́лен bathing-hut [C]
купа́ть *imp.* bath; *perf.* вы́~; ~ся bathe
купе́ц е/- merchant, tradesman [E]
купи́ть *perf.* buy; *imp.* покупа́ть
купэ́ *indecl.* compartment
кури́ный *adj.* hen's, chicken
кури́ть *imp.* smoke; *perf.* по~, вы́~, за~
ку́рица (usual *pl.* ку́ры) hen [C]
куро́к о/- cock (of gun), trigger [E]
ку́ртка, *gen. pl.* -/о jacket [C]
куса́ть *imp.* bite; ~ся bite, be a biter; *perf.* укуси́ть
кусо́к о/- piece [E]; *dim.* кусо́чек е/- [C]
куст bush, shrub [E]
куха́рка, *gen. pl.* -/о cook [C]
куха́ркин *adj.* cook's (see *note* 18.2)
ку́хня, *gen. pl.* ку́хонь kitchen [C]
кухо́нный *adj.* kitchen
ку́цый short, docked
ку́ча pile, heap [C]
ку́чер, *pl.* ~á coachman [C:E]
ку́шать *imp.* eat, drink; *perf.* по~, с~
куше́тка, *gen. pl.* -/о couch [C]

Л

ладо́нь palm (of hand) [C]
лай (*sing.* only) bark(ing) [C]
лаке́й lackey, footman [C]
ла́мпа lamp [C]
ла́ндыш lily-of-the-valley; ла́ндышевые ка́пли, see *note* 73.9 [C]
ла́па paw [C]
ласка́ть *imp.* caress, fondle; ~ся fawn, show affection; *perf.* по~
ла́сковый tender, affectionate, kind
ла́ять *imp.* bark; *perf.* за~
лбу *loc.* of лоб forehead
лебеда́ (*sing.* only) pigweed [E]
лев е/ь lion [E]
ле́вый *adj.* left
лёгкий light, easy
легкомы́сленный frivolous, giddy, flighty
ле́гче easier
лёд ё/ь ice
ледяно́й ice, of ice; ледяна́я гора́, see *note* 33.4
лежа́ть *imp.* lie; *perf.* по~
лезть *imp.* push, thrust, intrude, climb; *perf.* по~
лека́рство medicine, drug [C]
лени́вый lazy, idle, indolent
ле́нточка, *gen. pl.* -/е ribbon [C]
лес, *pl.* ~á forest [C:E]
лесно́й *adj.* forest, of the woods
ле́стница steps, staircase [C]; *dim.* ле́сенка [C]
лете́ть *imp.* fly; *perf.* по~ fly off
ле́тний *adj.* summer
ле́то summer, year; не по лета́м prematurely for one's age (see *sel. id.* 54.3) [C:E]

ле́том in summer
лече́ние treatment [C]
лечи́ть *imp.* treat; *perf.* вы́~ cure
лечи́ться *imp.* undergo treatment, have medical attention; *perf.* вы́~ be cured
лечь *perf.* lie down, settle; ~ спать go to bed; *imp.* ложи́ться
ли whether, if (34.13 *etc.*); *interrogative part.* (17.21, 25.9 *etc.*)
лизну́ть *perf.* lick; *imp.* лиза́ть
лило́вый *adj.* lilac
лине́йка, *gen. pl.* й/е ruler [C]
ли́па lime(-tree) [C]
ли́повый *adj.* lime
лиса́ fox [E:←(1)]
ли́сий *adj.* fox, fox's
лист, *pl.* ~ья leaf [E:←(1)]
лист, *pl.* ~ы́ sheet (of paper) [E]
листва́ (*sing.* only) foliage, leaves [C]
лицо́ face, person [E:←(1)]
лицо́м in appearance
ли́шний superfluous, unnecessary
лишь only
лишь бы if only, so long as
лоб о/- forehead [E]
лобыза́ние kissing, embracing (see *note* 13.15) [C]
логи́ческий logical
ло́говище den, lair [C]
ло́дка, *gen. pl.* -/о boat [C]
ложи́ться *imp.* lie down, settle; ~ спать go to bed; *perf.* лечь
ло́жка, *gen. pl.* -/е spoon [C]
локомоти́в engine, locomotive [C]
ло́коть, *m.* о/- elbow [C:E exc. *nom.*]
ло́пнуть *perf.* burst, split, break; *imp.* ло́пать
лосни́ться *imp.* shine, be shiny (glossy); *perf.* за~
лоун-те́ннис tennis [C]
лохма́тый ragged, in rags; shaggy, rough
лошади́ный *adj.* horse, horse's
ло́шадь horse; е́хать на лошадя́х travel by carriage [C:E exc. *nom.*]
луг, *pl.* ~а́ meadow; заливно́й ~, see *note* 57.11 [C:E]
лу́жа pool, puddle [C]
лука́вый sly, artful, arch
луна́ moon [E:←(1)]
лу́нный *adj.* moon
луч ray [E]
лу́чший better, best
лы́сина bald patch [C]
лы́сый bald; *dim.* лы́сенький
льви́ный lion's
любе́зный dear, kind, amiable; (мой) ~ (my) good fellow
люби́мый favourite, loved, dear
люби́ть *imp.* love, like; *perf.* по~
любо́вь love
любопы́тный curious, inquisitive
любопы́тство curiosity, interest [C]
лю́ди (*pl.* of челове́к) people, men; servants (see *note* 23.2)
людска́я *sb.* servants' quarters (see *note* 23.2)
лю́стра lustre, chandelier [C]
лютера́нин *m.* (*pl.* лютера́не), лютера́нка *f.*, *gen. pl.* -/о Lutheran (see *note* 13.23) [C]
лю́тый fierce, severe
лягу́шка, *gen. pl.* -/е frog [C]

M

маде́ра Madeira (wine) [C]
мазу́рка, *gen. pl.* -/о mazurka (see *note* 93.13)
май May [C]
ма́йский May *adj.*
мале́йший least, smallest
ма́ленький small, little
ма́ло little, few, not enough; ~ того́ besides, what's more, moreover

малогра́мотный of little education
малоду́шие faint-heartedness, timidity [C]
малоле́тство childhood, early years [C]
ма́ло-по-ма́лу *adv.* gradually
ма́лый *adj.* small; *sb.* fellow, lad
ма́льчик boy [C]; *dim.* мальчи́шка, *gen. pl.* -/е nipper, urchin (see *note* 89.26) [C]
ма́ма mama [C]; *dim.* мама́ша, ма́мочка
ма́мка, *gen. pl.* -/о (wet-)nurse [C]
мане́ра manner, habit, way [C]
мане́рный affected
манти́лька, *gen. pl.* ь/е small cape [C]
ма́рка, *gen. pl.* -/о (postage-) stamp; ~ бы́вшая в употребле́нии used postage-stamp (25.19) [C]
март March [C]
ма́сло butter, oil [C]
ма́сляный *adj.* oil; buttery, oily, greasy
ма́сса mass, pile [C]
масса́ж massage [C]
матема́тик mathematician [C]
материа́л material [C]
матро́с sailor [C]
мать (*gen.* ма́тери, *pl.* ма́тери) mother [C:E exc. *nom.*]; *dim.* ма́тушка, *gen. pl.* -/е [C]
маха́ть *imp.*+*instr.* wave; *perf.* махну́ть
ма́хонький *coll.* small, tiny
маши́на machine, engine [C]
мгла mist, haze, gloom [C]
мгнове́ние instant, twinkling [C]
м-да! er, yes!
ме́бель furniture [C]
меда́ль medal [C]
медве́дь *m.* bear [C:E exc. *nom.*]
ме́дик doctor, medico [C]
медици́на medical science [C]
медици́нский medical
ме́дленный slow
ме́длить *imp.* delay, linger; *perf.* за~
ме́жду+*instr.* between; ~про́чим by the way
ме́жду тем *adv.* meanwhile, in the meantime, yet
ме́жду тем, как *conj.* while
мезони́н, мезани́н mezzanine, attic (see *note* 101, title) [C]
ме́лкий small, fine, minute, trivial
ме́лочь trifle, detail [C]
мелькну́ть *perf.* flit, dart, pass quickly, flash; *imp.* мелька́ть
ме́льком in passing; ви́деть ~ catch a (passing) glimpse of
ме́нее *adv.* less; тем не ~ none the less
ме́ньше lesser, smaller; как мо́жно ~ as little as possible
меня́ть *imp.* change; *perf.* по~
ме́ра measure; по ме́ре того́, как in so far as [C]
мерза́вец е/- rascal, knave, scoundrel [C]
ме́рный regular, measured
мёртвый dead
ме́стный local
ме́сто place, spot, post [C:E]
ме́сяц month, moon [C]
металли́ческий metal, metallic
ме́тка, *gen. pl.* -/о mark, sign [C]
меха́ник mechanic, engine-driver [C]
меч sword [E]
мечта́ть *imp.* dream; *perf.* по~
меша́ть *imp.* mix, mingle; hinder, interfere, get in the way; *perf.* по~
мешо́к о/- sack, bag [E]
миг instant, moment [C]
мига́ть *imp.* blink, twinkle; *perf.* мигну́ть
миллиа́рд milliard [C]

миллио́н million [C]
ми́лостивый gracious, kind, condescending; ~ госуда́рь dear sir
ми́лость kindness, favour; по его́ ми́лости thanks to him; скажи́ на ~ see *sel. id.* **29.12**; ми́лости про́сим see *sel. id.* **17.6** [C]
ми́лый dear, nice, charming
ми́мо *prep.+gen.* past, by; *adv.* past, by
ми́нимум minimum; *coll.* at least [C]
мину́та minute [C]
ми́нуть *perf.* pass (by), elapse; *imp.* минова́ть
мир (village) community, world (see *note* **117.17**) [C:E]
миpово́й *adj.* peace; ~ судья́ justice of the peace
мисс *indecl.* miss (see *note* **104.30**)
ми́стик mystic [C]
мла́дший younger, youngest
млеть *imp.* be moved (touched), grow faint, be spell-bound; *perf.* обо~
мне́ние opinion [C]
мни́тельный mistrustful, suspicious, over-anxious
мно́гие many (people)
мно́го much, many, a lot, a great deal
мно́жество large number, multitude [C]
мно́житься *imp.* multiply, increase; *perf.* у~
мо́да fashion [C]
мо́дный *adj.* fashion, fashionable
мо́жет быть, *coll.* мо́жет perhaps
можжеве́льник juniper [C]
мо́жно *impers.* it is permissible, one may; как ~ ме́ньше as little as possible
мозг brain [C:E]
мой, моё, моя́, *pl.* мои́ my, mine
мо́крый wet, moist
мол *coll.* says he (*particle indicating reported speech*)
моле́бен е/- prayers; заказа́ть ~ have prayers said (see *note* **75.12**) [C]
моли́тва a prayer; ва́шими ~ми thanks to your prayers (see *note* **124.6**) [C]
моли́ть *imp.* pray, implore; ~ся pray, say one's prayers
мо́лния lightning [C]
молодёжь young people, younger generation [C]
молодо́й young, youthful; *dim.* моло́денький
мо́лодость youth [C]
молоды́е *sb. pl.* newly married couple, newly weds
молоко́ milk [E]
молотьба́ threshing [E]
мо́лча silently, not saying a word
молча́ть *imp.* be silent, say nothing; *perf.* по~
монасты́рь *m.* monastery, convent [E]
мона́х monk [C]
мо́рда muzzle, *coll.* face, 'mug' [C]
морда́стый, морда́тый ugly(-featured)
мо́ре sea [C:E]
моро́женое *sb.* ice(-cream)
моро́з frost [C]
моро́зный frosty
морско́й sea, marine, naval
мо́рфий morphia [C]
моски́т mosquito [C]
мотылёк е/ь butterfly, moth [E]
мотылько́вый *adj.* butterfly, moth(-like)
мочь *imp.* be able; я не могу́ не+*inf.* I can't help . . .; *perf.* с~
мрак darkness, gloom, obscurity [C]
мра́чный dark, gloomy

муж, *pl.* ~ья́ husband [C:E]
мужи́к peasant [E]; *dim.* мужичёк ё/- [E]
мужи́цкий *adj.* peasant
мужско́й man's, masculine
мужчи́на man [C]
му́зыка music (see *sel. id.* 115.5) [C]
му́ка torture, torment [C]
мунди́р uniform (see *note* 74.18) [C]
мура́вчик *dim.* of муравéй ant [C]
муста́нг mustang [C]
му́фта muff [C]
му́ха fly [C]
мучи́тель *m.* tormentor [C]
мучи́тельный tormenting, painful, agonizing
му́чить *imp.* torment; *perf.* из~, за~
му́шка, *gen. pl.* -/е (blister-)plaster [C]
мы́ло soap; яи́чное ~ (see *note* 31.9) [C:E]
мы́слимый *participle* of мы́слить conceivable, thinkable
мы́слить *imp.* think, cogitate; *perf.* по~
мысль thought, idea [C]
мыть *imp.* wash; *perf.* вы́~
мышь mouse [C]
мя́гкий soft, gentle; sleek, suave
мя́со meat [C:E]
мять *imp.* rumple, press, squeeze, crush; *perf.* по~

Н

на+*acc.* on to, on (of direction), to, into (19.6 *etc.*), with (18.27 *etc.*, 25.7 *etc.*), at (13.19 *etc.*), for (19.24 *etc.*), in (15.13, 48.31 *etc.*, 99.23), against (25.1 *etc.*), over (25.14); +*loc.* on, in (16.1 *etc.*, 34.10 *etc.*), at (13.3 *etc.*, 62.6), by (69.9 *etc.*); ста́рше лет на де́сять about ten years older; на друго́й день next day; на про́шлой неде́ле last week; на да́чах in the summer colony; игра́ть на роя́ле play the piano
набрести́ *perf.* come across, hit upon; *imp.* наброди́ть
набро́сить *perf.* throw, cast, outline, sketch down; *imp.* набра́сывать
навали́ть *perf.* heap, pile up; сне́гу навали́ло *impers.* the snow has drifted up; *imp.* нава́ливать
наве́ки for ever, eternally
наверху́ (of place) upstairs, up above
наве́с shed, awning [C]
нави́снуть *perf.* hang, overhang; *imp.* нависа́ть
наводи́ть *imp.* induce, excite; *perf.* навести́
наво́з dung, manure [C]
навсегда́ *adv.* for ever (good)
навстре́чу+*dat.*, or+к+*dat.* towards, to meet
навью́чить *perf.* load, burden; *imp.* навью́чивать
нагляде́ться *perf.* see enough, look one's fill; *imp.* нагля́дываться
нагна́ть *perf.* cause, induce; *imp.* нагоня́ть
нагну́ться *perf.* bend down; *imp.* нагиба́ться
награ́да award, reward, bonus [C]
над+*instr.* over, above, at (50.28)
надвига́ться *imp.* approach, advance, loom, swoop; *perf.* надви́нуться
наде́жда hope [C]
наде́ть *perf.*, надева́ть *imp.* put on (garment)
наде́яться *imp.* hope; *perf.* по~
надзира́ть *imp.*+за+*instr.* supervise, control; no *perf.*
надме́нный arrogant, haughty

на́до *impers.* it is necessary, one must; не ~+*inf.* don't; ~ бы one ought to
на́добность necessity, need [C]
надое́сть *perf.* bore, bother; (мне) надое́ло (I) grew tired of, became sick of; *imp.* надоеда́ть
надо́лго for a long time
наду́ть *perf.* puff out, blow up; *imp.* надува́ть
наза́д (of direction) back, backwards, ago; тому́ ~ ago
назва́ние name, designation, title [C]
назва́ть *perf.* name, call, mention
назначе́ние appointment, purpose [C]
назна́чить *perf.* appoint, assign; *imp.* назнача́ть
назо́йливый tiresome, importunate
называ́ть *imp.* call, name; ~ся be called; *perf.* назва́ть
наи́вный *perf.* naïve
наигра́ться *perf.* play to one's heart's content, have enough of playing; *imp.* наи́грываться
найти́ *perf.* find; найти́сь be found, turn up (out); *imp.* находи́ть
наказа́ние punishment, torment (see *sel. id.* 17.10) [C]
наказа́ть *perf.* punish; *imp.* нака́зывать
накану́не *prep.*+*gen.* on the eve of; *adv.* the day (evening) before
наклони́ться *perf.* bend down, stoop; *imp.* наклоня́ться
наконе́ц finally, at last
накра́пывать *imp.* spot, fall in spots, sprinkle; *perf.* накра́пать
накры́ть *perf.* cover; surprise, catch in the act; *imp.* накрыва́ть
налёт bloom, coating [C]
налива́ть *imp.* pour out; *perf.* нали́ть
наме́дни *coll.* lately, the other day; ~ но́чью the other (last) night
намека́ть *imp.*+на+*acc.* hint at, allude to; *perf.* намекну́ть
наме́ренный intending
наня́ть *perf.* hire, take (on hire), lease; *imp.* нанима́ть
наоборо́т *adv.* on (to) the contrary
на/о́хрить *perf.* stain with ochre
напа́сть *perf.*+на+*acc.* attack, fall upon; *imp.* напада́ть
напева́ть *imp.* sing, hum; *perf.* напе́ть
напе́рсный pectoral, worn on the breast
напира́ть *imp.* +на+*acc.* press, stress, pay attention to; *perf.* напере́ть
на/писа́ть *perf.* write; ~кра́сками paint
напо́мнить *perf.* remind, recall; *imp.* напомина́ть
напо́р pressure, stress [C]
напра́вить *perf.* direct, send, guide; *imp.* направля́ть; ~ся go (set) off
направле́ние direction [C]
напра́во *adv.* to (on) the right
наприме́р for example
напро́тив *adv.* on the contrary
напряже́ние strain, effort [C]
напря́чь *perf.* strain, stretch; *imp.* напряга́ть; ~ все си́лы strain every nerve, make an intense effort
на/пуга́ть *perf.* frighten, scare, startle
нараспе́в in a sing-song (drawling) voice, monotonously
наро́д people, nation [C]
наро́дный people's, of the people, national

нару́жность exterior (external) appearance [C]
нару́жу (of direction) out, outwards
нару́шить *perf.* break, violate, infringe; *imp.* наруша́ть
наря́д dress, attire, finery [C]
наряди́ть *perf.* dress (up), array; *imp.* наряжа́ть; ~ся dress up, get oneself up
насеко́мое *sb.* insect
наслажде́ние delight, enjoyment [C]
насле́дница heiress [C]
насмеха́ться *imp.*+над+*instr.* mock at, ridicule; *perf.* насмея́ться
насме́шка, *gen. pl.* -/е mockery, sneer, derision [C]
насме́шливый mocking, derisive, sarcastic
наст (frozen) snow crust [C]
наставле́ние precept, sermon, sermonizing [C]
на́стежь *adv.* (wide) open
насто́йчивый insistent, persistent
настоя́щее *sb.* the present (time)
настоя́щий real, genuine, present
настрое́ние mood, feeling [C]
наступи́ть *perf.* follow, come on, set in; *imp.* наступа́ть
натя́нутый, *participle* of натяну́ть forced, strained
нау́ка science, subject, branch of knowledge; нау́ки learning [C]
на/учи́ть *perf.* teach
на/хму́риться *perf.* frown, knit one's brows; become overcast
находи́ть *imp.* find, think; ~ся find oneself, stand, be situated; *perf.* найти́
нахо́дчивость readiness, resourcefulness [C]
нача́ло beginning; в нача́ле at first, early [C]
нача́льник head, chief; ~ ста́нции station-master [C]
нача́ть *perf.* begin, start (trans.); *imp.* начина́ть; ~ся begin, commence (intr.)
наш, на́ше, на́ша, *pl.* на́ши our, ours
наяву́ in reality (real life), not in a dream
не not, un-
небе́сный heavenly, of heaven (the sky); цари́ца небе́сная, see *note* 67.10
не́бо (*pl.* небеса́) heaven, sky [C:E]
небольшо́й small, slight, of no great size
небо́сь surely, for sure, I suppose
небре́жный careless, negligent
неве́домый unknown
неве́жа *m.* ignoramus, boorish fellow [C]
неве́жество ignorance, rudeness [C]
неве́рие unbelief [C]
нево́льный involuntary, unconscious
невпопа́д at random
невреди́мый unharmed
невырази́мый inexpressible
невысо́кий low, not (by no means) high
не́где (there is) nowhere (see *sel. id.* 37.7)
неглубо́кий shallow
неглу́пый by no means stupid (foolish)
негодова́ние indignation [C]
негодя́й scamp, scoundrel, good-for-nothing [C]
неда́вно recently, not long ago
недалеко́, недалёко not far (away)
неде́ля week [C]
недово́льный dissatisfied, displeased
недово́льство dissatisfaction, displeasure [C]

недоразуме́ние misunderstanding, something baffling [C]
недоуме́ние perplexity, doubt, quandary [C]
недю́жинный out-of-the-ordinary
не́жность tenderness, fondness (of behaviour) [C]
не́жный tender, delicate; soft, low
незаме́тный unnoticed
не́зачем there is no reason (point) (see *sel. id* 37.7)
нездоро́вый unwell, unhealthy
незнако́мый unacquainted, strange
неизве́стность (*sing.* only) uncertainty, obscurity [C]
неизве́стный unknown
неизлечи́мый incurable
неизме́нный unfailing, constant
неизмери́мый *adj.* immeasurable
неинтере́сный uninteresting
нейстовый furious, violent
не́когда there is no time
не́кого, не́кому, *etc.* there is no one
не́который some, certain; в не́котором ро́де, не́которым о́бразом see *sel. id.* 15.8
некраси́вый plain, unattractive, ugly
некра́шенный unpainted
некста́ти inopportunely, irrelevantly, out of season
не́кто some one, a certain person (unknown); не́кому, there is no one
нело́вкий awkward, clumsy
нело́вкость awkwardness, clumsiness [C]
нельзя́ *impers.* it is impossible, one must not
нелюби́мый unloved
нелюди́мый unsociable, lonely
неме́дленный immediate
немно́го, немно́жко a little, not much
ненави́деть *imp.* hate; *perf.* воз~
не́нависть hate, hatred [C]
ненадо́лго for a short time, not for long
ненаруши́мый binding, abiding, inviolable, for ever
нену́жный unwanted, unnecessary
необразо́ванный uneducated, ignorant
необходи́мость need, necessity [C]
необыкнове́нный extraordinary, unusual
неожи́данный unexpected
неопределённый indefinite, vague
неосторо́жный careless
неотвя́зчивый haunting
неохо́тный unwilling, reluctant
непобеди́мый invincible, insuperable
неповинове́ние disobedience, insubordination [C]
непогреши́мый irreproachable, impeccable
неподви́жный still, fixed, motionless
непокры́тый uncovered, exposed
непоня́тный unintelligible, incomprehensible
непоси́льный too heavy, beyond one's strength
непра́вильный irregular, incorrect
непра́вый wrong, not right
непреме́нно surely, certainly, of course, without fail
непреры́вный unbroken, continuous
непривы́кший unused, unaccustomed
непричёсанный unkempt, uncombed
непри́ятный unpleasant

непроходи́мый dense, impenetrable
непро́шенный unasked
неразвито́й undeveloped, immature
нерасположе́ние dislike, ill disposition [C]
нерв nerve [C]
не́рвность nervousness, nervous manner, highly strung nerves, irritability [C]
не́рвный nervous, irritable
нереши́тельный hesitating, uncertain, undecided
неруши́мый unchanging, abiding
не́сколько + *gen.* several, a few
несме́лый hesitating, timid, timorous
несмотря́ + на + *acc.* notwithstanding, in spite of
несоверше́нный incomplete, imperfect
несообра́зность absurdity [C]
несоразме́рный disproportionate
несправедли́вость injustice [C]
нести́, носи́ть *d. imp.* bear, carry; нести́сь, носи́ться rush, flit
несча́стный unhappy, unfortunate
несча́стье unhappiness, misfortune, calamity [C]
нет no; нет (*coll.* не́ту) + *gen.* there is (are) not
нетерпели́вый impatient
нетерпе́ние impatience [C]
неуда́ча failure, fiasco, plot that failed [C]
неудо́бство discomfort, embarrassment [C]
неудово́льствие dissatisfaction, displeasure [C]
неуклю́жесть clumsiness, uncouthness [C]
неуме́лый clumsy, awkward, unskilful
неуме́ренный excessive, disproportionate
неуме́стный misplaced, out of season
неумоли́мый inexorable, implacable
неустрани́мый irremovable, incurable
неустраши́мый dauntless
неую́тный uncomfortable, cheerless
не́хотя unwillingly, reluctantly
неча́янный chance, unexpected
нечистопло́тный dirty, slovenly, of uncleanly habits
нечистота́ uncleanness, dirtiness, impurity [C]
нечи́стый unclean, blurred; нечи́стая си́ла the evil one, the devil
не́што *coll.* do you mean to say . . . ? do you call that . . . ?
нея́сный vague, obscure
ни..., ни... neither . . . nor; ни + *gen.* not a single . . .; ни с того́, ни с сего́ for no reason what(so)ever; ни за что not for anything; как ни how(so)ever, кто ни who(so)ever, *etc.*
нигде́ nowhere
ни́же *comp. adv.* and *predic. adj.* lower
ни́жний *comp. adj.* lower
низверга́ться *imp.* plunge, be plunged; *perf.* низве́ргнуться
ни́зкий low, profound, deep
ника́к in no way, nohow; ~ нет, see *note* 27.29
никако́й none at all (whatever)
никогда́ never
никто́ no one, nobody
ниско́лько not at all, not the least
ничего́ nothing; never mind, it doesn't matter; not bad
ничто́ nothing

ничтóжный worthless, insignificant
но but
нóвый new, fresh
ногá foot, leg; *dim.* **нóжка,** *gen. pl.* -/е [C]
нóготь *m.* о/- (finger-, toe-)nail [C:E exc. *nom.*]
нож knife [E]
нóжницы *pl.* scissors [C]
ноль nought, cipher; ~ внимáния no attention whatever [E]
нормáльный normal
норовúть *imp.* try, strive, aim; *perf.* по~
нос nose [C:E]
носúть, нестú *d. imp.* bear, carry; носúться, нестúсь rush, flit
нóты *f. pl.* (printed) music [C]
ночевáть *imp.* spend the night; *perf.* пере~
ночлéг night's lodging (place) [C]
ночнóй *adj.* night
ночь night; нóчью in the night [C:E exc. *nom.*]
нóша burden [C]
нрáвиться *imp.* please; *perf.* по~
нрáвственность morality, morals, ethics [C]
ну! well (13.21 *etc.*), and (75.8), then (31.12); ну да! really! indeed! (30.16)
нýдный tedious
нуждá need, want, shortage, poverty [E:←(1)]
нýжный necessary, essential
ныне now, nowadays, at present
няня nurse [C]; *dim.* **нянька,** *gen. pl.* ь/е [C]

O

о, об, óбо + *acc.* against, on; + *loc.* about, of, concerning
оáзис oasis [C]
óба, óбе both
обвáл landslide; снеговóй ~ avalanche [C]
обвалúться *perf.* fall in, tumble down; *imp.* обвáливаться
обворожúтельный bewitching, enchanting
обдавáть *imp.* envelop, wrap, flood; *perf.* обдáть
обéд dinner [C]
обéдать *imp.* dine, have dinner; *perf.* по~, от~
о/беспокóить *perf.* disturb, trouble
обещáть *imp.* promise; *perf.* по~
обúдеть *perf.* offend, affront, aggrieve, hurt, harm; *imp.* обижáть; ~ся take offence, feel affronted
обúдный offensive, insulting; мне обúдно I am hurt
обúть *perf.* cover, upholster; *imp.* обивáть
обладáть + *instr.* possess, command; no *perf.*
óблако, *gen. pl.* облакóв cloud [C:E]; *dim.* óблачко, *gen. pl.* облачкóв [C:E]
óбласть region, sphere [C:E exc. *nom.*]
облегчúть *perf.* relieve, lighten; *imp.* облегчáть
обливáться *imp.* be flooded; ~ слезáми shed a torrent of tears; *perf.* облúться
облизáть *perf.* lick round (all over); *imp.* облúзывать
об/лобызáться *perf.* kiss, exchange kisses (see *note* 13.18)
облокотúться *perf.* lean (one's elbows); *imp.* облокáчиваться
обманýть *perf.* cheat, deceive; *imp.* обмáнывать
обмéниваться *imp.* + *instr.* exchange; ~ взглядáми exchange glances; *perf.* обменяться, обменúться

обню́хивать *imp.* smell (all over); *perf.* обню́хать
обня́ть *perf.* embrace, hug; *imp.* обнима́ть
обогна́ть *perf.* overtake; *imp.* обгоня́ть
обожа́ть adore; no *perf.*
обознача́ться *imp.* be outlined; *perf.* обозна́читься
обойти́ *perf.* go (pass) round; ~сь manage, get along; *imp.* обходи́ть
оборва́ть *perf.* tear off, pluck, interrupt; *imp.* обрыва́ть
обраба́тывать *imp.* cultivate; *perf.* обрабо́тать
о́браз manner, fashion, form, kind [C]; *pl.* ~а́ ikon, image (see *note* 30.8) [C:E]
образова́ть *perf.* form, educate; ~ся be formed; *imp.* образо́вывать
образцо́вый *adj.* model
обрати́ть *perf.* turn; ~ внима́ние на+*acc.* pay (draw) attention to; *imp.* обраща́ть; ~ся+к+*dat.* turn to, address; ~ся+с+*instr.* deal (have dealings) with
обра́тный *adj.* return, reverse
обре́чь *perf.* doom, condemn; *imp.* обрека́ть
обрю́зглый flabby, wrinkled
обстано́вка, *gen. pl.* -/о setting, surroundings, background [C]
обстоя́тельный detailed, circumstantial
обстоя́тельство circumstance, case, affair [C]
обстоя́ть be; всё обстои́т благополу́чно all is well; no *perf.*
обучи́ть teach, instruct; *imp.* обуча́ть; ~ся learn, study
обхвати́ть embrace, seize, include; *imp.* обхва́тывать
обходи́ть *imp.* go (pass) round (see *sel. id.* 39.18); ~ся manage, get along; *perf.* обойти́
общеизве́стный well-known, widely known
о́бщество society, company [C]
о́бщий common, general, universal
объяви́ть *perf.* declare, announce; *imp.* объявля́ть
объясне́ние explanation, declaration [C]
объясни́ть *perf.* explain; *imp.* объясня́ть; объясни́ться come to an understanding, clear matters up
объя́тие embrace [C]
обыдённый everyday, common, prosaic
обыкнове́нный usual, ordinary, general
обы́чный usual, habitual
обя́занность obligation, duty [C]
обяза́ть *perf.* oblige, bind; *imp.* обя́зывать
ове́чий *adj.* sheep, sheep's
овладе́ть *perf.*+*instr.* seize, master, overcome, take possession of; *imp.* овладева́ть
овца́, *gen. pl.* -/е sheep [E exc. *nom. pl.*]
огло́бля (cart-)shaft [C]
оглуши́тельный deafening
огля́дка, *gen. pl.* -/о looking round, a backward glance [C]
огляну́ться *perf.* look round (back); *imp.* огля́дываться
о́гненный fiery, of fire (flame)
ого́нь *m.* о/- fire, flame, light [E]; *dim.* огонёк ё/ь light [E]
огоро́д kitchen-(market-)garden [C]
огорчи́ть *perf.* grieve, disappoint, distress; *imp.* огорча́ть
огро́мный enormous, huge
оде́ть *perf.* dress; *imp.* одева́ть; ~ся dress (oneself), get dressed

одеяло blanket, counterpane [C]
один one, only one, single, alone (see *sel. id.* 16.16); одно one thing; одни some (people)
одинаковый alike, same, identical
одиннадцать eleven
одинокий lonely, solitary
одиночество loneliness, solitude [C]
однажды once, on one occasion
однако however, though; oh, indeed? (90.27)
одноактный one-act
однообразный monotonous
одностволка, *gen. pl.* -/о single-barrelled gun [C]
одобрять *imp.* approve, commend; *perf.* одобрить
одышка, *gen. pl.* -/е shortness of breath, wheeziness, asthma [C]
оживиться *perf.* liven up, become animated; *imp.* оживляться
оживление animation, liveliness [C]
оживлённый animated, lively
ожидание expectation, anticipation, waiting [C]
ожидать expect, await; no *perf.*
озабоченный worried, preoccupied, anxious
озеро, *pl.* озёра lake [see p. 161]
озимый *adj.* winter (autumn-sown)
озимь winter (autumn-sown) grain [C]
о/зябнуть *perf.* get chilled (frozen)
оказаться *perf.* turn out, prove; +*instr.* turn out (prove) to be; *imp.* оказываться
о/каменеть *perf.* become petrified, turn to stone
окаянный (ac)cursed
океан ocean [C]
окинуть *perf.* cast round; ~ взглядом cast a glance around; *imp.* окидывать
окликнуть *perf.* call, hail; *imp.* окликать
окно, *gen. pl.* -/о window [E: ←(1)]
около *prep.*+*gen.* near, about, by; *adv.* near, about, round, alongside
околоточный *sb.* police-officer
окольный *adj.* roundabout
оконный *adj.* window
окрасить *perf.* paint, tint, tinge; *imp.* окрашивать
округ region, district [C:E]
окружать *imp.* surround, encircle; *perf.* окружить
окрутить *perf.* enmesh, tie up, catch in the toils; *imp.* окручивать
окунуть *perf.* dip, plunge; *imp.* окунать; ~ся be plunged (enveloped)
окутать *perf.* wrap; *imp.* окутывать
олеандр oleander [C]
олень *m.* deer, stag [C]
олеография oleograph, oil-print [C]
оный *arch.* that (one)
опаздывать *imp.* be late; +на+*acc.* miss (train, *etc.*); *perf.* опоздать
опасность danger, risk, fear [C]
опека guardianship, board of trustees (see *note* 38.1) [C]
описывать *imp.* describe, make an inventory; *perf.* описать
опоздать *perf.* be late; +на+*acc.* miss (train, *etc.*); *imp.* опаздывать
о/помниться *perf.* come round; +от+*gen.* get over, forget
оправдание excuse, justification [C]
оправдать *perf.*, оправдывать *imp.* justify, excuse, acquit
определённый definite, specific

определи́ть *perf.* define, appoint, allot, specify; *imp.* определя́ть
опроки́нуть *perf.* knock over; *imp.* опроки́дывать
оптими́зм optimism [C]
опусти́ть *perf.* drop, let down, lower; *imp.* опуска́ть
опу́тать *perf.* fetter, shackle; *imp.* опу́тывать
опу́щенный *participle* of опусти́ть hanging loosely
опя́ть again
ора́нжевый orange(-coloured)
о́рден, *pl.* ~а́ order, decoration [C:E]
ордина́тор assistant, house-physician(-surgeon) [C]
орке́стр orchestra, band [C]
осади́ть *perf.* check, pull up; *imp.* оса́живать
освети́ть *perf.* light up, illumine; *imp.* освещать; ~ся be lighted (illuminated)
освеще́ние lighting, illumination [C]
освободи́ть *perf.* free, liberate; *imp.* освобожда́ть
о́сень autumn; о́сенью in autumn [C]
осе́чка, *gen. pl.* -/е misfire; дать осе́чку miss fire [C]
оси́на aspen(-tree) [C]; *dim.* оси́нка, *gen. pl.* -/о [C]
оси́нник aspen-grove [C]
оскверня́ть *imp.* defile, desecrate, pollute; *perf.* оскверни́ть
оскорби́ть *perf.* insult, offend; *imp.* оскорбля́ть
ослабе́ть *perf.* weaken, relax; *imp.* ослабева́ть
осложня́ть *imp.* complicate; *perf.* осложни́ть
осма́тривать *imp.* examine, scrutinize, survey; *perf.* осмотре́ть
осме́литься *perf.* dare, make bold, presume; *imp.* осме́ливаться
осмотре́ть *perf.* examine, scrutinize, survey; *imp.* осма́тривать; ~ся look round, take one's bearings
осмы́сленный intelligent, with sense
осо́ба person, personality, individual [C]
осо́бенный special, peculiar, apart
осо́бый particular, specific
остава́ться *imp.* stop, remain, be left; *perf.* оста́ться
оста́вить *perf.* leave, let alone, put aside, drop (a subject); *imp.* оставля́ть
остально́й remaining
останови́ться *perf.* stop, check oneself; *imp.* остана́вливаться
оста́ться *perf.* stop, remain, be left; *imp.* остава́ться
осторо́жность care, precaution; из осторо́жности as a precaution [C]
осторо́жный careful, cautious
остро́г prison, jail [C]
о́стрый sharp, pointed, witty
осужда́ть *imp.* condemn, blame, censure; *perf.* осуди́ть
осчастли́вить *perf.* make happy
осы́пать *perf.* shower, strew, bestrew; *imp.* осыпа́ть; ~ся scatter, be dispersed
от+*gen.* from, owing to, of
отвали́ться *perf.* fall off; *imp.* отва́ливаться
отверну́ться *perf.* turn away; *imp.* отвора́чиваться
отверте́ться *perf.* get away, wriggle out; *imp.* отвёртываться
отвести́ *perf.* lead off; *imp.* отводи́ть
отве́тить *perf.* answer, reply; *imp.* отвеча́ть

отвори́ть *perf.* open, unlock; *imp.* отворя́ть
отвраще́ние disgust, aversion [C]
отда́ть *perf.* give (up, back), repay, rebound, kick; *imp.* отдава́ть; ~ в аре́нду let on lease; ~ся give oneself up, surrender
отделе́ние branch, office [C]
отдели́ть *perf.* divide, separate, partition off; *imp.* отделя́ть
отдохну́ть *perf.* rest; *imp.* отдыха́ть
о́тдых rest [C]
оте́ц e/- father [E]
отзыва́ться *imp.* express oneself, speak; *perf.* отозва́ться
отказа́ть *perf.* refuse; +*dat.* someone, +в+*loc.* something; *imp.* отка́зывать
отки́нуться *perf.* lean (throw oneself) back; *imp.* отки́дываться
откорми́ть *perf.* feed up, fatten; *imp.* отка́рмливать
открове́нный open, frank
откры́ть *perf.* open, discover, reveal, bare; *imp.* открыва́ть
отку́да whence, from where
отку́да-то from somewhere
отлёт: на отлёте (see *note* 100.8) [C]
отлета́ть *imp.* fly away; *perf.* отлете́ть
отлича́ть *imp.* pick out, distinguish; ~ся be different; *perf.* отличи́ть
отли́чный excellent
отложи́ть *perf.* put aside, postpone; *imp.* откла́дывать
отлуча́ться *imp.* absent oneself; *perf.* отлучи́ться
отнима́ть *imp.* take away, deprive; *perf.* отня́ть
относи́ться *imp.*+к+*dat.* regard, treat, behave towards; *perf.* отнести́сь
отноше́ние relation(ship), attitude [C]
отня́ть *perf.* take away, deprive; *imp.* отнима́ть
отозва́ться *perf.* express oneself, speak; echo, react; *imp.* отзыва́ться
отойти́ *perf.* go (move) away; *imp.* отходи́ть
отпи́рать *imp.* open, unlock; *perf.* отпере́ть
отпра́вить *perf.* send off, dispatch; *imp.* отправля́ть; ~ся set out, go off
отпуска́ть *imp.* let off (away); *perf.* отпусти́ть
отража́ть *imp.* reflect; ~ся be reflected; *perf.* отрази́ть
отраже́ние reflection [C]
отрезвля́ться *imp.* get sober, come to one's senses; *perf.* отрезви́ться
отре́чься *perf.* disavow, deny; *imp.* отрека́ться
отрица́тельный negative
отрица́ть deny, denounce; no *perf.*
отрыва́ть *imp.* tear off, remove; *perf.* оторва́ть
отры́вистый abrupt, jerky
отсве́чивать be reflected; no *perf.*
отскочи́ть *perf.* jump back; *imp.* отска́кивать
отста́ть *perf.* lag behind, lose contact (see *sel. id.* 105.29); *imp.* отстава́ть
отсу́тствие absence, lack [C]
отсю́да hence, from here, further
оттого́ and so, for that reason; ~ что because
оттрепа́ть *perf.* pull, tug; *imp.* оттрёпывать
отту́да thence, from there
от/у́жинать *perf.* have supper
отхо́д departure [C]
отча́сти partly

отча́яние despair [C]
отча́янный desperate
отчего́ why, from which
отчёт report, account; дать себе́ ~ realize, clearly grasp [C]
отчётливый clear, distinct, exact
отъе́зд departure [C]
оты́скивать *imp.* seek, search for; *perf.* отыска́ть
о/тяжеле́ть *perf.* become heavy
офице́р officer [C]
охвати́ть *perf.* grasp, embrace, envelop; *imp.* охва́тывать
охо́та hunt, hunting [C]
охо́титься *imp.*+на+*acc.* hunt; *perf.* по~
о/хри́пнуть *perf.* grow hoarse
очарова́ние charm, enchantment [C]
очарова́тельный charming
очарова́ть *perf.* charm, enchant; *imp.* очаро́вывать
очеви́дный evident, obvious
о́чень very, very much
о́чередь turn, line, queue [C:E exc. *nom. pl.*]
очерти́ть *perf.* define, outline; *imp.* оче́рчивать
очну́ться recover, rouse oneself; no *imp.*
очуме́ть go off one's head; no *imp.*
ошеломи́ть *perf.* amaze, stun, daze, stupefy; *imp.* ошеломля́ть
ошиби́ться *perf.* make a mistake; *imp.* ошиба́ться be mistaken
оши́бка, *gen. pl.* -/о mistake, error [C]
ощуща́ть *imp.* feel, sense; *perf.* ощути́ть
ощуще́ние feeling, sensation, consciousness [C]

П

павильо́н pavilion, (bazaar) stall (see *note* 94.28) [C]
павли́ний *adj.* peacock
па́даль carrion [C]
па́дать *imp.* fall, drop, tumble; *perf.* упа́сть
пала́та chamber, (hospital) ward; казённая ~ treasury office [C]
па́лец е/ь finger [C]; *dim.* па́льчик [C]
палиса́дник small (front) garden [C]
пальто́ *indecl.* overcoat
пампа́с pampas [C]
па́мять memory, remembrance; на ~ as a souvenir (keepsake); без па́мяти to distraction (59.16) [C]
панора́ма panorama [C]
пантало́ны *pl.* trousers [C]
па́па papa [C]; *dim.* па́почка, *gen. pl.* -/е [C], папа́ша [C]
папиро́са cigarette [C]; *dim.* папиро́ска, *gen. pl.* -/о [C]
пар steam; на всех пара́х full steam ahead [C:E]
па́ра pair, couple; в па́ре with a partner; на па́ре riding behind a pair of horses [C]
пара́дный parade, formal; пара́дная дверь front (main) entrance
пари́ *indecl.* bet; держа́ть ~ lay a bet, wager
парк park [C]
парке́т parquet (floor) [C]
парово́з (steam-)engine, locomotive [C]
парово́й *adj.* steam
паро́м ferry [C]
парохо́д steamer [C]
па́ртия party [C]
па́рус, *pl.* ~а́ sail [C:E]
паруси́нковый *adj.* canvas
па́русный *adj.* sail, sailing
пассажи́р, ~ка, *gen. pl.* /о passenger [C]
пассажи́рский *adj.* passenger

пассова́ть *imp.* call 'pass', confess oneself beaten; *perf.* с~
пасти́сь *imp.* graze (*intr.*); *perf.* по~
пасту́х shepherd, herdsman [E]
па́сха Easter [C]
пасья́нс patience (game) [C]
пау́к spider [E]
па́хнуть *imp.*+*instr.* smell of (see *sel. id.* 43.18); *perf.* по~, за~
пахну́ть *perf.*+*instr.* blow, waft, whiff, puff (see *sel. id.* 40.22); *imp.* паха́ть
па́чечка, *gen. pl.* -/е, *dim.* of па́чка packet, wad [C]
певу́чий singing, sing-song
пе́гий piebald
пейза́ж landscape (painting) [C]
пейзажи́ст landscape painter [C]
пень, *m.* е/- (tree-)stump [E]
перве́йший first, most outstanding (prominent)
первосвяще́нник high priest [C]
пе́рвый first
перебива́ть *imp.* interrupt; *perf.* переби́ть
перевезти́ *perf.* take across, remove; *imp.* перевози́ть
перевести́ *perf.* transfer, remove; ~ дух get one's breath; *imp.* переводи́ть
перево́д transfer, translation [C]
перевяза́ть *perf.* tie up, bind; *imp.* перевя́зывать
перега́р stale smell (fumes) [C]
перегляну́ться *perf.* exchange looks (glances); *imp.* перегля́дываться
пе́ред, пе́редо+*instr.* before, in front of
переда́ться *perf.* pass over, be handed on; *imp.* передава́ться
пере́дний *adj.* fore, front
пере́дняя *sb.* anteroom, hall
передово́й leading, progressive
переды́шка, *gen. pl.* -/е breathing-space [C]
перейти́ *perf.* cross, pass; *imp.* переходи́ть
перекоси́ть *perf.* twist, distort; *imp.* перека́шивать
пере/крести́ться *perf.* cross oneself
переле́зть *perf.* climb over; *imp.* перелеза́ть
перелете́ть *perf.* fly over; *imp.* перелета́ть
перелива́ть *imp.* be reflected, transfused; *perf.* перели́ть
перели́стывать (кни́гу) turn over pages (of a book)
переме́на change [C]
перенести́ *perf.* bear, endure, suffer; *imp.* переноси́ть
пере/ночева́ть *perf.* spend the night
переоде́ться *perf.* change (clothing); *imp.* переодева́ться
пе́репел, *pl.* ~а́ quail (bird) [C:E]
переправля́ться *imp.*+через+*acc.* cross; *perf.* перепра́виться
перепуга́ть *perf.* frighten, alarm, scare; *imp.* перепу́гивать
пересека́ть *imp.* cut across, intersect; *perf.* пересе́чь
перескочи́ть *perf.*+через+*acc.* jump over; *imp.* переска́кивать
переста́ть *perf.* cease, stop; *imp.* перестава́ть
переходи́ть *imp.* cross, pass; *perf.* перейти́
пери́ла *pl.* (hand-)rail [C]; *dim.* пери́льца, *gen.* ь/е [C]
пери́од period [C]
перо́, *pl.* пе́рья, *gen.* -ьев feather, pen [E:←(1)]
перча́тка, *gen. pl.* -/о glove [C]
пёс ё/- dog [E]
пессими́зм pessimism [C]

пестрота́ variety of colours, diversity [E: ←(1)]
пёстрый variegated, of various colours
пе́тел *arch.* [C] = пету́х cock
петли́ца button-hole [C]
пету́х cock [E]
петь *imp.* sing; *perf.* с~, по~
печа́ль sadness, melancholy [C]
печа́льный sad, melancholy, mournful
печа́ть seal, impression; класть ~ stamp, invest with [C]
печь stove, furnace, oven [C:E exc. *nom.*]; *dim.* пе́чка, *gen. pl.* -/е [C]
печь *imp.* bake; *perf.* ис~
пешко́м on foot
пи́во beer [C]
пика́нтный piquant, spicy
пикни́к picnic [C]
пиро́жное *sb.* cake, tart, pastry
писа́тель *m.* writer [C]
писа́ть *imp.* write; ~ся be written; ~ кра́сками paint; *perf.* на~
пистоле́т pistol [C]
писто́н cap (for toy gun) [C]
письмо́, *gen. pl.* ь/е letter [E: ←(1)]
пита́ться *imp.* feed, be fed, live; no *perf.*
пить *imp.* drink; *perf.* вы́~
пиха́ть *imp.* push, poke; *perf.* пихну́ть
пла́кать *imp.* cry, weep (see *note* 60.6); *perf.* за~, по~
планиме́трия planimetry, plane geometry [C]
планта́ция plantation [C]
пласти́чески *adv.* in (regard to) form
плати́ть *imp.* pay; *perf.* за~
плато́к о/- (hand)kerchief [E]; *dim.* плато́чек е/- [C]
платфо́рма platform [C]
пла́тье frock, dress [C]
пла́чущий *participle* of пла́кать tearful, lamenting
плащ cloak, cape [E]
племя́нник nephew [C]
пленя́ть *imp.* charm, captivate; *perf.* плени́ть
плете́нь *m.* е/- (wattle-)fence [E]
плечо́, *pl.* пле́чи shoulder [E exc. *nom. pl.*]
плита́ stove-plate [E: ←(1)]
плоди́ться *imp.* be fruitful, multiply; *perf.* рас~
пло́скость (flat) surface, flatness [C]
плоти́на dam [C]
плохо́й bad, poor (quality); пло́хо ве́рить have little faith in
площа́дка, *gen. pl.* -/о platform (see *note* 88.2); ~ для те́нниса tennis-court [C]
пло́щадь place, square [C:E exc. *nom.*]
плыть *imp.* sail, float; *perf.* по~
пни *pl.* of пень *m.* (tree-)stump
по+*dat.* by, according to, owing to (40.18), each, at the rate of, at (14.12 *etc.*), in (14.16), against, on (20.31 *etc.*), through (47.28), up, down, along, about, over (56.9 *etc.*); ~ це́лым часа́м for hours together; +*acc.* up to, till, on (70.3); +*loc.* after, at (57.4)
по-англи́йски *adv.* (in) English (speak, *etc.*)
победи́ть *perf.* conquer, vanquish; *imp.* побежда́ть
побежа́ть *perf.* run off, set off running; *d. imp.* бежа́ть, бе́гать run
по/благодари́ть *perf.* thank
по/бледне́ть *perf.* go pale
по/блёкнуть *perf.* fade, wither
побли́же *adv.* closer

поблизости *adv.* close by, at hand
побороть *perf.* overcome; no *imp.*
побрести́ *perf.* wander off; *d. imp.* брести́, броди́ть
по/броса́ть *perf.* give up, abandon
побы́ть *perf.* be (for a time), visit; *imp.* побыва́ть
пова́диться *perf.* get into the habit; *imp.* пова́живаться
по/вали́ть *perf.* fell; ~ся throw oneself
пове́рка verification, proof; на пове́рку выхо́дит it turns out (proves) [C]
поверну́ть *perf.* turn; *imp.* повора́чивать
поверя́ть entrust; *perf.* пове́рить
по-весе́ннему *adv.* spring-like, in spring fashion
по/вести́ *perf.* lead (take) off; *d. imp.* вести́, води́ть lead
по/ве́ять *perf.* blow, waft
пови́димому evidently
пови́снуть *perf.* hang, appear; *imp.* повиса́ть
по́вод occasion, ground, reason [C]
поводи́ть *imp.*: ~ плеча́ми wriggle the shoulders; *perf.* повести́
повора́чивать *imp.* turn; *perf.* поверну́ть
повтори́ть *perf.* repeat; *imp.* повторя́ть
по/вы́ть *perf.* howl
повы́ше *adv.* (rather) higher
по/га́снуть *perf.* die out, be extinguished
по/ги́бнуть *perf.* perish
поглу́бже (rather) deeper, as deep as possible
погляде́ть *perf.* look, glance; *imp.* погля́дывать keep looking (glancing)
погна́ться *perf.* + за + *instr.* set off after; *d. imp.* гна́ться, гоня́ться chase
поговори́ть have a talk (chat), talk for a time; *imp.* говори́ть talk
пого́да weather [C]
погоди́ть wait a little; no *imp.*
погодя́ later
погоре́лец е/ь victim of fire (see *note* 103.4) [C]
погоре́льческий комите́т fire relief committee
погости́ть *perf.* pay a visit, stay for a time; *imp.* гости́ть visit, stay
погрузи́ть *perf.* immerse; ~ся become immersed (absorbed); *imp.* погружа́ть
по/губи́ть *perf.* ruin, destroy
под + *acc.* under (direction), by (33.2), up to (67.11), into (88.2), near (99.8), as (112.27); + *instr.* under (of place), near (40.18), covered with (37.13); сде́лать под козырёк salute; ходи́ть по́д-руку walk arm-in-arm; вести́ по́д-руку lead by the arm
пода́льше at some distance, farther away
пода́тель *m.* bearer, presenter [C]
пода́ть *perf.* offer, hold out, hand, serve, bring round (carriage); ~ в суд bring an action; *imp.* подава́ть
подбира́ть *imp.* pick (gather) up; *perf.* подобра́ть
под/бодри́ть encourage, hearten
подборо́док о/- chin [C]
подбоче́ниваться *imp.* stand with arms akimbo (hands on hips); *perf.* подбоче́ниться
подве́ргнуться *perf.* submit oneself, be exposed; *perf.* подверга́ться
подвыва́ть *imp.* whine, howl; *perf.* подвы́ть

подгоня́ть *imp.* drive (urge) on; *perf.* подогна́ть

подгуля́ть *perf.* go wrong (see *sel. id.* 72.4); *imp.* подгу́ливать

поддава́ться *imp.* succumb, submit; *perf.* подда́ться

поддёвка, *gen. pl.* -/о (short sleevcless) coat (see *note* 101.4) [C]

подде́рживать *imp.* support, maintain; *perf.* поддержа́ть

по/дели́ть *perf.* share

подёрнуть *perf.* cover; *imp.* подёргивать

по-де́тски *adv.* childishly, in childish fashion

поджида́ть *imp.* expect, await; *perf.* подожда́ть

поди́те *imper.* of пойти́ go

подкра́сться *perf.* steal up; *imp.* подкра́дываться

подле́ц rascal [E]

по́длый base, vile, wretched

поднима́ть *imp.* raise (see *sel. id.* 14.19); ~ся rise, get up; ~ся+на+*acc.* climb, ascend; *perf.* подня́ть

подно́с tray [C]

подня́ть *perf.* raise, start (noise); *imp.* поднима́ть; ~ся rise, get up

подоба́ющий suitable, fitting, appropriate, seemly

подо́бие likeness (see *sel. id.* 115.9) [C]

подо́бный similar, like, such

подобра́ть *perf.* pick (gather) up; *imp.* подбира́ть

подозва́ть *perf.* call (up); *imp.* подзыва́ть

подозрева́ть *imp.* suspect; ~ся be suspected; *perf.* заподо́зрить

подозри́тельный suspicious

подойти́ *perf.*+к+*dat.* go (come) up to, approach; *imp.* подходи́ть

по-дома́шнему *adv.* simply, in homely fashion

подпа́сок о/- (assistant) shepherd [C]

подпева́ть *imp.* hum (sing) an accompaniment; *perf.* подпе́ть

подписа́ться *perf.* subscribe, sign; *imp.* подпи́сываться

подписно́й лист subscription-sheet (-list)

подража́ть *imp.*+*dat.* imitate; no *perf.*

по/дразни́ть *perf.* tease, taunt

подраста́ть *imp.* grow up; *perf.* подрасти́

подро́бность detail [C]

подру́га (girl, woman) friend [C]

по́д-руки by the arms; по́д-руку arm-in-arm

подска́кивать *imp.* jump up; *perf.* подскочи́ть

подслу́шать *perf.* overhear, eavesdrop; *imp.* подслу́шивать

подсмотре́ть *perf.* watch, spy; *imp.* подсма́тривать

подста́вить *perf.* submit, substitute; *imp.* подставля́ть

подставно́й false; подставно́е лицо́ figurehead, dummy

подсуди́мый accused, person on trial

подтверди́ть *perf.* confirm; *imp.* подтвержда́ть

поду́мать *perf.* think (reflect) a little; *imp.* ду́мать think

поду́ть *perf.* begin to blow; *imp.* дуть blow

подхвати́ть *perf.* snatch up, pounce upon; *imp.* подхва́тывать

подходи́ть *imp.*+к+*dat.* go (come) up to, approach; *perf.* подойти́

подчиня́ться *imp.* submit, give way, knuckle under; *perf.* подчини́ться

подъе́зд entrance, porch-steps [C]
по/дыша́ть *perf.* breathe
по́езд, *pl.* ~а́ train [C:E]
пое́здка, *gen. pl.* -/о journey [C]
пое́хать go, set out, drive off; *d. imp.* е́хать, е́здить, ride, drive
по/жале́ть *perf.* pity, have pity on, feel sorry for
по/жа́ловать *perf.* confer, bestow, do the honour of coming; пожа́луйте be so good as to come in
пожа́луй perhaps, I dare say, may be
пожа́луйста please
пожа́ть *perf.* press, shake (hand); ~ плеча́ми shrug the shoulders; *imp.* пожима́ть
пожёвывать *imp.* chew; *perf.* пожева́ть
по/жела́ть *perf.* wish, desire
по/же́ртвовать *perf.*+*instr.* sacrifice
пожива́ть *imp.*: как вы пожива́ете? how are you?; *perf.* пожи́ть live for a time.
пожило́й elderly
пожима́ть *imp.* press, shake (hand); ~ плеча́ми shrug the shoulders; ~ся shudder; *perf.* пожа́ть
пожи́ть *perf.* live for a time; *imp.* пожива́ть
по́за pose, attitude [C]
по/зва́ть *perf.* call, hail
позволе́ние permission [C]
позво́лить *perf.* permit; *imp.* позволя́ть
по/звони́ть *perf.* ring
по́здний late
по/здоро́ваться perf.+с+*instr.* greet, say 'good-day' to
поздра́вить *perf.* congratulate (on = с+*instr.*); *imp.* поздравля́ть
пози́ция position, attitude [C]
по/знако́миться *perf.*+с+*instr.* meet, get to know
по/игра́ть *perf.* play, have a game
по/иска́ть *perf.* seek, search for
пои́ть *imp.* water (horse, *etc.*); *perf.* на~
пойма́ть *perf.* catch, understand; *imp.* лови́ть
пойти́ *perf.* go (off), start, set out; ~ за́муж marry; *d. imp.* ходи́ть, идти́ go, come
пока́ *conj.* while; *adv.* for the present; ~ не until
показа́ть *perf.* show; ~ся seem, appear, show oneself; *imp.* пока́зывать
пока́тый sloping, inclined
по/кача́ть *perf.*+*instr.* shake, nod
покло́н bow, greeting [C]
поклони́ться *perf.* bow, greet; *imp.* кла́няться
покло́нник admirer [C]
поко́й peace, rest, repose [C]
поко́йный peaceful, restful, still; late, deceased
поколе́ние generation [C]
поко́рный meek, humble, submissive
покоря́ться *imp.* yield, submit; *perf.* покори́ться
по/красне́ть *perf.* go red, blush, become flushed
покро́в Feast of the Intercession (see *note* 28.24) [E]
покры́ть *perf.* cover; *imp.* покрыва́ть; ~ся get covered
покупа́тель *m.* purchaser [C]
покупа́ть *imp.* buy, purchase; *perf.* купи́ть
покури́ть *perf.* have a smoke; *imp.* кури́ть smoke
пол floor [C:E]

полага́ть *imp.* think, suppose; ~ся rely, count; полага́ется see *sel. id.* **27.19**; no *perf.*
по́лдень е/- midday [C]
по́ле field, (open) country [C:E]
полеза́ть *imp.* climb; *perf.* поле́зть
по/лете́ть *perf.* fly, fly off
ползти́ *imp.* crawl, roll; *perf.* по~
полиня́лый faded
поли́тика policy, politics [C]
по́лка, *gen. pl.* -/о shelf, rack [C]
полмину́ты half a minute
по́лно, ~те enough, that will do, stop
по́лный full, complete, stout, thick; ~ ход full speed (ahead)!
поло́ва *dial.* chaff [C]
положе́ние position, situation; assumption [C]
положи́ть *perf.* put, place, lay; *imp.* класть
по́лоз, *pl.* поло́зья (sledge-)runner
полоса́ strip, stripe, streak; *dim.* поло́ска, *gen. pl.* -/о [C]
полоска́тельный *adj.* rinsing
полоте́нце, *gen. pl.* -/е towel [C]
полтора́ one and a half
полусо́н о/- half-sleep [C]
полуста́нок о/- halt, small station [C]
получи́ть *perf.* get, receive; *imp.* получа́ть; ~ся be received, ensue, result
полушу́бок о/- (short) sheepskin coat [C]
полчаса́ half an hour
по́льза (*sing.* only) benefit, use [C]
по́льзовать *imp.* attend, treat; ~ся+*instr.* enjoy, use
по́лька, *gen. pl.* ь/-е polka [C]
полюби́ть *perf.*+*acc.* grow fond of, fall in love with; *imp.* люби́ть love, like

пома́хивать *imp.*+*instr.* wave, wag, flick; *perf.* помаха́ть
поме́льче smaller, lesser, finer
поме́ньше (rather) smaller, less
помере́ть *perf.* *coll.* die; *imp.* помира́ть
помести́ть *perf.* accommodate, get in; *imp.* помеща́ть
по/меша́ть *perf.*+*dat.* hinder
поме́щик landowner (see *note* **101.2**) [C]
поми́луй, ~те why! allow (excuse) me (see *sel. id.* **15.4**)
по́мнить *imp.* remember, recall; мне по́мнится I recollect; *perf.* вс~
помога́ть *imp.*+*dat.* help; *perf.* помо́чь
по-мо́ему in my opinion
по/моли́ться *perf.* pray
по/молча́ть *perf.* be silent
по/мо́рщиться *perf.* frown, become wrinkled
помо́чь *perf.*+*dat.* help; *imp.* помога́ть
по́мощь help, aid [C]
по/мя́ть *perf.* crumple, ruffle
пона́добиться *perf.* be needed
по/нести́ *perf.* carry away; ~сь hurry off, dash away; *d. imp.* нести́, носи́ть carry
поно́шенный worn, the worse for wear, shabby
поня́тие idea, conception; э́то ~ растяжи́мое that might mean anything [C]
поня́тный intelligible, clear
поня́ть *perf.* understand, make out; дать ~ convey; *imp.* понима́ть
по/обе́дать *perf.* dine, have dinner
по́одаль *adv.* at some distance
попа́с grazing [C]

попа́сть *perf.* hit upon, get to; ~ся get caught (see *sel. id.* 40.28); *imp.* попада́ть
попечи́тель *m.* guardian, curator (of educational district) (see *note* 87.10) [C]
по/плести́сь *perf.* stroll off, go on one's way
попо́вич priest's son [C]
попра́вить *perf.* put right (in order), straighten; *imp.* поправля́ть
по-пра́здничному *adv.* in holiday fashion (spirit)
попре́жнему *adv.* as formerly, in the old way
по́прище sphere, career, walk of life [C]
по/про́бовать *perf.* try, test
по/проси́ть *perf.* ask
по́просту *adv.* simply, without ceremony (see *sel. id.* 17.24)
пора́ time, season; it is time; до сих пор up to the present, hitherto; с тех пор since; на пе́рвых пора́х at first, as a beginning
порабоща́ть *imp.* enslave; *perf.* поработи́ть
порабоще́ние enslavement
по/ра́доваться *perf.* rejoice
по/ре́зать *perf.* cut
поро́г threshold [C]
поро́да breed [C]
поро́дистый *adj.* thoroughbred
порости́ *perf.* grow over, become overgrown; *imp.* порастáть
по́рох (gun)powder [C]
портре́т portrait [C]
портсига́р cigarette-case [C]
поруче́ние message, mission [C]
поручи́ть *perf.* hand over, entrust; *imp.* поруча́ть
порха́ние *sb.* fluttering, flitting [C]
порха́ть *imp.* flutter, flit; *perf.* порхну́ть
поры́в fit, burst, transport [C]
поря́док о/- order, régime [C]
поря́дочность decency, integrity, respectability [C]
поря́дочный decent, respectable, wholesome
посади́ть *perf.* set, put, plant; *imp.* сажа́ть
посви́стывать *imp.* whistle; *perf.* посвиста́ть
посети́тель *m.* visitor, caller [C]
посиде́ть *perf.* sit a little; *imp.* сиде́ть sit, be sitting
по/скака́ть *perf.* gallop off
поскоре́е as quickly as possible
посла́ть *perf.* send; *imp.* посыла́ть
по́сле *prep.*+*gen.* after; *adv.* later, afterwards
после́дний last, latest, previous; lowest, veriest (see *sel. id.* 91.10)
послеза́втра the day after tomorrow
по/слу́шать *perf.* listen; послу́шай, послу́шайте look here, I say
по/слы́шаться *perf.* sound, be heard (see *sel. id.* 34.13)
посмотре́ть *perf.* take a look, glance; посма́тривать *imp.* keep looking (glancing); смотре́ть *imp.* look
по/сове́товаться *perf.*+с+*instr.* consult
по-солда́тски *adv.* in soldier fashion
по/спеши́ть *perf.* hurry
пост fast, period of fasting (see *note* 21.25) [E]
по/ста́вить *perf.* stand, put
постановле́ние regulation [C]
по/стара́ться *perf.* try

по/старе́ть *perf.* grow old
поста́рше rather older
посте́ль bed, bedding [C]
постепе́нный gradual
посторо́нний strange, extraneous, alien
постоя́нный constant, permanent, perpetual
постоя́ть *perf.* stand for a little; *imp.* стоя́ть stand
постро́йка, *gen. pl.* й/е building, construction [C]
поступа́ть *imp.*+в+*acc. pl.* (= *nom. pl.*) join (society, *etc.*); *perf.* поступи́ть (see *sel. id.* 21.2)
посты́дный shameful, disgraceful
посу́да crockery, china [C]
посыла́ть *imp.* send; *perf.* посла́ть
посы́паться *perf.* rain, be showered; *imp.* посыпа́ться
пот sweat, perspiration [C]
потёмки *pl.*, *gen.* -/о darkness, obscurity [C]
по/темне́ть *perf.* grow dark
потере́ть *perf.* rub, wipe; *imp.* потира́ть
по/теря́ть *perf.* lose
поте́ть *imp.* sweat, perspire; *perf.* вс~
по/те́чь *perf.* begin to flow
пото́м then, later, afterwards
потому́, что because
потре́бность need, requirement [C]
по/тре́бовать *perf.* demand, require
по/трево́жить *perf.* disturb, trouble, alarm
по/тро́гать *perf.* touch, feel
по/ту́хнуть *perf.* go (die) out
по/туши́ть *perf.* put out, extinguish
по/тяну́ться *perf.* stretch, extend
по-францу́зски *adv.* (in) French (speak, *etc.*)
по/хвали́ть *perf.* praise, say approvingly
похва́рывать *imp.* be (frequently) unwell; no *perf.*
по/хва́стать *perf.*+*instr.* boast of
похло́пывать *imp.* pat, clap, slap; *perf.* похло́пать
походи́ть+на+*acc.* resemble; no *perf.* in this sense
похо́дка, *gen. pl.* -/о walk, gait [C]
похо́жий *adj.*+на+*acc.* like, resembling; похо́же apparently, it looks as though
по/холоде́ть *perf.* grow cold
по/хорони́ть *perf.* bury, inter
по́хороны *pl.* funeral [E exc. *nom.*]
по/худе́ть *perf.* go thin
по/целова́ть *perf.* kiss
поцелу́й *sb.* kiss [C]
почему́ why
почему́-то for some reason
по́черк, *pl.* ~и or ~а́ (hand)-writing
почёсывание *sb.* scratching [C]
починя́ть *imp.* mend, repair; *perf.* почини́ть
почита́тель *m.* admirer [C]
по́чта post, mail; post office [C]
почтальо́н postman [C]
почте́нный honourable, creditable, venerable
почти́ almost
почти́тельность respect, deference [C]
почти́тельный respectful, deferential
почто́вый *adj.* post, mail
по/чу́вствовать *perf.* feel, sense
по/чу́ять *perf.* scent (out)
поша́тываться *imp.* reel, totter, stagger; *perf.* пошатну́ться
по/шевели́ть *perf.* move, stir
по/шепта́ть *perf.* whisper, whisper a charm (see *note* 109.5)
поши́ре more widely
по́шлость vulgarity, banality, triviality [C]

поэ́т poet [C]
поэти́ческий poetical
поэ́тому so, for that reason
появле́ние appearance [C]
появля́ться *imp.* appear, put in an appearance; *perf.* появи́ться
по́яс, *pl.* ~а́ belt [C:E]
пра́вда truth, it is true [C]
пра́вило rule, regulation, principle [C]
пра́вильность regularity, correctness [C]
пра́вильный regular, correct
правле́ние administration, form of government [C]
пра́во right, claim [C:E]
пра́вый *adj.* right, right-hand; just
пра́здник holiday, festival [C]
пра́здничный *adj.* holiday, festive
пра́здность idleness, indolence [C]
пра́ктика practice [C]
превосходи́тельство excellency (title) (see *note* 14.29) [C]
превосхо́дный superb, splendid
преда́ть *perf.* betray; *imp.* предава́ть
предложи́ть *perf.* propose, suggest; *imp.* предлага́ть
предме́т object, article [C]
предприня́ть *perf.* undertake, do; *imp.* предпринима́ть
предрассу́док о/- prejudice, fad, idea [C]
председа́тель *m.* president, chairman [C]
предста́вить *perf.* present, introduce; *imp.* представля́ть; ~ себе́ imagine; ~ к чи́ну recommend for promotion; предста́вить из себя́ represent, be; ~ся be introduced
представле́ние introduction, presentation, performance; ~ к чи́ну recommendation for promotion (see *note* 26.25) [C]
предупрежда́ть *imp.* warn; *perf.* предупреди́ть
предчу́вствие presentiment, premonition [C]
предчу́вствовать *imp.* feel, have a presentiment; no *perf.*
предыду́щий previous, preceding
пре́жде *adv.* formerly, previously, first
пре́жде, чем *conj.* before
преждевре́менный premature
пре́жний previous, former
презира́ть *imp.* despise, scorn; *perf.* презре́ть
презре́ние scorn, contempt [C]
презри́тельный scornful, contemptuous
прекра́снейший most beautiful, finest
прекра́сный fine, beautiful
пре́лесть charm, beauty, delight [C]
пре́мия prize, bonus [C]
прерва́ть *perf.* interrupt, break off; *imp.* прерыва́ть; ~ся be interrupted, stop, cease
прете́нзия claim, pretension [C]
проходя́щий passing, transient
при+*loc.* in the time (reign) of; under; in the presence of; with (a person) (40.2); при э́том at the same time, besides, moreover
приба́вить *perf.* add; *imp.* прибавля́ть
прибау́тка, *gen. pl.* -/о saying, adage [C]
прива́тный private, personal
привезти́ *perf.* bring; *imp.* привози́ть
приве́рженный attached, devoted; addicted
привести́ *perf.* bring, lead; *imp.* приводи́ть

приве́тливый kind, welcoming, friendly
привлека́тельный attractive
привы́кнуть *perf.*+к+*dat.*, or +*infin.* get accustomed to; *imp.* привыка́ть
привяза́ться *perf.*+к+*dat.* become attached to; *imp.* привя́зываться
пригласи́ть *perf.* invite; *imp.* приглаша́ть
приговори́ть *perf.* sentence, condemn; пригова́ривать *imp.* say, keep saying
при/гото́вить *perf.* prepare
приготовле́ние preparation [C]
пригре́ть *perf.* warm, shelter; *imp.* пригрева́ть
придава́ть *imp.* add, impart; *perf.* прида́ть
приде́рживать *imp.* hold down (back); *perf.* придержа́ть
придётся *impers.* it will be necessary, one will have to
прие́зд arrival [C]
приёмщик (reception) clerk [C]
прие́хать *perf.* come, arrive, get back; visit; *imp.* приезжа́ть
прижа́ть *perf.* press, oppress; *imp.* прижима́ть
прижéчь *perf.* scorch; *imp.* прижига́ть
призва́ние mission, duty, call [C]
признава́ть *imp.* recognize; *perf.* призна́ть; ~ся confess, make a declaration
при́знак sign [C]
прийти́ *perf.* come, arrive, return; *imp.* приходи́ть
прика́з order [C]
приказа́ть *perf.* order, give orders; *imp.* прика́зывать
прика́зчик steward, overseer (see *note* 23.2) [C]
прикла́дывать *imp.*+к+*dat.* apply (lay) to; *perf.* приложи́ть
прикле́ить *perf.*+к+*dat.* attach to, stick on to; *imp.* прикле́ивать
прикрыва́ть *imp.* cover, shelter; *perf.* прикры́ть; ~ся be covered, screen oneself
прили́чный decent, suitable, fitting
приложи́ть *perf.*+к+*dat.* apply (lay) to; *imp.* прикла́дывать
приме́р example, case [C]
принести́ *perf.* bring; *imp.* приноси́ть
приня́ть *perf.* take, assume, accept, welcome; *imp.* принима́ть; ~ся+за+*acc.* take up, turn to; как при́нято as the custom is
припа́док о/- attack, fit [C]
припа́сть *perf.*+к+*dat.* fall down, throw oneself on to; *imp.* припада́ть
припёк (place exposed to) full heat of sun [C]
припека́ть *imp.* bake, scorch; *perf.* припе́чь
приподня́ть *perf.* raise slightly; *imp.* приподнима́ть
припо́мнить *perf.* recall; *imp.* припомина́ть; мне припо́мнилось I remembered
припа́внивать *imp.* compare; *perf.* приравня́ть
приро́да nature, scenery [C]
приседа́ть *imp.* crouch, squat; *perf.* присе́сть
присла́ть *perf.* send; *imp.* присыла́ть
прислу́га (*sing.* only with *pl.* meaning) servants (female) [C]
прислу́шаться *perf.* listen closely; *imp.* прислу́шиваться
при́став, *pl.* ~á police officer; суде́бный ~ court-bailiff [C:E]

пристёгивать apply, attach, fasten, harness; *perf.* пристегну́ть
пристро́йка, *gen. pl.* й/е outbuilding [C]
при́ступ assault, storm [C]
приступи́ть *perf.*+к+*dat.* begin, set about; *imp.* приступа́ть
пристяжна́я *sb.* side-horse, outrunner (see *note* 100.7)
прису́тствие presence; (government) office [C]
присыла́ть *imp.* send; *perf.* присла́ть
притво́рный feigned, simulated
прити́хнуть *perf.* grow quiet, subside; *imp.* притиха́ть
прито́к tributary (river) [C]
прито́птывать *imp.* stamp, keep stamping; *perf.* притопта́ть
приуча́ть *imp.*+*inf.*, or+*acc.*+к+*dat.* accustom, teach; *perf.* приучи́ть; ~ся get accustomed, learn
прихо́д arrival [C]
прихо́дится *impers.* one has to, it is necessary (see *sel. id.* 39.19)
приходи́ть *imp.* come, arrive; ~ в себя́ come round (to oneself); ~ в восто́рг fly into raptures (ecstasies); ~ в у́жас be horrified; *perf.* прийти́
прихора́шиваться *imp.* smarten (beautify) oneself, make oneself look one's best
причёсанный combed, with hair done
причеса́ться *perf.* do one's hair; *imp.* причёсываться
причёска, *gen. pl.* -/о coiffure, hair [C]
причи́на cause, reason [C]
причи́тывать *imp.* keep repeating (chanting, lamenting); *perf.* причита́ть
пришло́сь *impers.* one had to, it was necessary
прищу́рить *perf.* screw up, partly close (eyes); *imp.* прищу́ривать; ~ся frown, half-close one's eyes
прия́тель *m.* friend [C]
прия́тный pleasant
про+*acc.* about, concerning; про чёрный день for a rainy day; сказа́ть про себя́ say to oneself
пробавля́ться *imp.* get (rub) along; no *perf.*
пробежа́ть *perf.* run past (through); *imp.* пробега́ть
пробира́ться *imp.* make one's way; *perf.* пробра́ться
проби́ть *perf.* strike (the hour); *imp.* пробива́ть
про/бормота́ть *perf.* mutter
пробы́ть *perf.* stay, visit; *imp.* пробыва́ть
провали́ться *perf.* fall through, fail (examination); ~ в тартарары́ go to hell; *imp.* прова́ливаться
провести́ *perf.* spend (time); *imp.* проводи́ть
проводи́ть *perf.* see off, escort, follow; *imp.* провожа́ть
провозгласи́ть *perf.* announce, proclaim, pronounce; *imp.* провозглаша́ть
проглоти́ть *perf.* swallow; *imp.* глота́ть
прогна́ть *perf.* drive away; *imp.* прогоня́ть
про/говори́ть *perf.* say
програ́мма programme [C]
прогу́лка, *gen. pl.* -/о excursion, walk, (pleasure) drive [C]
прогуля́ться *perf.* (take a) stroll; *imp.* прогу́ливаться
прода́ть *perf.* sell; *imp.* продава́ть; ~ся be sold

продолжа́ть *imp.* continue; ~ся continue, last; no *perf.*

прое́хать *perf.* ride (drive, travel) through (past); *imp.* проезжа́ть; прое́хаться take a ride (drive)

проже́чь *perf.* burn through; *imp.* прожига́ть

про/звуча́ть *perf.* sound out, resound

произвести́ *perf.* produce; *imp.* производи́ть

произнести́ *perf.* pronounce; *imp.* произноси́ть

произойти́ *perf.* take place, occur; *imp.* происходи́ть

происше́ствие event, happening, incident [C]

пройти́ *perf.* pass, subside; пройти́сь take a walk; *imp.* проходи́ть

прока́т hire; брать на ~ hire, take on hire [C]

прокати́ть *perf.* take a ride (drive), coast; throw out (see *note* 124.14); *imp.* прока́тывать

проли́в straits, channel [C]

проли́ть *perf.* pour out, spill; *imp.* пролива́ть

промелькну́ть *perf.* flit past; *imp.* промелька́ть

пронзи́тельный piercing, penetrating

пронза́ть *perf.* pierce; *imp.* прони́зывать

прони́кнуть *perf.* get through, penetrate; *imp.* проника́ть

про́пасть abyss [C]

пропе́ть *perf.* sing out, call, crow; *imp.* пропева́ть

пропита́ние food, living [C]

пропуска́ть *imp.* let pass, miss; *perf.* пропусти́ть

прорва́ть *perf.* break through; прорва́ло, see *sel. id.* 96.4; *imp.* прорыва́ть

просве́чивать *imp.* show through; *perf.* просвети́ть

проси́ть *imp.* ask; прошу́ (вас) please, kindly; *perf.* по~

прослужи́ть *perf.* serve, work; *imp.* прослу́живать

просну́ться *perf.* awake, wake; *imp.* просыпа́ться

прости́ть *perf.* forgive, excuse; *imp.* проща́ть; ~ся+с+*instr.* take leave, say farewell

просто́й simple, ordinary

простра́нство space [C]

просыпа́ться *imp.* awake, wake; *perf.* просну́ться

протека́ть *imp.* flow by; *perf.* проте́чь

протестова́ть *imp.* protest; *perf.* за~

про́тив *prep.*+*gen.* opposite; *adv.* to the contrary

проти́вный repulsive

противоре́чить *imp.* contradict; no *perf.*

протоиере́й (arch)priest [C]

протя́жный slow, drawling, drawn-out

протяну́ть *perf.* stretch out, offer; fly over (57.3); ~ся stretch, extend; *imp.* протя́гивать

профе́ссор, *pl.* ~а́ professor [C:E]

про́филь *m.* profile [C]

профо́рма (*sing.* only) a formality [C]

проха́живаться *imp.* walk up and down; *perf.* пройти́сь

прохла́дный cool

проходи́ть *imp.* pass, pass by, subside; *perf.* пройти́

процвета́ние success, prosperity [C]

проче́сть *perf.* read (through); *imp.* прочи́тывать

про́чий other; и пр., и проч. etc.

прочь away, clear out, be off

про/шепта́ть *perf.* whisper
прошиби́ть *perf.* break through; слеза́ прошибёт you'll begin to cry (31.4); *imp.* прошиба́ть
прошлого́дний last year's
про́шлое *sb.* the past
про́шлый past, late, last
проща́йте good-bye!
проща́ние farewell, leave-taking [C]
проща́ть *imp.* forgive; ~ся+с+*instr.* take leave of, say good-bye to; *perf.* прости́ть
про/экзаменова́ть *perf.* examine
прояви́ть *perf.* develop, manifest; *imp.* проявля́ть
проявле́ние development [C]
пруд pond [E]
пружи́на (metal) spring [C]
пры́гнуть *perf.* jump; *imp.* пры́гать
прыжо́к о/- jump [E]
пры́скаться *imp.* sprinkle oneself; *perf.* по~
прямо́й straight, direct
пря́таться *imp.* hide (oneself); *perf.* с~
пси́на dog's flesh [C]
пти́ца bird [C]
пти́чий *adj.* bird, bird-like
пу́блика people, spectators, crowd [C]
пуга́ть *imp.* frighten, alarm, scare; *perf.* ис~, на~
пугли́вый timid, timorous
пу́говка, *gen. pl.* -/о, *dim.* of пу́говица button [C]
пу́ля bullet [C]
пункт point; медици́нский ~ medical centre [C]
пуска́й, пусть + *3rd. sing.* or *pl.* let him (them); suppose
пусти́ть *perf.* let, let go; *imp.* пуска́ть
пусто́й empty, trivial; пусто́е де́ло a mere nothing (30.24)
пусты́нный *adj.* desert, desolate
пусты́ня desert [C]
пустя́к trifle; ~и́ nonsense [E]
пу́таница tangle, muddle, confusion [C]
пу́ты *f. pl.* fetters, shackles [C]
путь *m.* way, path [E]
пу́хлый plump, puffy
пу́чить *imp.* protrude, stick out; *perf.* вы́~
пушно́й fur-bearing
пушо́к о/- down, fluff [E]
пчела́ bee [E:←(1)]
пшени́ца wheat [C]
пшени́чный *adj.* wheat, wheaten
пыль dust; цвето́чная ~ pollen [C]
пыта́ться *imp.* try, endeavour; *perf.* по~
пы́тка, *gen. pl.* -/о torment [C]
пье́са play, piece [C]
пья́нство drunkenness [C]
пья́ный drunk(en)
пята́к five copecks [E]
пятиалты́нный *sb.* fifteen copecks (see *note* 62.16)
пя́тка, *gen. pl.* -/о heel [C]
пятна́дцать fifteen
пя́тница Friday [C]
пятно́, *gen. pl.* -/е stain, spot [E:←(1)]
пять five
пятьдеся́т fifty

Р

раб slave [E]
рабо́та work, occupation [C]
рабо́тать *imp.* work, function; *perf.* по~
рабо́тник labourer [C]
рабо́чий *sb.* factory worker; рабо́чие workers, (factory) hands
равноду́шие indifference, unconcern [C]

равноду́шный indifferent
ра́вный equal; всё равно́ still, all the same, it doesn't matter
рад *predic.* glad
ра́ди+*gen.* for the sake of
ра́диус radius [C]
ра́достный glad, joyous, gay
ра́дость gladness, joy [C]
ра́дуга rainbow [C]
раз, *gen. pl.* раз time, occasion; once [C:E]
разбо́йник robber; морско́й ~ pirate [C]
разболе́ться *perf.* start aching; *imp.* разба́ливаться
раз/буди́ть *perf.* rouse, waken
ра́зве really! can it be? you don't say so? do you mean to say? perhaps
разверну́ть *perf.* open, spread out; *imp.* развёртывать; ~ся open up
развести́ *perf.* start (fire); *imp.* разводи́ть
разви́ть *perf.* develop; *imp.* развива́ть
раз/вороши́ть *perf.* stir (pull, tear) up
развя́зывать *imp.* untie; *perf.* развяза́ть
разгляде́ть *perf.* make out; *imp.* разгля́дывать
разгова́ривать *imp.* talk, converse; no *perf.*
разгово́р conversation, talk [C]
разговори́ться *perf.* get talking, strike up a conversation; no *imp.*
разгово́рчивый talkative
разгоре́ться *perf.* burn (blaze) up; *imp.* разгора́ться
разгреба́ть *imp.* scrape away; *perf.* разгрести́
разда́ть *perf.* distribute, give out; *imp.* раздава́ть; ~ся (re)sound, echo
разде́ться *perf.* undress (oneself); *imp.* раздева́ться
раздража́ть *imp.* irritate; *perf.* раздражи́ть
раздраже́ние irritation [C]
разду́мывать *imp.* hesitate, think over; *perf.* разду́мать change one's mind
разду́мье thought, hesitation, doubt [C]
рази́нуть *perf.* open wide; *imp.* разева́ть
разлёт rush, flight [C]
различа́ть *imp.* distinguish; *perf.* различи́ть
разложи́ть *perf.* set out, spread about; *imp.* раскла́дывать
размножа́ться *imp.* multiply; *perf.* размно́житься
разнести́сь *perf.* spread, resound; *imp.* разноси́ться
разноцве́тный (many-)coloured, variegated
ра́зный different, various
разобра́ть *perf.* pull to pieces, take apart; *imp.* разбира́ть
разоде́тый dressed up
разорва́ть *perf.* tear (to pieces); *imp.* разрыва́ть
разря́д class, category (see *note* 26.17) [C]
разу́мный sensible, intelligent
разъе́зд dispersal; loop-station (see *note* 88.6) [C]
ра́ма frame [C]
ра́неный wounded, injured
ра́нний early
ра́ньше earlier, before
раска́тистый rolling, rumbling
раски́нуть *perf.* spread, stretch out; *imp.* раски́дывать
раскла́дывать *imp.* spread, lay about; *perf.* разложи́ть

раскла́няться *perf.* bow; +с+*instr.* greet; *imp.* раскла́ниваться

раскры́ть *perf.* open, reveal; *imp.* раскрыва́ть

распахну́ть *perf.* fling open; *imp.* распа́хивать

распеча́тать *perf.* open, unseal; *imp.* распеча́тывать

распла́каться *perf.* burst into tears; *imp.* пла́кать cry, weep

распле́скивать *imp.* spill (splash) about; *perf.* расплесну́ть

распоряжа́ться *imp.* manage, use, dispose of; *perf.* распоряди́ться

распусти́ть *perf.* spread, let loose; *imp.* распуска́ть

распу́щенный loose, hanging

рассве́т dawn [C]

рассвета́ть *imp.* dawn, grow light; *perf.* рассвести́

рассека́ть *imp.* cleave, cut apart; *perf.* рассе́чь

рассе́янный abstracted, absent-minded

расска́з story, narrative [C]

рассказа́ть *perf.* tell, narrate; *imp.* расска́зывать

рассмея́ться *perf.* burst out laughing; *imp.* смея́ться laugh

рассмотре́ть *perf.* look at, examine, make out; *imp.* рассма́тривать

расста́вить *perf.* set, spread, straddle (legs); *imp.* расставля́ть

расста́ться *perf.* part, separate; +с+*instr.* part from; *imp.* расстава́ться

расстегну́ть *perf.* unbutton, unfasten; *imp.* расстёгивать

расступи́ться *perf.* separate, step aside; *imp.* расступа́ться

рассужде́ние argument [C]

растե́рянность perplexity, distraction [C]

расте́рянный perplexed, distracted

расти́ *imp.* grow; *perf.* вы́~

растяжи́мый elastic, extensible

растяну́ть *perf.* stretch, drag out, drawl; *imp.* растя́гивать; ~ся extend

расчеса́ть *perf.* comb out; *imp.* расчёсывать

рвану́ться *perf.* rush, dash; *imp.* рва́ться

рва́ный torn, ragged

рвать *imp.* tear, pluck, gather; *perf.* со~

ребёнок о/- child; *pl.* ребя́та, ребя́тки (see *note* 67.12) children, lads (but 'children' usually = де́ти) [C]

рёв bellowing [C]

реве́ть *imp.* bellow; *perf.* по~, за~

реви́зия inspection; де́лать реви́зию carry out an inspection [C]

ревни́вый jealous

регистра́тор clerk [C]

ре́дкий rare, sparse, infrequent

ре́же *comp. predic. adj.* and *adv.* more rare(ly), less frequent(ly)

ре́зать *imp.* cut; fail (in examination); *perf.* на~

резеда́ (*sing.* only) mignonette [C]

ре́зкий sharp, harsh

река́ river, stream; *dim.* ре́чка, *gen. pl.* -/е [C]

рели́гия religion [C]

рельс a rail [C]

ресни́ца eyelash [C]

рессо́рный on springs

реши́тельно absolutely

реши́тельный decisive, resolute, firm

реши́ть *perf.* decide; *imp.* реша́ть; ~ся make up one's mind

ржать *imp.* neigh; *perf.* за~
рискну́ть *perf.* risk; *imp.* рискова́ть
рисова́ние drawing [C]
робе́ть *imp.* be timid (timorous); *perf.* за~
ро́бкий timid
ро́вно exactly
рог, *pl.* ~á horn
род family, kind; ~ы childbirth; в ро́де+*gen.* or +как бы a kind of [C]
роди́тель *m.* parent, father [C]
роди́тельский *adj.* parents', parental
роди́ться *perf.* be born; *imp.* рожда́ться
родно́й *adj.* own, native, mother, familiar, dear
родны́е *sb. pl.* relatives
родово́й *adj.* family
Рождество́ (Христо́во) (*sing.* only) Christmas (E)
рожь, *gen.* ржи rye [E]
ро́за rose [C]
ро́звальни *f. pl.* country sledge (see *note* 16.6) [C]
розда́ть *perf.* distribute, hand out; *imp.* раздава́ть
ро́зовый pink, pink-skinned
роль role [C:E exc. *nom.*]
рома́н novel [C]
роса́ dew [E:←(1)]
роско́шный luxurious, splendid
ро́скошь luxury, splendour [C]
рост (*sing.* only) growth; height, stature [C]
рот о/- mouth [E]
роя́ль *m.* (grand) piano, pianoforte [C]
руба́ха shirt, smock-shirt, blouse [C]; *dim.* руба́шка, *gen. pl.* -/е [C]; руба́шечка, *gen. pl.* -/е [C]
руби́ть *imp.* chop, cut; *perf.* на~
рубль *m.* rouble (see *note* 20.29) [E]
ружьё gun [E:←(1)]
рука́ hand, arm; *dim.* ру́чка, *gen. pl.* -/е [see p. 161]
рука́в, *pl.* ~á sleeve [E]
ру́сский *adj.* Russian; *sb.* a Russian
ры́ба fish [C]
рыболо́вный *adj.* fishing
рыда́ние *sb.* sobbing [C]
рыда́ть *imp.* sob; *perf.* за~
рыжеволо́сый red-haired
ры́жий red-brown, chestnut
ры́нок о/- market [C]
ры́хлый crumbling, soft
рыча́ть *imp.* growl; *perf.* за~
рю́мка, *gen. pl.* -/о (wine-)glass [C]
рябо́й pitted, pock-marked
ряд row [C:E]
рядово́й *sb.* private (soldier), ranker
ря́дом, в ряд side by side, in a row

С

с, со+*gen.* from, since, down (36.11); +*instr.* with, to (23.23 *etc.*, 24.4 *etc.*, 60.24), from (123.22); с Но́вым Го́дом a Happy New Year; со вре́менем in time; с ка́ждым днём day by day; мы с тобо́й you and I; что с тобо́й? what's the matter with you?
-с see *note* 14.29
са́га saga [C]
сад garden; фрукто́вый ~ orchard [C:E]; *dim.* са́дик [C]
сади́ться *imp.* sit down; +в+*acc.* get into (train, *etc*); *perf.* сесть
са́жа soot [C]
сажа́ть *imp.* seat, set, plant; *perf.* посади́ть
са́ло (*sing.* only) fat, grease [C]

сам self; разгова́ривать ~ с собо́й talk to oneself
самова́р samovar [C]
самодово́льный self-satisfied, conceited
самое́д Samoyed [C]
самолю́бие self-esteem, pride [C]
самоуве́ренный (self-)confident
са́мый same, selfsame; ~ дорого́й dearest; ~ верх very top
са́ни *f. pl.* sledge [E exc. *nom.*]; *dim.* са́нки, *gen. pl.* -/о [C]; са́ночки, *gen. pl.* -/е sled, toboggan [C]
сапо́г (*gen. pl.* сапо́г) boot [E]
сара́й shed [C]
сби́ться *perf.* crowd together, huddle; *imp.* сбива́ться; ~ с доро́ги lose one's way, go astray (see *sel. id.* 39.2)
сбро́сить *perf.* throw off; *imp.* сбра́сывать
сва́дебный *adj.* wedding
сва́дьба, *gen. pl.* ь/е wedding [C]
сва́йный *adj.* pile, on piles
сварли́вый shrewish, quarrelsome
сва́я pile (support for bridge, *etc.*) [C]
све́дение information, knowledge; довести́ до све́дения notify, inform [C]
све́жесть freshness [C]
све́жий fresh
све́рху *adv.* from above
свет (*sing.* only) light, world; ба́тюшки-све́ты see *note* 32.5 [C]
света́ть *imp.* grow light; no *perf.*
свети́льный for lighting, illuminating
све́тить(ся) *imp.* shine, beam; *perf.* за~
све́тлый light, bright
свеча́ candle [E exc. *nom. pl.*]; *dim.* све́чка, *gen. pl.* -/е [C]
свини́на pork [C]
свисте́ть *imp.* whistle; *perf.* сви́стнуть
свисто́к о/- whistle [E]
свобо́да freedom, liberty [C]
свобо́дный free
своди́ть *imp.* lead away (round); *perf.* свести́
свой (one's) own; ~ челове́к perfectly at home; как своя́ like one of the family
связа́ть *perf.* bind, tie up; *imp.* свя́зывать
святи́тель *m.* bishop (see *note* 67.10) [C]
свя́тки *f. pl.*, *gen.* -/о Christmas holidays [C]
свято́й *adj.* holy, sacred; *sb.* saint
свяще́нник priest [C]
свяще́нный holy, sacred, sacrosanct
с/го́рбиться *perf.* stoop, bend
сго́рбленный bent, bowed
сгоре́ть *perf.* burn down (*intr.*); *imp.* сгора́ть
сгрустну́ть *perf.* grow sad, fall into a state of melancholy; *imp.* грусти́ть be sad
сгусти́ться *perf.* thicken, gather, concentrate; *imp.* сгуща́ться
сдать *perf.* hand over; *imp.* сдава́ть
с/де́лать *perf.* do, make; ~ . . . лицо́ make a . . . face; ~ вздох give a sigh; ~ся become
сде́рживать *imp.* restrain, check; keep (promise); *perf.* сдержа́ть
сду́нуть *perf.* blow away; *imp.* сдува́ть
себя́ (*acc.*) oneself, myself, *etc.*; по себе́ see *sel. id.* 105.8
сего́дня today
сего́дняшний today's
седо́й grey(-haired)
сей *arch.* this

сейча́с at once, just now, immediately
секре́т secret [C]
секрета́рь *m.* secretary [E]
секу́нда second (of time) [C]
село́ village [E:←(1)]
се́льский rural; ~ хозя́ин farmer, cultivator
се́льтерская вода́ seltzer water
семе́йный *adj.* family
семина́рия seminary [C]
семна́дцать seventeen
семь seven
се́мьдесят seventy
семья́ family [E:←(1)]
се́ни *pl.* entrance(-hall), porch [E exc. *nom.*]
сервирова́ть *imp.* serve (a meal); по *perf.*
серди́тый angry
серди́ться *imp.* be angry (irritated) (with = на+*acc.*); *perf.* рас~
се́рдце, *gen. pl.* -/е heart [C:E]
сердцебие́ние palpitation [C]
серебри́стый silvery
серебро́ silver [E]
сере́бряный silver, of silver
середи́на middle, medium [C]; *dim.* серёдка, *gen. pl.* -/о [C]
се́рый grey, dull, commonplace; *dim.* се́ренький
серьёзный serious, grave
сестра́, *gen. pl.* -/ё sister [see p. 161]
сесть *perf.* sit down; +в+*acc.* get into (train, *etc.*); *imp.* сади́ться
сеть net, web [C:E exc. *nom.*]
сжа́ться *perf.* shrink; contract; *imp.* сжима́ться
сза́ди *prep.*+*gen.* behind, from behind; *adv.* behind, from behind
сиде́ть *imp.* sit, stay; +над+*instr.* stick at; *perf.* по~
си́ла power, force, strength, efficacy; нечи́стая ~ the evil one; че́рез си́лу overstraining, beyond one's strength; нет сил, не в си́лах one can't, one is powerless [C]
сильне́е stronger, harder, (even) more
си́льно extremely, intensely
си́льный strong, heavy, intense, hard, violent, acute
симпати́чный congenial, likeable
си́ний dark blue
сире́нь lilac, lilac tree [C]
сирота́ orphan, bereaved (see *note* 63.18) [E exc. *nom. pl.*]
си́тец е/- cotton print [C]
си́тцевый *adj.* cotton-print
сия́тельство highness (see *note* 85.18) [C]
сия́ть *imp.* gleam, shine, beam; *perf.* за~
сказа́ть *perf.* say, tell, speak; *imp.* говори́ть
ска́зка, *gen. pl.* -/о (fairy-)story [C]
скамья́ bench [E:←(1)]
ска́терть table-cloth [C:E exc. *nom.*]
сквозно́й transparent; ~ по́езд through train; ~ ве́тер draught
сквозь+*acc.* through
скирда́ (hay)rick [E:←(1)]
склад store; това́рный ~ warehouse [C]
скользну́ть *perf.* slip, slide, glide; *imp.* скользи́ть
ско́лько+*gen.* how much (many)
с/конфу́зить *perf.* confuse, embarrass, put out; ~ся be embarrassed
скорбь grief, woe, distress [C:E exc. *nom.*]
ско́ро soon, quickly; ско́ро-ско́ро at any moment

скрип squeak, creak [C]
скрипе́ть *imp.* squeak, creak, scratch; *perf.* за~
скри́пка, *gen. pl.* -/о violin, fiddle [C]
скрыть *perf.* hide, conceal; *imp.* скрыва́ть; ~ся disappear
ску́ка boredom, ennui [C]
скула́ cheek-bone [E:←(1)]
скула́стый *adj.* with prominent cheek-bones
ску́чный boring, dull, tedious, dreary
сла́бо *adv.* not fully, under- . . .
сла́бость weakness, failing [C]
сла́бый weak, feeble, faint, slight
сла́вный fine, good, nice
сла́дкий sweet, pleasant
сла́дость sweetness, mawkishness [C]
слаща́вый sugary, sweet, mawkish
слега́ joist, support [E]
слегка́ slightly, a little
след trace, mark, footprint (E)
следи́ть *imp.*+за+*instr.* follow, observe, watch; *perf.* про~
сле́дует *impers.* is proper (fitting); как ~ properly
сле́дующий next, following
слеза́ tear [E exc. *nom. pl.*]
слезли́вый tearful
слепо́й blind
слета́ть *imp.* fly down; *perf.* слете́ть
слипа́ться *imp.* stick together, get stuck up; *perf.* сли́пнуться
сли́ться *perf.* fuse, blend, mingle; *imp.* слива́ться
сло́вно *adv.* as though, like
сло́во word [C:E]
сложи́ть *perf.* pile, fold; *imp.* скла́дывать; ~ся be formed, turn out
слон elephant [E]
слоно́вый *adj.* elephant; слоно́вая кость ivory
слу́жба, *gen. pl.* sometimes -/е (military) service, work, office, post [C]
служи́ть *imp.* serve, work, have a post (job); *perf.* про~
слух rumour, hearing, (*fig.*) ears; ин слу́ху, ни ду́ху, see *sel. id.* 62.5 [C]
слу́чай occasion, case, incident; по слу́чаю+*gen.* owing to, on the occasion of [C]
случа́йный accidental, casual, fortuitous, haphazard
случи́ться *perf.* happen, occur; *imp.* случа́ться
слу́шать *imp.* listen; *perf.* по~
слы́шать *imp.* hear; ~ся be heard; *perf.* у~
слы́шный heard, audible
смани́ть *perf.* lure, entice, win over, lead on; *imp.* сма́нивать
сме́лость daring, audacity [C]
сме́лый bold, daring
смерте́льный mortal, deathly
сме́ртность mortality [C]
смерть death; as *adv.* intensely, extremely, dreadfully (see *sel. id.* 45.12) [C:E exc. *nom.*]
сметь *imp.* dare; *perf.* по~
смех laughter [C]
смеша́ться *perf.* mix, mingle; *imp.* сме́шиваться
смешно́й amusing, ridiculous
смея́ться *imp.* laugh; *perf.* по~
сми́рный quiet, meek, humble
смо́лкнуть *perf.* grow silent; *imp.* смолка́ть
смотре́ть *imp.* look, regard; look out, mind; *perf.* по~
смотри́тель *m.* superintendent, inspector [C]
с/мочи́ть *perf.* soak
сму́глый dark, swarthy

смути́ться *perf.* be troubled (disturbed, embarrassed); *imp.* смуща́ться
сму́тный vague, hazy
смысл sense, meaning [C]
смяте́ние confusion, embarrassment [C]
снару́жи *adv.* externally, from outside
снача́ла *adv.* (at) first, from the beginning
снег, *pl.* ~á snow [C:E]
снегово́й *adj.* snow; снегова́я гора́, see *note* 19.7
снима́ть *imp.* take off (down), remove; *perf.* снять
снисходи́тельный condescending, gracious
снова́ть *imp.* dart (scurry) about; no *perf.*
сноп sheaf; о́гненный ~ shaft of flame [E]
сную́щий *participle* of снова́ть scurrying (about)
снять *perf.* take off, remove; *imp.* снима́ть
соба́ка dog [C]; *dim.* соба́чка, *gen. pl.* -/е [C]
соба́чий *adj.* dog's
соблюда́ть *imp.* observe, keep; *perf.* соблюсти́
собра́ние collection, meeting, club; дворя́нское ~ see *note* 92.27; зе́мское ~ see *note* 104.14
собра́ть *perf.* gather; *imp.* собира́ть; ~ся prepare, be about to
со́бственный (one's) own, proper
собы́тие event [C]
соверше́нный complete, total, perfect
со́вестно *impers.* it is shameful (a shame)
сове́т advice, counsel; council [C]
сове́тник councillor, counsellor, adviser (see *note* 14.18) [C]
сове́товать *imp.* counsel, advise; *perf.* по~; ~ся consult
совсе́м quite, entirely; ~ не not at all
согла́сие (*sing.* only) agreement, harmony [C]
согласи́ться *perf.* agree; *imp.* соглаша́ться
согла́сный in agreement, harmonious
содержа́ть *imp.* maintain, keep up; no *perf.*
созда́ние creature, being [C]
созда́ть *perf.* create, make; *imp.* создава́ть
созерца́ние contemplation [C]
созна́ние reflection, consciousness, realization [C]
созна́ть *perf.* recognize, feel; *imp.* сознава́ть
сойти́ *perf.* go (come) off; ~ с ума́ go out of one's mind; сойти́сь agree, strike a bargain; *imp.* сходи́ть
сократи́ть *perf.* shorten, reduce; *imp.* сокраща́ть
сокро́вище treasure [C]
солда́т (*gen. pl.* солда́т) soldier [C]
соли́дный solid, well established, staid
со́лнечный *adj.* sun's, sunny
со́лнце sun, sunshine [C:E]; *dim.* со́лнышко, *pl.* со́лнышки, *gen. pl.* -/е [C]
солове́й е/ь nightingale [E]
соло́ма straw [C]
соло́менный *adj.* straw
сомнева́ться *imp.*+в+*loc.* doubt; *perf.* усомни́ться
сон о/- sleep, dream [E]
со́нный sleepy, drowsy
сообрази́ть *perf.* understand; *imp.* сообража́ть consider, think, wonder
сообща́ together, jointly

сообщи́ть *perf.* tell, communicate, announce; *imp.* сообща́ть
сорва́ть *perf.* tear off; *imp.* срыва́ть
соро́чка, *gen. pl.* -/е shirt, smock (III.28) [C]
соса́ть *imp.* suck; *perf.* по~
сосе́дний neighbouring
сосе́дство neighbourhood; по сосе́дству in the vicinity [C]
соску́читься *perf.* grow bored; скуча́ть *imp.* feel bored
сослужи́вец е/- colleague [C]
сосна́, *gen. pl.* -/е pine(-tree) [E:←(1)]
соста́вить *perf.* compose, form, be; *imp.* составля́ть
состоя́ть *imp.* be; +в+*loc.* or +из+*gen.* consist of; no *perf.*
сосу́д vessel [C]
со/тка́ть *perf.* weave
со́тня (*gen. pl.* со́тен) hundred [C]
со́ус, *pl.* ~а́ gravy, sauce [C:E]
со́усник sauce-boat [C]
со́хнуть *imp.* dry up, become parched, pine away; *perf.* вы́~, за~
сохрани́ть *perf.* conserve, maintain, guard; *imp.* сохраня́ть
соче́льник Christmas Eve [C]
сочета́ние combination, blend [C]
сочине́ние (literary) work, composition [C]
сочу́вствие sympathy [C]
спа́льня (*gen. pl.* спа́лен) bedroom [C]
спаси́бо thanks
спасти́ *perf.* save; *imp.* спаса́ть
спать *imp.* sleep; идти́ (ложи́ться) ~ go to bed; *perf.* по~
спекта́кль *m.* show, play [C]
спе́лый ripe
сперва́ *adv.* first
спе́ться *perf.* sing in harmony; agree, come to agreement; *imp.* спева́ться
спеши́ть *imp.* hurry; *perf.* по~
спина́ back, spine [E:←(1)]; *dim.* спи́нка, *gen. pl.* -/о [C]
спи́чка, *gen. pl.* -/е match [C]
сплє́тня, *gen. pl.* спле́тен gossip, tattle [C]
сплошно́й continuous, unbroken
сплошь entirely, through and through
споко́йный calm, quiet; споко́йной но́чи good night!
спор argument, dispute [C]
спо́рить *imp.* argue, dispute; *perf.* по~
спосо́бность capacity, power, potentiality [C]
спосо́бный capable
спохвати́ться *perf.* recollect, remember; *imp.* спохва́тываться
спроси́ть *perf.* ask; *imp.* спра́шивать
с/пря́тать *perf.* hide, put away; ~ся hide, vanish
спусти́ть *perf.* let down; *imp.* спуска́ть; ~ся descend, go (come) down, hang; спусти́ть куро́к pull the trigger
спу́тать *perf.* fetter, hobble; *imp.* спу́тывать
спу́тник fellow traveller [C]
спя́щий *participle* of спать sleeping, asleep
сража́ться *imp.* fight, battle; *perf.* срази́ться
сра́зу *adv.* at once, there and then
среди́+*gen.* amongst, in, in the middle of
сре́дний medium, average
сре́дство means, expedient, remedy; сре́дства means, resources; со сре́дствами of substance [C]
срок fixed date, proper time [C]
сруб framework (of wooden building) [C]

ста́вень (*gen. pl.* ста́вней) [C]: see ста́вня
ста́вить *imp.* stand, put, place; ~ самова́р see *note* 47.7
ста́вня (*gen. pl.* ста́вен) shutter [C]
ста́до herd [C:E]
стака́н glass, tumbler [C]
станови́ться *imp.* become; stand, take a stand; *perf.* стать
станцио́нный *adj.* station
ста́нция station [C]
стара́ться *imp.* try, endeavour; *perf.* по~
стари́к old man [E]
стари́нный old-fashioned, antique
ста́риться *imp.* age, grow old; *perf.* со~
ста́рость old age [C]
стару́ха old woman [C]; *dim.* стару́шка, *gen. pl.* -/е [C]
ста́рше elder, older
ста́рший elder, senior; *dim.* ста́ршенький
ста́рый old, former
ста́скивать *imp.* drag off; *perf.* стащи́ть
ста́тский civil, of state (see *note* 14.18)
стать *perf.* become, begin, take a stand; не ста́ну I'm not going to, I don't intend to (115.21); не ста́ло ви́дно воро́т the gate disappeared from view (120.20); *imp.* станови́ться
статья́ (newspaper) article [E]
ста́я flock [C]
ствол (gun-)barrel [E]
стекло́, *gen. pl.* -/о glass [E:←(1)]
стекля́нный *adj.* glass
с/темне́ть *perf.* grow dark
стена́ wall; *dim.* сте́нка, *gen. pl.* -/о [C]
степе́нный dignified, sober
сте́пень degree, grade [C:E exc. *nom.*]
степно́й *adj.* steppe, of the steppe
степь steppe [C:E exc. *nom.*]
стереоме́трия stereometry, solid geometry (see *note* 27.18) [C]
сте́рлядь sterlet, small sturgeon [C:E exc. *nom.*]
стесня́ть *imp.* embarrass, make uncomfortable; ~ся be shy, feel uncomfortable (embarrassed); *perf.* стесни́ть
стихи́ (*pl.* of стих line) verse, poetry [E]
сти́хнуть *perf.* die (calm) down; *imp.* стиха́ть
стла́ться *imp.* spread, drift; *perf.* по~
сто hundred
сто́ить *imp.* cost, be worth; сто́ит то́лько all that is necessary is . . .; no *perf.*
стол table [E]
столб post, column [E]
столо́вая *sb.* dining-room
столонача́льник head clerk (see *note* 14.16) [C]
столь so, to such an extent
сто́лько+*gen.* so much, so many
стоп! stop!
сто́рож, *pl.* ~а́ watchman [C:E]
сторона́ side, direction; в сто́рону +*gen.* towards; в стороне́ to one side; с моéй стороны́ on my part
сторони́ться *imp.* shun, avoid, stand aside; *perf.* по~
с/тошни́ть *perf.* used *impers.*, e.g. его́ стошни́ло he was sick (vomited)
стоя́ть *imp.* stand; *perf.* по~
страда́льческий *adj.* suffering, as though in pain
страда́ние suffering, agony [C]
страда́ть *imp.* suffer, be in agony; *perf.* по~
стра́нник pilgrim, wanderer (see *note* 45.4) [C]

стра́нный strange, queer, odd
страстно́й *adj.* Passion, of the Passion (see *note* 57.22)
стра́стный passionate, with passion
страсть passion [C:E exc. *nom.*]
страх fear, terror [C]
стра́шный fearful, terrible, alarming
стреля́ть *imp.* fire, shoot; стреля́й да́льше fire away; *perf.* вы́стрелить
стреми́тельный headlong
стреми́ться *imp.* strive, aim, aspire, rush; *perf.* у~
стричь *imp.* clip, crop, cut; *perf.* по~
стро́гий strict, stern, severe
стро́йный harmonious, graceful, well set up, poised
строка́ line [E exc. *nom. pl.*]; *dim.* стро́чка -/е [C]
с/тру́сить *perf.* turn coward
студе́нт student [C]
студе́нчество student-days, students (as a body) [C]
стук knock, knocking [C]
сту́кнуть *perf.* knock, patter; ско́ро шестьдеся́т сту́кнет, see *sel. id.* 29.1; *imp.* стуча́ть
стул (*pl.* сту́лья) chair [C]
ступе́нь step [C]; *dim.* ступе́нька, *gen. pl.* ь/е [C]
ступи́ть *perf.* step, come, go; *imp.* ступа́ть
стыд shame, disgrace [E]
стыди́ться *imp.* be ashamed; *perf.* по~, за~
стыдли́вый shy, awkward, shamefaced
сты́дный shameful, disgraceful; вам сты́дно you should be ashamed of yourself (23.25)
стяну́ть *perf.* draw in, tighten, girdle; *imp.* стя́гивать
суббо́та Saturday [C]
суббо́тний *adj.* Saturday
сугро́б snow-drift [C]
суд court; пода́ть в ~ bring an action (lawsuit) [E]
суде́бный при́став court-bailiff
суди́ть *imp.* judge, consider; *perf.* по~
су́дорожный convulsive, spasmodic
судьба́, *gen. pl.* ь/е fate [E:←(1)]
су́зиться *perf.* contract, shrink; *imp.* су́живаться
сукно́, *gen. pl.* -/о (woollen) cloth [E:←(1)]
сумато́ха stir, confusion, hubbub [C]
су́мерки *f. pl.*, *gen.* -/е dusk, twilight [C]
с/уме́ть *perf.* be able, manage, succeed
сунду́к chest, trunk [E]
су́нуть *perf.* thrust; *imp.* сова́ть
суп soup [C:E]
супру́га wife, spouse (see *note* 93.30) [C]
суро́вый stern, grim
суту́лый stooping, round-shouldered
суха́рь *m.* rusk, dried bread, biscuit [E]
су́хо *adv.* drily, coldly, in a hard tone
сухо́й dry
существо́ being, creature [E]
существова́ть *imp.* exist; *perf.* про~
су́щность reality, substance [C]
схвати́ть *perf.* seize, grab; *imp.* схва́тывать
сходи́ть *perf.* call, go (and come back); no *imp.* in this sense
сходи́ть *imp.* pass, leave; *perf.* сойти́
счастли́вый happy, lucky

счáстье happiness [C]
счёт, *pl.* ~á account; жить на свой ~ keep oneself; на хорóшем счетý see *sel. id.* 87.8 [C:E]
считáть *imp.* count, reckon, consider; *perf.* со~
сшить *perf.* sew, have made; *imp.* сшивáть
съёжиться *perf.* shrink, shrivel; *imp.* съёживаться
съéздить *perf.* go (and come back); no *imp.* in this sense
съесть *perf.* eat; *imp.* съедáть
съéхать *perf.* leave, remove; *imp.* съезжáть
сын (*pl.* сыновья́) son [C:E]; *dim.* сыни́шко, *gen. pl.* -/е [C]
сыр cheese [C:E]
сырóй damp; stout, flabby (104.5)
сы́рость damp, dampness [C]
сы́тый satisfied, well nourished
сюдá here, hither
сюрпри́з a surprise [C]
сюртýк (frock-)coat [E]
сям *arch.*: там и ~ here and there

T

табáк tobacco [E]
табáчный *adj.* tobacco
табурéт stool [C]
таи́нственность secrecy, mystery [C]
таи́нственный mysterious
тáйна *sb.* secret [C]
тáйно *adv.* by stealth
тáйный *adj.* secret, privy; Тáйная Вéчеря the Last Supper
так so, how, like that, then; так же just as (so), in the same way; тáкже also; так как since, as
тáкóй, таковóй such, of such a kind; такóй же just such
талáнт talent [C]
талáнтливый talented
тáлия waist, figure [C]
там there; ~ и сям here and there
тáнец е/- dance; тáнцы dancing [C]
танцовáльный *adj.* dancing
танцовáть *imp.* dance; *perf.* по~
тартарары́: провали́ться в ~ go to hell (see *sel. id.* 118.31)
тащи́ть, таскáть *d. imp.* pull, haul, drag, carry; ~ся drag oneself (trail) along; *perf.* потащи́ть
тáять *imp.* thaw; *perf.* рас~
твёрже *comp. predic. adj.* and *adv.* harder
твой, твоё, твоя́, *pl.* твои́ thy, thine
твóрческий creative
теáтр theatre [C]
телегрáмма telegraph [C]
телеграфи́ст telegraph operator (clerk) [C]
телёнок о/- (*pl.* теля́та) calf [C]
телефóн telephone [C]
тéло body [C:E]
тем не мéнее none the less
темнéть *imp.* darken, grow dark; *perf.* по~
темни́ца dungeon, prison [C]
темнотá darkness [E]
тёмный dark
тень shade, shadow [C:E exc. *nom.*]
тепéрь now
теплó warmth [E]
тёплый warm, cordial
терáсса terrace, balcony [C]
терзáть *imp.* torment; *perf.* ис~
терми́т termite (sometimes incorrectly called white ant) [C]
терпéние patience [C]
терпéть *imp.* tolerate, endure; *perf.* по~
теря́ть *imp.* lose; *perf.* по~; ~ся lose one's head, be puzzled
тéсный close, intimate, narrow

те́терев, *pl.* ~а́ woodcock, grouse [C:E]
тетра́дка, *gen. pl.* -/о note-book [C]
тетра́дь exercise book [C]
тётя aunt [C]; *dim.* тётка, *gen. pl.* -/о [C]
течь *imp.* flow; *perf.* по~
тигр tiger [C]
ти́гровый *adj.* tiger
ти́скать *imp.* squeeze; ~ в рука́х clutch; *perf.* по~
ти́хий quiet, calm, still, gentle, soft, slow
ти́ше quieter, slower
тишина́ quiet(ness), stillness, peace [E]
то then, in that case; и то (and) even then; то..., то... first . . ., then . . .; то и де́ло now and then; то, что the fact that; то есть that is, i.e.; а то or, or else
това́рищ comrade, friend [C]
това́рный *adj.* goods (train, *etc.*)
тогда́ then, at that time
то́же also
толк sense, meaning, use [C]
толкну́ть *perf.* push, nudge; *imp.* толка́ть
толо́ка threshing [C]
толпа́ crowd, throng [E:←(1)]
толпи́ться *imp.* crowd, huddle, throng; *perf.* по~
то́лстый stout, fat, thick
то́лько only, merely; как ~ as soon as; ~-что only just
том, pl.~а́ volume [C:E]
томи́тельный oppressive, languorous
томи́ть *imp.* overcome, worry, weigh down, torment; ~ся be overcome, worry, languish
то́мный languid, worried
тон, *pl.* ~а́ tone [C:E]
то́нкий lean, thin, slender, slim, delicate, refined
топи́ть *imp.* heat (a stove); *perf.* за~
то́поль *m.* (*pl.* тополя́) poplar [C:E]
топо́р axe [E]
торго́вля trade [C]
торже́ственный solemn, pretentious
торжествова́ть *imp.* triumph, exult; *perf.* по~, за~
торопи́ться *imp.* hurry, hasten; *perf.* по~, за~
торопли́вый hasty, hurried
торча́ть *imp.* stick out, project; *perf.* по~
тоска́ (*sing.* only) longing, pining, distress, misery [E]
тоскова́ть *imp.* feel longing (agony), pine, be sad; *perf.* за~
тост a toast [C]
тот, то, та that (one), те *pl.* those
тот же, тот же са́мый that same
то́тчас, ~ же at once, immediately, on the spot
то́чно exactly, as though; ~ так see *note* 27.29
то́щий lean, scraggy
трава́ grass [E:←(1)]
тракт highway, route [C]
тракти́р inn, tavern [C]
тра́тить *imp.* spend; *perf.* ис~
тре́бование demand, need [C]
тре́бовать *imp.* demand, require, ask for; *perf.* по~
трево́га alarm, anxiety; с трево́гой anxiously [C]
трево́житься *imp.* be anxious, feel uneasy; *perf.* по~
трево́жный nervous, anxious, worried, alarming
тре́звость sobriety [C]
тре́звый sober
трепета́ть *imp.* tremble, shake in one's shoes; *perf.* по~, за~

треск crackle, crackling [C]
трéскаться *imp.* crack, crackle; split; *perf.* по~
трéтий *adj.* third
треть *sb.* third [C:E exc. *nom.*]
трещáть *imp.* crackle; *perf.* за~
три three
трńжды thrice
трóгательный touching, moving
трóгать *imp.* touch; *perf.* трóнуть; ~ся start, move off
трóе (group of) three
троекрáтный threefold (see *note* 13.15)
трóйка, *gen. pl.* й/е troika, team of three horses (see *note* 16.6) [C]
трóнуться *perf.* start, move off; *imp.* трóгаться
тропńнка, *gen. pl.* -/о footpath, bridle-path [C]
трубá pipe, chimney [E:←(1)]
трýбка, *gen. pl.* -/о (tobacco) pipe [C]
труд labour, work [E]
трудńться *imp.* labour, work; *perf.* по~
трýсость cowardice [C]
трюмó *indecl.* pier-glass
трńский rough, jolting
тугóй tight
тудá there, thither, in that direction
тýловище body, trunk [C]
тумáн mist, fog [C]
тýмба stool; blockhead! [C]
тупóй blunt, stupid, thick-headed
тýрок о/- Turk [C]
тýсклый dim, dull
тут here, there, at this point; тут же on the spot, close by
тýфля, *gen. pl.* тýфель slipper [C]
тýча cloud [C]
тýша carcass [C]
тысяча thousand [C]
тэк-с = так-с well then!, so there!
тńга see *note* 57.10 [C]
тяжёлый heavy, distressing, difficult to bear, dull
тńжесть burden, weight [C]
тńжкий grievous, heavy
тянýть *imp.* drag (out), drawl, extend, stretch; *perf.* по~; ~ся stretch (*refl.* and *intr.*)

У

у+*gen.* by, near, at (116.18), at the house of, in the possession of, from (31.20, 81.18, *etc.*), with (17.5 *etc.*); у вас you have; лицó у негó his face; у себń в кóмнате in one's own room
убедńть *perf.* convince, persuade; *imp.* убеждáть try to convince; ~ся become convinced, be sure
убеждéние conviction [C]
убеждённый convinced, with convictions, converted
убивáть *imp.* kill; *perf.* убńть
убóгий poor, wretched
убрáть *perf.* put away; *imp.* убирáть
увезтń *perf.* take away; *imp.* увозńть
увелńчивать *imp.* increase; *perf.* увелńчить
увеличńтельный *adj.* magnifying
увéренно confidently, with assurance
увéренность assurance, certainty [C]
увéренный certain, sure
уверńть *imp.* assure, affirm; *perf.* увéрить
увńдеть see, notice, catch sight of; *imp.* вńдеть see
увлекáтельный attractive, captivating, absorbing
увлечéние enthusiasm, fervour [C]
увлечённый carried away, enthusiastic

увлéчь *perf.* carry away, absorb; *imp.* увлекáть; ~ся get carried away
уво́лить *perf.* dismiss, discharge; *imp.* увольня́ть
угадáть *perf.* guess, divine, sense; *imp.* угáдывать
углуби́ться *perf.* bury oneself, become absorbed; *imp.* углубля́ться
угнетáть *imp.* oppress, depress, weigh down; no *perf.*
уговори́ть *perf.* persuade; *imp.* уговáривать
угоди́ть *perf.*+на+*acc.* please, suit (see *sel. id.* 115.28); *imp.* угождáть
уго́дник saint [C]
уго́дно *impers.*+*dat.* is pleasing, suits; вам не ~ you do not choose to (114.3); кудá ~ anywhere you fancy (82.17)
ýгол о/- corner [E]
уголо́вный *adj.* criminal
угоня́ться *imp.*+за+*instr.* try to catch up with; *perf.* угнáться
угорáть *imp.* get dizzy, be overcome (by fumes); *perf.* угорéть
угрожáть *imp.* threaten, menace; *perf.* угрози́ть
угрю́мый morose, dark
удáрить *perf.* hit, strike; *imp.* ударя́ть
удáться *perf.* succeed, turn out well; мне удало́сь I succeeded; *imp.* удавáться
удáчный successful
удиви́тельный surprising, astonishing
удиви́ть *perf.* surprise, astonish; *imp.* удивля́ть
удивлéние surprise, astonishment [C]
удо́бный comfortable, convenient
удо́бство comfort, convenience [C]
удовлетворéние satisfaction [C]
удовлетвори́тельный satisfactory
удовлетворя́ть *imp.*+*dat.* satisfy; *perf.* удовлетвори́ть
удово́льствие pleasure, satisfaction; жить в ~ see *sel. id.* 75.23 [C]
уéзд district; see *note* 25.22 [C]
уéздный *adj.* district
уéхать *perf.* leave, go away; *imp.* уезжáть
ýжас horror, terror, alarm; приходи́ть в ~ be horrified [C]
ужáсный horrible, terrible
ужé, уж already, now; ужé не no longer; уж я не знáю I really don't know; где уж тут? How could I?
ýжин supper [C]
ýжинать *imp.* sup, have supper; *perf.* по~
ýзел е/- knot, bundle [E]
ýзкий narrow, slender; *dim.* ýзенький
узнáть *perf.* learn, find out, recognize; *imp.* узнавáть
узо́р pattern, design [C]
уйти́ *perf.* go away (off, out), leave, pass; *imp.* уходи́ть
указáть *perf.* point, indicate; *imp.* укáзывать
уклáдываться *imp.* settle down, fit in, be formulated; pack one's things; *perf.* уложи́ться
укори́зненный reproachful
укры́ть *perf.* cover up, give shelter; *imp.* укрывáть
ýксус vinegar [C]
укуси́ть *perf.* bite, sting; *imp.* укýсывать
укýтать *perf.* wrap up, muffle; *imp.* укýтывать
ýлица street; на ýлице out of doors [C]
улови́ть *perf.* catch, seize; *imp.* улáвливать

уложи́ться *perf.* settle down; pack one's things; *imp.* укла́дываться

улучше́ние improvement, amelioration [C]

улы́бка, *gen. pl.* -/о smile [C]

улыбну́ться *perf.* smile; *imp.* улыба́ться

ум mind, intellect, intelligence; сойти́ с ума́ go out of one's mind [C]

уменьши́ть *perf.* reduce; *imp.* уменьша́ть

умере́ть *perf.* die; *imp.* умира́ть

уме́стный fitting, appropriate

уме́ть *imp.* know how to, be able to; *perf.* суме́ть

умиле́ние emotion, (tender) feeling [C]

у́мный clever, intelligent

умокну́ть *perf.* wet, dip; *imp.* умока́ть

умо́лкнуть *perf.* grow silent; *imp.* умолка́ть

умоля́ть *imp.* beg, entreat, implore; *perf.* умоли́ть

у́мственность learning, scholarly things [C]

унаво́женный covered with dung

у/насле́довать *perf.* inherit

унести́ *perf.* carry away; ~сь be carried away, dash off; *imp.* уноси́ть

университе́т university [C]

унижа́ть *imp.* lower, humiliate, be a detraction; *perf.* уни́зить

униже́ние humiliation [C]

уноси́ть *imp.* carry away; *perf.* унести́

уны́лый dismal, cheerless, despondent, dejected

уны́ние despondency, dejection, depression [C]

упа́сть *perf.* fall; *imp.* па́дать

уплати́ть *perf.* pay, settle; *imp.* упла́чивать

упомяну́ть *perf.* mention; *imp.* упомина́ть

упо́р: гляде́ть в ~ stare, gaze

употребле́ние use, application [C]

упра́ва executive, board [C]

управля́ть *imp.*+*instr.* govern, manage, handle; no *perf.*

управля́ющий director, manager

упря́мый stubborn, obstinate

упусти́ть *perf.* miss, omit, let slip; *imp.* упуска́ть

ура́ hurrah

урождённая born, née

уро́к lesson [C]

урони́ть *perf.* drop, let fall; *imp.* роня́ть

уря́дник village policeman [C]

уса́дьба, *gen. pl.* ь/е property, small estate [C]

уси́лие effort; де́лать ~ над собо́й make an effort [C]

усло́вие condition, stipulation [C]

у/слы́шать *perf.* hear

усмехну́ться *perf.* smile, laugh ironically; *imp.* усмеха́ться

усмотре́ть *perf.* see, notice, note; *imp.* усма́тривать

усну́ть *perf.* fall asleep; *imp.* засыпа́ть

успе́ть *perf.* manage, have time (see *sel. id.* **17.22**); *imp.* успева́ть

успе́х success [C]

успоко́ить *perf.* calm, soothe; *imp.* успока́ивать; ~ся calm down

уста́в code of regulations [C]

уста́лый tired

устрани́ть *perf.* remove; *imp.* устраня́ть

устреми́ть *perf.* fix, direct; *imp.* устремля́ть; ~ глаза́ stare, gaze

устро́ить *perf.* arrange; *imp.* устра́ивать; ~ся be arranged

уступа́ть *imp.* give in, yield, concede; *perf.* уступи́ть
усту́пка, *gen. pl.* -/о concession, discount [C]
усы́ (*pl.* of ус) moustaches [E]
у/теря́ть *perf.* lose
уте́чь *perf.* flow away; *imp.* утека́ть
утира́ть *imp.* wipe; *perf.* утере́ть
у́тка, *gen. pl.* -/о duck [C]
утоми́ть *perf.* tire, weary; *imp.* утомля́ть; ~ся grow tired
утомлённый tired out, weary
утопа́ть *imp.* be sunk, covered; *perf.* утону́ть
у́тренний *adj.* morning
у́тро morning [C:E]
у́тром in the morning
уха́живать *imp.*+за+*instr.* care for, look after, pay court to; *perf.* по~
у́хо (*pl.* у́ши) ear [C:E exc. *nom.*]
уходи́ть *imp.* go away (off, out), leave, pass; *perf.* уйти́
уча́ствовать *imp.* take part; *perf.* по~
уча́стие (*sing.* only) part, share, interest, sympathy [C]
уче́бник text-book [C]
учени́к pupil [E]
учёный *adj.* learned; *sb.* a scholar
учи́лище primary school (see *note* 25.22)
учи́тель *m.* (*pl.* учителя́) [C:E], учи́тельница [C] teacher
учи́тельский *adj.* teacher's
учи́ть *imp.* teach; ~ся learn, study; *perf.* на~, по~, вы́~
у́ши (*pl.* of у́хо) ears [E exc. *nom.*]
ую́тный comfortable, snug

Ф

фа́брика factory, mill [C]
фабрика́нт manufacturer, mill-owner [C]
фабри́чный *adj.* factory; *sb.* factory worker, mill-hand
факт fact [C]
фами́лия (sur)name [C]
фантасти́ческий fantastic
фармаце́вт pharmacist, druggist [C]
фигу́ра figure [C]; *dim.* фигу́рка, *gen. pl.* -/о [C]
физи́ческий physical
фило́соф philosopher [C]
фисгармо́ния harmonium [C]
флёр-д'ора́нж fleurs d'orange (see *note* 13.5) [C]
фли́гель *m.* (*pl.* флигеля́) wing, outbuilding (see *note* 23.2)
фойе́ *indecl.* foyer, lobby
фон background [C]
фона́рь *m.* lantern, street-lamp [E]
фотогра́фия photograph [C]
фра́за sentence [C]
фрак tail-coat, dress-coat, evening-coat [C]
францу́зский *adj.* French
фрукто́вый *adj.* fruit; ~ сад orchard
фрунт: вы́тянуться во ~ stand to attention, draw oneself up to attention
фура́жка, *gen. pl.* -/е peaked cap [C]
фы́ркать *imp.* snort; *perf.* фы́ркнуть
фю́йть: see *note* 44.26

Х

хала́т dressing-gown [C]
хара́ктер temperament, disposition [C]
характе́рный *adj.* characteristic
хвали́ть *imp.* praise; *perf.* по~
хвати́ть *imp.*+*gen.* suffice, be enough, last (64.13); no *perf.*

хвой [C], usually хвóя [C] (pine-, fir-) needles
хворостúна brushwood [C]
хвóрый ailing, delicate; *dim.* хвóренький
хвост tail [E]
хéрес sherry [C]
хитроýмный cunning, crafty
хúщный predatory, rapacious
хлеб bread, loaf [C]
хлеб, *pl.* ~á grain, corn [C:E]
хлестнýть *perf.* lash, switch; *imp.* хлестáть
хлóпать *imp.*+*instr.* crack, bang; *perf.* хлóпнуть
хлыст *sb.* whip [E]
хмýриться *imp.* frown, scowl; *perf.* на~
ход movement, motion; зáдний ~ back! пóлный ~ full speed ahead! [C:E]
ходúть, see идтú; ~+за+*instr.* look after, care for
хозя́ин (*pl.* хозя́ева) master, owner, landlord, host; сéльский ~ farmer, cultivator [C]
хозя́йка, *gen. pl.* й/е mistress, landlady, hostess [C]
хозя́йкин *adj.* landlady's
холéра cholera (see *sel. id.* **50.17**) [C]
холм hill, hillock [E]
хóлод cold [C:E]
холóдный *adj.* cold
холóпский servile, cringing, obsequious
хорóшенький good-looking, pretty; хорошéнько properly, thoroughly
хорóший good, nice, decent
хорошó well, (very) good, all right
хотéл-было was about to (see also бы́ло)
хотéть *imp.* want, wish, mean, intend, try; *perf.* за~
хотéться: мне хóчется I want, feel like; мне хотéлось I wanted, felt like
хоть even, even though (**30.11**), if only, at least
хотя́ although
хохлýшка, *gen. pl.* -/е Ukrainian (woman) (see *note* **47.17**) [C]
хохóл о/- Ukrainian (man) (see *note* **46.7**) [E]
хохотáть *imp.* laugh, guffaw; *perf.* за~ burst out laughing
хóчется: see хотéться
храпéть *imp.* snore; *perf.* за~
хрúплый hoarse, croaky
хромóй lame
хронúческий chronic
хрýпкий frail, fragile
худóжник artist [C]
худóй thin, lean, spare; *dim.* хýденький
хýже worse

Ц

царúца tsaritsa, queen; Царúца Небéсная, see *note* **67.10**
царь *m.* tsar, king [E]
цвестú *imp.* flower, bloom; *perf.* рас~
цвет (*pl.* цветá) colour [C:E]
цветнúк flower-bed [E]
цветнóй coloured
цветóк о/- (*pl.* цветы́) flower, (flowering) plant [E]
цветóчный *adj.* flower; цветóчная пыль pollen
целéбный healing, curative
целовáть *imp.* kiss; *perf.* по~
цéлый whole, safe, unharmed
цель aim, goal [C]
цéльный whole, entire, complete
ценúть *imp.* value, esteem, put a price on; *perf.* о~
цепь chain [C:E exc. *nom.*]

церемо́ния ceremony; без церемо́нии informally, don't stand on ceremony, make yourself at home [C]
церко́вный *adj.* church
це́рковь o/- (exc. *instr. sing.*) church [C:E exc. *nom.*]; *dim.* церко́вочка, *gen. pl.* -/e [C]
цивилиза́ция civilization [C]
цили́ндр silk hat, top-hat [C]

Ч

чай tea [C:E]
ча́йная *sb.* tea-room, tea-house
ча́йный *adj.* tea
чалма́ turban [E]
час hour; с ча́су на ~ at any moment (16.4) [C:E]
ча́стный private, personal; partial, limited
ча́сто often, frequently
часть part, piece; по частя́м feature by feature (53.26) [C:E exc. *nom.*]
часы́ *pl.* watch, clock [E]
ча́шка, *gen. pl.* -/e cup, basin, bowl [C]
ча́ще oftener
чего́? *coll.* = что? what?; чего́ уж? see *sel. id.* 75.10
челове́к (*pl.* лю́ди, but after numbers, *etc.*, *gen. pl.* челове́к) man, person, fellow; Бо́жий ~ see *note* 45.14 [C]
челове́ческий human
челове́чество humanity [C]
чем than; ~ скоре́е, тем лу́чше the quicker the better
чемода́н suit-case, portmanteau [C]
че́рез+*acc.* across, over, through (75.6), in (19.4 *etc.*); ~ си́лу overstraining
чере́шневый *adj.* cherry
черни́ла *pl.* ink [C]
чёрный black; про ~ день for a rainy day (92.23)
черта́ line, feature [E]
че́стный honest, honourable
честь honour [C]
че́тверо (a group of) four
четвёртый *adj.* fourth
че́тверть quarter [C:E exc. *nom.*]
четы́ре four
чечеви́ца (*sing.* only) lentils [C]
чин rank (see *notes* 26.25, 14.9); в чина́х well up in the service [C:E]
чино́вник official [C]
чино́вница official's wife (see *note* 90.14) [C]
чинопочита́ние kowtowing
число́, *gen. pl.* -/e number, figure [E:←(1)]
чи́стить *imp.* clean; *perf.* вы́~, по~
чистописа́ние calligraphy, handwriting [C]
чистота́ purity, cleanliness; ~ души́ openness, frankness [E]
чи́стый pure, clean; ~ во́здух fresh air; чи́стое го́ре see *sel. id.* 70.18
чита́ть *imp.* read; *perf.* про~, по~
член member, limb [C]
чо́каться *imp.* clink glasses; *perf.* чо́кнуться
чрезвыча́йность: до чрезвыча́йности exceedingly
чрезвыча́йный *adj.* exceeding, extraordinary
чте́ние reading, talk, lecture [C]
что *conj.* that; *pron.* what, which; *adv.* why, how
что́бы *conj.*+*inf.* in order to; +*past* so that . . . should; ~ не lest
что бы ни whatever
что́-нибудь anything, something

что́-то something
чубу́к chibouk (see *note* 46.18) [E]
чу́вство feeling, emotion [C]
чу́вствовать *imp.* feel, have feelings, be conscious of; *perf.* по~; ~ся be felt
чуде́сный wonderful, miraculous
чу́диться *imp.* seem, appear; *perf.* по~
чудно́й strange, queer, odd
чу́дный wonderful
чу́до (*pl.* чудеса́) wonder, miracle [C:E]
чудо́вище monster, monstrosity [C]
чужо́й strange, alien
чуло́к о/- (*gen. pl.* чуло́к) stocking [E]
чуть scarcely
чутьё scent, flair [E]

Ш

шаг pace, step; ~и́ footsteps [C:E]
ша́гом at a walking pace
шаль shawl [C]
шампа́нское *sb.* champagne
ша́пка, *gen. pl.* -/о hat, cap [C]
шара́хнуться *perf.* shy; *imp.* шара́хаться
ша́ркнуть *perf.* shuffle; ~ ного́й click one's heels; *imp.* ша́ркать
шарова́ры *f. pl.* (loose) trousers, breeches (see *note* 46.21) [C]
шата́ться *imp.* reel, totter, stagger; *perf.* по~, за~
швейца́р hall-porter, door-keeper [C]
шелесте́ть *imp.* rustle; *perf.* за~
шёлковый *adj.* silk
шепта́ть *imp.* whisper; ~ся whisper to each other; *perf.* шепну́ть
шестна́дцать sixteen
шесть six
шестьдеся́т sixty
ше́я neck [C]
шине́ль cloak, greatcoat (see *note* 66.10) [C]
шипе́ть *imp.* hiss, wheeze, sizzle; *perf.* за~
широ́кий broad, wide, extensive
широта́ breadth, latitude [E: ←(1)]
широча́йший broadest, widest
шить *imp.* sew; *perf.* с~
шкап cupboard [C:E]
шко́ла school [C]
шко́льный *adj.* school
шку́ра skin, hide, pelt [C]
шлейф (bride's) train [C]
шлёпанье shuffling [C]
шля́па (woman's) hat [C]; *dim.* шля́пка, *gen. pl.* -/о [C]
шмы́гать *imp.* dart, slip; *perf.* шмыгну́ть
шов о/- seam (see *sel. id.* 68.6) [E]
шокола́д chocolate [C]
шо́пот whisper(ing) [C]
шо́потом *adv.* in a whisper
шо́рох rustle, rustling [C]
шпо́ра spur [C]
штаны́ *m. pl.* trousers [E]
шта́тный *adj.* staff, established, permanent (see *note* 26.6)
што́пать *imp.* darn; *perf.* за~
што́ра blind, curtain [C]
штраф fine, penalty [C]
шту́ка piece, unit, head [C]
шу́ба fur coat [C]
шум noise, sound [C]
шу́мный noisy, lively
шурша́ть *imp.* rustle; *perf.* за~
шути́ть *imp.* joke, play a trick; *perf.* по~
шу́тка, *gen. pl.* -/о joke, jest, trick; в шу́тку as a joke, playfully [C]; *dim.* шу́точка, *gen. pl.* -/е [C]

Щ

щёголь *m.* dandy, beau [C]
щека́ cheek [E exc. *nom. pl.*]
щекота́ть *imp.* tickle; ~ся itch, tickle each other; *perf.* по~
щёлкнуть *perf.*+*instr.* click, snap; chatter (teeth); *imp.* щёлкать
щель crack, chink [C:E exc. *nom.*]
щено́к о/- (*pl.* щеня́та) pup, puppy [E:←(1)]
щети́нистый bristly
щи *f. pl.* (*gen.* щей) (cabbage) soup (see *note* **89.15**)
щипа́ть *imp.* nip, pinch, pluck; *perf.* за~
щу́рить *imp.*+*instr.* screw up, half-close (eyes); ~ся peer, frown, half-close eyes

Э

эгои́зм selfishness [C]
экза́мен, *coll.* экза́мент examination [C]
экзаменова́ться *imp.* be examined, submit to examination; *perf.* про~
э́кий *adj.* what a . . .!
экипа́ж carriage [C]
электри́чество electricity [C]
эне́ргия energy, power [C]
эпoléт epaulette, shoulder-strap [C]
э́так *adv.* so, in that way
э́такий *adj.* what a . . .!
э́тот, э́то, э́та this, that, э́ти *pl.* these
этю́д étude, study, sketch [C]
э́хо (*sing.* only) echo [C]

Ю

ю́бка, *gen. pl.* -/о skirt [C]
юг south [C]
ю́ный young, youthful
юри́ст lawyer [C]

Я

я́бедничать *imp.* tell tales, slander; *perf.* съ~
я́блочный *adj.* apple
явле́ние phenomenon [C]
я́вный clear, obvious
ягнёнок о/- (*pl.* ягня́та) lamb [C]
я́зва pest, plague [C]
язы́к tongue, language [E]
яи́чный *adj.* egg; яи́чное мы́ло see *note* **31.9**
я́ма pit, hole [C]
я́рка, *gen. pl.* -/о (yearling) ewe [C]
я́ркий bright, vivid
ярмо́ yoke [E]
ярово́й spring-sown (grain)
я́сный clear, bright
ястреби́ный *adj.* hawk, hawk's

PRINTED IN GREAT BRITAIN
AT THE UNIVERSITY PRESS, OXFORD
BY VIVIAN RIDLER
PRINTER TO THE UNIVERSITY